VINS de FRANCE

© Produit par PREMIERE PAGE
Production : Jean-François Dormoy
Édition : Dominique Artigaud
Maquette : Mireille Palicot
Révision : Katioucha Desjardins,
Arlette Gattullo, Michel Wechsler
© Agence A.N.A.,
pour les photographies
© Gérald Quinsat et Rémy Le Goitre,
pour les illustrations

© Éditions Soline 1993
Tous droits réservés
Dépôt légal : octobre 1993
ISBN 2-87677-169-1
Photogravure : Advance Laser Graphic Arts Ltd,
Hong-Kong
Impression : Cronion SA, Barcelone

Imprimé en Espagne

VINS de FRANCE

Bruno Grelon
Photos : Jacques Bravo

EDITIONS Soline

SOMMAIRE

DES VINS ET DES HOMMES

C'est à un fabuleux voyage que vous invite ce livre, une longue promenade dans la France des vins.

Voyage initiatique tout d'abord, car l'ensemble des opérations qui concourent à la création d'un vin semble relever d'une subtile alchimie. On y trouve pêle-mêle les influences géologiques, les éléments climatiques, l'harmonie des cépages, les techniques de culture, les réactions chimiques et les apports « artistiques » de l'homme. Autant dire combien est long et compliqué le chemin qui va de la vigne au verre. Pourtant, il n'y a rien de mystérieux dans cette aventure. Les vignerons ont conservé les techniques ancestrales, tels l'emploi des tonneaux remontant aux Gaulois ou certaines tailles découvertes au Moyen Âge. Ils ont adapté leur savoir-faire et suivi les conseils des chercheurs pour améliorer production et qualité. Étapes par étapes, nous suivrons donc le travail de la vigne jusqu'aux vendanges, avant de découvrir les différentes phases de la vinification.

Voyage gastronomique ensuite, au cœur de la dégustation. Avec patience et une certaine humilité on s'initiera à l'art du savoir-boire et à celui de l'harmonie des vins et des mets. Bonne occasion

ensuite de se constituer une cave intelligente en fonction de ses goûts, de ses découvertes et des bonnes années à conserver. Synonyme de bien vivre, le vin fut aussi pendant longtemps un adjuvant aux soins médicaux. Certains médecins continuent à conseiller son emploi. Et ce ne sont pas les malades qui s'en plaindront...

*V*oyage touristique enfin, au fil des grandes régions vinicoles où sont passées en revue petites et grandes appellations. Du confidentiel Château-Grillet ou rarissime Château-Chalon au non moins minuscule Ripaille (Savoie), des étonnants Alsace Grands Crus aux seigneurs du Médoc, on va de découverte en découverte. On s'arrête parfois quand une curiosité mérite le détour : l'impressionnant foudre de chez Mercier à Épernay, un agréable sentier vinicole dans le Haut-Rhin, une chapelle votive en Bourgogne ou un superbe château dans le Bordelais... richesse des sols et richesse des cultures.

*E*n vous guidant à travers cette France des vins, ce livre sera la meilleure incitation à un agréable périple pour gourmets et gourmands.

La vigne et le vin participent des fondements de nos civilisations, intimement mêlés à nos croyances, nos mythologies, nos religions. Ainsi, la Bible fait allusion plus de six cents fois au vin. En Egypte, trente-cinq siècles avant notre ère, le pharaon Pepi II, qui régnait sur Memphis, dégustait les vins du delta du Nil, de Péluse (Abaris) et de Létopolis (Sokmit). Ne célébrait-on pas, dans la Grèce antique, les vins de Samos, de Crète et de Thassos, tandis que, dans l'Empire romain, on buvait du Falerne et du vin du Vésuve !

Une des mosaïques découvertes en 1868 dans la ville gallo-romaine de Séviac-Montréal

Bas-relief représentant Bacchus, dans les caves de la Reine Pédauque

Si l'on a découvert des traces de vignes datant de plusieurs dizaines de millions d'années avant notre ère, on ignore à quel moment l'homme a découvert l'alchimie permettant de transformer les fruits de la vigne en vin. Au quaternaire, un ancêtre de la vigne, une plante sauvage, la lambrusque, a été repertoriée, ainsi que des cuves à vin creusées à même la roche.

Certes les principes de fermentation sont anciens, mais aucun document ne nous permet de remonter dans le temps avec exactitude ; néanmoins nous savons que la Mésopotamie fut l'un des berceaux de la viticulture, 3 000 ans avant notre ère.

Les Égyptiens possédaient des vignes et faisaient du vin, comme l'attestent les amphores trouvées dans les tombeaux royaux. En effet, il était d'usage de fournir au défunt un viatique pour le long voyage qu'il allait entreprendre. De nombreux monuments funéraires de l'Ancien Empire (2700 ans avant. J.-C.) évoquent donc les travaux d'entretien de la vigne, la cueillette du raisin, son transport dans des hottes d'osier et le pressurage qui s'effectuait dans des cuves en bois d'acacia. Les vins les plus célèbres étaient en général blancs. Ils se nommaient maréotique, taniotique ou encore sebennyticum.

En Grèce, on produisait, semble-t-il, des vins doux réalisés avec des raisins ayant subi une surmaturation après la cueillette. Les Grecs avaient également l'habitude de couper d'eau leur vin et d'y ajouter du miel et des aromates.

Dans la Gaule celtique, le vin jouait un rôle religieux et sacré et servait à des libations, autrement dit des offrandes à des divinités. C'est ce qu'en ont déduit plusieurs archéologues et historiens après la découverte dans des tombes gauloises de nombreuses pièces de service à vin.

Étrusques ou Grecs ? Les Romains ont connu la vigne sans doute par l'une ou l'autre civilisation, les Latins ont vite découvert ses vertus et ont cherché à améliorer ses qualités, au point de créer les premières techniques de viticulture (comme par exemple la taille et la greffe) et de viniculture. Ils les ont développées aussi bien chez les Hellènes et les Gaulois que dans la péninsule ibérique.

IMPORTATION OU HYBRIDATION ?

La lambrusque ne fut pas seule à donner du raisin. Certains historiens préfèrent la classique version de l'importation des premières vignes, *Vitis vinifera*, par marins phocéens interposés, il y a vingt-cinq siècles, tandis qu'un chercheur de l'Inra, Max Rives, avance l'hypothèse d'une hybridation naturelle. Ces vignes grecques, variétés tardives, seraient restées longtemps cantonnées dans le sud. Il faudra l'apport de nouvelles variétés pour voir la vigne remonter vers le nord, en direction de la

Statue de Bacchus dans les caves
de la Reine Pédauque, à Beaune

Bourgogne, et vers l'ouest, en direction du Bordelais. Ces nouvelles espèces, plus robustes, adaptées au climat, seraient les descendantes naturelles du croisement spontané de ces vignes locales sauvages avec les variétés importées par les Grecs ou les Romains.

Sous l'occupation romaine, si l'on boit beaucoup de bières de céréales, en particulier la cervoise, l'usage du vin, souvent rehaussé d'épices ou d'anis, est de plus en plus répandu. L'implantation des vignes, dans les trois premiers siècles de notre ère, suit deux directions : Narbonne ,Toulouse, Gaillac, Bordeaux et Avignon, Bourgogne, Moselle. Le succès des vins gallo-romains est tel qu'il menace les vins romains.

MORTEL DÉCRET

De 91 à 95 après J.-C., l'empereur Domitien interdit toute nouvelle implantation, prescrivant l'arrachage des vignes dans les provinces de Narbonne et d'Aquitaine. Heureusement cet édit impérial est mal appliqué et tout bonnement annulé deux siècles plus tard par Probus, un empereur plus avisé (272-282). Le christianisme – où l'on associe le vin à la liturgie – devenant religion officielle en 313, avec l'empereur Constantin, l'avenir des vignobles est donc assuré.

Un peu partout les vignes prennent de l'ampleur. Ainsi la Champagne produit du vin rouge de qualité moyenne, ce qui n'empêche pas l'évêque saint Rémy d'y posséder quelques vignobles.

Charlemagne fait développer la culture de la vigne sur l'ensemble de son empire européen et possède ses propres vignes en Bourgogne, à Corton. De cette époque, on retiendra que certaines régions choisissent de faire vieillir leur vin en foudre et que le vin d'Alsace commence à être apprécié bien au-delà de ses lieux de culture, notamment en Scandinavie et en Angleterre.

Mosaïque romaine du musée Saint-Rémi, à Reims

Sillons romains à Saint-Émilion

Un renouveau s'amorce après l'an mil grâce à l'église qui multiplie ses implantations. Évêques et moines s'intéressent vivement à la plantation des vignes, d'ailleurs, l'emplacement de nombreuses abbayes a probablement été conditionné par la qualité vinicole des terres alentour.

Tous les grands ordres monastiques – Bénédictins, puis Cisterciens et Chartreux – sont à l'origine de nombreux vignobles, en Champagne, en Bourgogne, Aquitaine, Alsace, Val de Loire... La vigne remonte vers le nord et gagne des régions comme la Bretagne, la Normandie et les Flandres.

A leur tour rois et grands seigneurs les imitent, touchés par la grâce des « vins d'honneur » dont les gratifient les évêques. Ces fameux « vins d'honneurs » font partie des règles de l'hospitalité. Les invités de marque étant souvent logés au siège de l'épiscopat, il est d'usage de leur faire déguster une bonne bouteille tirée du cellier. En remerciement, ces illustres personnages ne sont pas avares de dons : terres à vignes ou privilèges sur le transport.

Ces protecteurs sont souvent exigeants sur la qualité. Tous les ducs de Bourgogne travaillèrent la réputation de leurs vins. On dit même que Philippe le Hardi ordonna, en 1395, d'arracher tous les cépages gamay qui donnant un vin abondant mais mauvais. Le commerce se développe également avec l'organisation de foires et marchés, devenus de véritables institutions.

Le Clos de Vougeot

La réputation de nos vins gagne très tôt l'étranger. Le mariage d'Aliénor et d'Henri de Plantagenêt, en donnant l'Aquitaine aux Anglais au début du XIIᵉ siècle, profite à l'économie viticole. Et c'est par flottes entières (jusqu'à trois cents navires) que le précieux liquide part deux fois l'an vers les brumes du nord. Le transport, aussi coûteux que périlleux, est néanmoins très rentable. Dès le IIIᵉ siècle, l'Anjou, tout comme l'Alsace, remonte ses meilleurs crus vers les Flandres et l'Angleterre. Dans la

Ci-contre, pressoir du VIIIe siècle du Château de Pommard

grande région entourant la Gironde, les autres appellations comme le Gaillac ou le Cahors profitent de l'élan régional, mais doivent aussi faire face aux « brimades » des Bordelais, bien décidés à défendre leur suprématie.

Autour de Paris, ce sont encore des moines qui permettent le développement de la viticulture ; ainsi ceux de l'abbaye de Saint-Denis, présents à partir du VIIe siècle, qui développent des vignes dans l'ouest de la capitale, ceux de l'abbaye Saint-Ger-main-des-Prés, qui implantèrent leurs premiers pieds à Suresnes au début du Xe siècle. Au XIIe siècle, l'abbesse Adélaïde de Savoie poursuivit l'extension des vignes tout autour de Paris. Par opposition aux vins de Gascogne et de Bourgogne, le vin d'Ile-de-France était appelé « vin français ». Sa production était assez importante jusqu'aux XVe et XVIe, à tel point qu'on l'exportait vers les Flandres et l'Angleterre, à partir du port de la Grève (situé à la hauteur de l'actuel Hôtel de Ville de Paris).

*Double page précédente, cave
du XIIIᵉ siècle du cellier des
Chartreux de Vaucluse,
à Montaigu*

LE CLERGÉ ET LES ORDRES
RELIGIEUX FURENT À L'ORIGINE
DU DÉVELOPPEMENT
DU VIGNOBLE CHAMPENOIS ;
LE TESTAMENT DE SAINT RÉMI,
ÉVÊQUE DE REIMS, RACONTE
COMMENT IL AURAIT OFFERT
UN BARIL DE VIN À CLOVIS
POUR COMBATTRE LES
BARBARES : LA VICTOIRE LUI
SERAIT ACCORDÉE TANT
QUE CE VIN DURERAIT.
LES MOINES ÉTENDIRENT LE
VIGNOBLE AFIN DE SUBVENIR
À LEURS BESOINS ET POUR
L'ENTRETIEN DES ABBAYES.

*Ci-contre, tapisserie représentant
la châsse où reposent les reliques
de saint Rémi*

Le développement du commerce créa une nouvelle profession, les courtiers. Utilisés comme intermédiaires entre vendeurs et acheteurs, ces fonctionnaires étaient nommés par le prévôt des marchands. Philippe le Bel réglementa cet institution en 1312 et bien d'autres rois après lui. Au XVIIe siècle, ils étaient également chargés de vérifier les nouveaux arrivages sur les quais parisiens pour voir « s'ils estoient loyaux et marchands et point chargés d'autre liquide que du jus de la treille ».

PUBLICITÉ ROYALE

Par leurs goûts, les rois de France font bénéficier certains crus de leur protection, leur offrant une « publicité » incomparable. Charles V aime le Saint-Pourçain ; Louis XI et Philippe Auguste penchent pour l'Anjou ; François Ier est un amateur de Gaillac et de Cahors ; Henri Ier possédait un important vignoble sur la colline Sainte-Geneviève ; Henri IV, joyeux viveur, célèbre tout autant les vins du Sud-Ouest que les autres ; Louis XIV apprécie particulièrement les Bourgogne rouges ; la cour, sous la Régence et Louis XV, fait la fête avec le Champagne.

Ce sont toujours les transports qui influenceront et permettront le développement de tel ou tel cru. L'apparition de nouvelles techniques au XVIIe siècle, comme la stérilisation des barriques, le soufrage des fûts, la clarification, permettent un transport sans fermentation.

Le vin n'est pas seulement l'apanage des grands de ce monde. Il est entré dans les mœurs des petites gens. Il devient même l'élément indispensable de la classique trilogie « pain, soupe et boisson fermentée ». Ce n'est souvent qu'une simple « piquette ». Ainsi au XIVe siècle, dans le Bordelais, on rajoute de l'eau dans les marcs déjà utilisés. Cette boisson, nommée « pinpin », sert à la consommation courante des serviteurs et des paysans. Avec l'augmentation régulière de la population et la consommation qui atteint les couches populaires, on développe la production au mépris de la qualité. Cela donne bientôt un vin aigrelet, difficile à conserver, qui prend désormais le nom de « guinguet » (d'où les fameuses guinguettes).

La fin du XVIIIe siècle se révèle difficile pour les producteurs de vin. La Révolution, les multiples guerres du premier Empire liées au blocus continental, empêchent l'exportation, à quoi s'ajoutent surproduction et sous-consommation.

La statue de saint Émilion

Le XIXᵉ siècle va marquer un important tournant dans l'histoire du vin français : les nouveaux modes de transport d'une part, les maladies d'autre part, vont bouleverser le monde viticole.

En raison des frais d'acheminement, on consommait surtout des vins régionaux, d'où l'importance du vignoble parisien. Ainsi, en 1816, ce dernier produisait plus de vin que certains départements du Midi et son rendement était bien supérieur (33,6 hectolitres par hectare en Seine-et-Oise, contre 15,5 hectolitres par hectare dans l'Hérault).

Le développement du chemin de fer va bouleverser toutes les données économiques, donnant une dimension nationale au marché du vin. L'abaissement du coût du fret et la création de lignes ferroviaires vont bénéficier au vin méridional. Le Languedoc multiplie ses vignobles, bourgeois et industriels investissant dans ce nouveau marché très florissant.

Mais la crise n'est pas loin. Le phylloxéra, un puceron microscopique, amené par des ceps américains, commence à toucher les premières vignes dès 1863,

Le célèbre foudre de chez Mercier, qui exigea vingt ans d'efforts et figura à l'Exposition universelle de 1889. Vingt-quatre bœufs tirèrent ce tonneau, d'Épernay à Paris, et mirent une semaine à effectuer ce trajet

La mise en cuve joue un rôle primordial quant à la qualité du vin. Du bois, quasiment disparu, à l'acier inoxydable, toute la panoplie de la

dans le Gard. Les ravages s'étendent sur tout le Midi avant de remonter lentement vers le nord, touchant pratiquement tout le territoire. D'autres maladies cryptogamiques font à leur tour leur apparition : l'oïdium en 1845, le mildiou en 1878 et le *black-rot* en 1885. La production s'effondre, de nombreux viticulteurs sont ruinés. Le greffage de vignes américaines résistantes à ce fléau permet peu à peu de reconstituer le vignoble français, qui, vers 1900, retrouve à peu près sa superficie précédente.

Après la vigne, c'est le vin qui est touché. En 1863, une grande partie des vins exportés (52 millions d'hectolitres) est considérée comme imbuvable : des bactéries ont modifié le liquide.

Un chimiste jurassien, Louis Pasteur, étudie les procédés de fermentation et les

technologie moderne s'est déployée pour améliorer les conditions de fermentation et de macération du précieux liquide.

traitements des maladies du vin. L'ensemble de ses travaux est présenté en 1865, sous le titre : *Études sur le vin, ses maladies, causes qui les provoquent : procédés nouveaux pour le conserver et le vieillir.* La méthode qui évite le développement des micro-organismes par chauffage prend son nom : la pasteurisation.

UNE RÉGLEMENTATION BIENVENUE

Suite à la pénurie de vin, la fraude commence à sévir. La contrebande de vins étrangers se développe. Par ailleurs on crée des succédanés de vin à partir de produits aussi divers que curieux : raisins secs importés de Grèce, alcools de betterave ou de pomme de terre, colorants à base de myrtilles, de roses ou de coquelicots, etc.

Pour éviter tous ces abus, les législateurs réagissent. Le premier texte, daté du 14 août 1889, donnera la définition de base du vin, issu de la fermentation de raisins frais. Cette loi sera suivie de plusieurs autres réglementant l'utilisation du sucre, la déclaration des récoltes, la circulation du produit fini, l'organisation de la répression des fraudes sur les vins et spiritueux.

Outre la fameuse classification établie dans le Bordelais en 1855, premier exemple d'appellation contrôlée, on verra le début du XXe siècle s'offrir tout un arsenal de textes et de contrôles pour protéger la qualité des vins français. C'est la classification désormais traditionnelle : AOC, VDQS, vin de pays et vin de table.

De nos jours, les vins de France poursuivent leur histoire en allant vers une qualification de plus en plus grande, techniques scientifiques et traditionnelles à l'appui. Les viticulteurs continuent à améliorer leurs produits, créant sans cesse de nouvelles appellations, comme récemment le Macvin dans le Jura. Ils vont ainsi dans le sens des consommateurs, devenus au fil du temps des amateurs avertis.

Ci-dessus, traitement du vignoble par hélicoptère à côté de Riquewhir

DANS LES LABORATOIRES DE RECHERCHE INDUSTRIELLE ET D'ANALYSE, ON EXAMINE DIFFÉRENTS ÉCHANTILLONS DE VIN. POUR TRAITER LE VIN PAR LE FROID AVANT CHAMPAGNISATION, IL FAUT D'ABORD DÉTERMINER L'INDICE DE STABILITÉ TARTRIQUE. DES ANALYSES TRÈS COMPLEXES VONT INDIQUER LE DEGRÉ ALCOOLIQUE, LA TENEUR EN SUCRE ET EN ANHYDRIDE SULFUREUXS, L'ACIDITÉ, L'ACIDITÉ VOLATILE, L'EXCÈS DE FER ET DE CUIVRE QUI ENTRAÎNE UN TROUBLE.

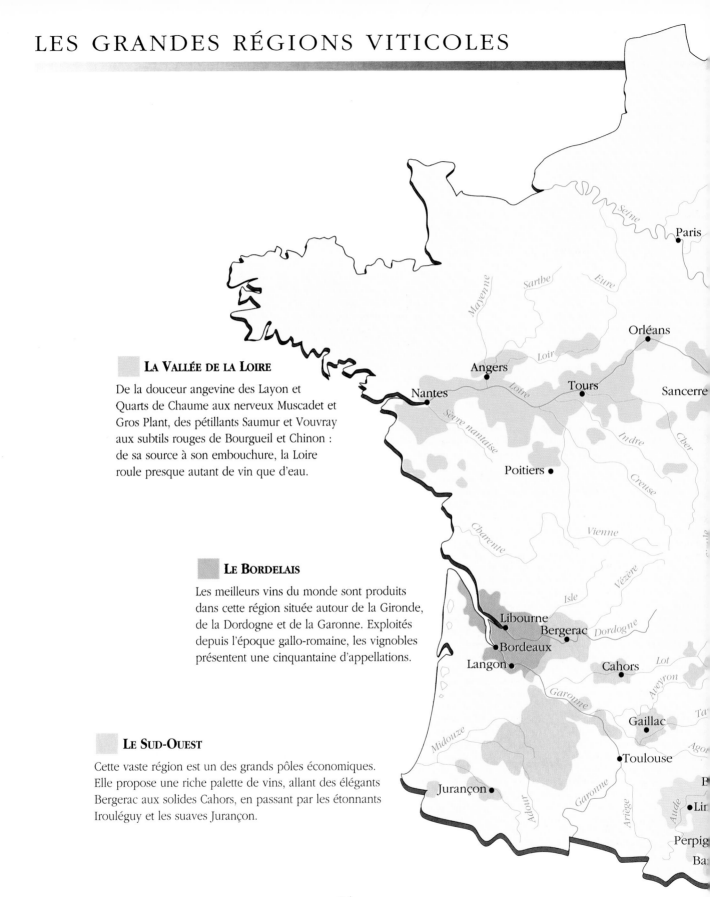

LA VALLÉE DE LA LOIRE

De la douceur angevine des Layon et Quarts de Chaume aux nerveux Muscadet et Gros Plant, des pétillants Saumur et Vouvray aux subtils rouges de Bourgueil et Chinon : de sa source à son embouchure, la Loire roule presque autant de vin que d'eau.

LE BORDELAIS

Les meilleurs vins du monde sont produits dans cette région située autour de la Gironde, de la Dordogne et de la Garonne. Exploités depuis l'époque gallo-romaine, les vignobles présentent une cinquantaine d'appellations.

LE SUD-OUEST

Cette vaste région est un des grands pôles économiques. Elle propose une riche palette de vins, allant des élégants Bergerac aux solides Cahors, en passant par les étonnants Irouléguy et les suaves Jurançon.

Paris

Orléans

Angers
Tours
Sancerre

Nantes
Poitiers

Libourne
Bergerac
Bordeaux
Langon
Cahors

Gaillac

Toulouse

Jurançon

Perpig
Ba

LA CHAMPAGNE

Planté sur les falaises crayeuses de l'Ile-de-France et de la Marne, le vignoble champenois a bénéficié du prestige des rois venus se faire couronner à Reims. Depuis, le Champagne a su se faire « mousser » pour devenir un vin synonyme de fête et de raffinement.

L'ALSACE

Bien protégés par les Vosges, les coteaux alsaciens donnent une demi-douzaine de vins blancs, secs et parfumés, et un seul vin rouge. Leurs caractéristiques : ils portent le nom du cépage dont ils sont issus.

LE JURA ET LA SAVOIE

Les vignobles franc-comtois et savoyard ont la particularité de porter des cépages spécifiques, qui donnent des vins frais, souples et fruités.

LA BOURGOGNE

Répartis en « climats », les vignobles donnent d'extraordinaires rouges, puissants, chaleureux et de longue garde, et des blancs délicats et fruités.

LES CÔTES DU RHÔNE

Bien calés le long du fleuve, les vignobles rhodaniens s'étendent de Lyon à Avignon. Ils donnent toute une gamme de vins rouges charnus et fruités, parfois denses et capiteux, ainsi que des blancs et des rosés d'excellente tenue.

LA PROVENCE

Le vignoble offre une belle production de rosés (60%) sous l'appellation Côtes de Provence, mais aussi quelques sympathiques appellations locales de rouges et de blancs.

LA CORSE

L'île est particulièrement riche en plantations vinicoles. Qu'ils soient rouges ou rosés, ses vins ne manquent ni de charme ni de finesse.

LE LANGUEDOC-ROUSSILLON

La tradition vinicole, depuis bien des générations, est fortement ancrée, mais il a fallu réaliser une reconversion totale des vignobles dans les années soixante.

25

Tous les vins de France sont classés hiérarchiquement en fonction d'une réglementation nationale adaptée désormais aux normes européennes. On distingue quatre grandes catégories : les appellations d'origine contrôlée (AOC), les vins délimités de qualité supérieure (VDQS), les vins de pays et les vins de table. Plus le vin est fin, plus les normes géographiques sont rigoureuses ; elles sont complexes car sur la même aire régionale on peut produire un AOC classé et du vin de pays : tout est question de normes techniques.

LES VINS D'APPELLATION D'ORIGINE CONTRÔLÉE (AOC)

Elite des vins de France, les vins d'appellation d'origine contrôlée sont soumis à des règles particulièrement strictes établies par l'Institut national des appellations d'origine (INAO).

Ces vins doivent répondre à un certain nombre de conditions sur l'aire de production, la nature des cépages, la densité des plantations, le rendement maximum à l'hectare (hl/ha), les procédés de culture (taille, palissage, épamprage et éventuellement effeuillage, traitements, vendanges), le degré alcoolique minimum, la vinification et parfois le temps de conservation avant la mise en vente.

S'il ne répond pas rigoureusement à l'un ou l'autre de ces critères officiels, le vin peut être « déclassé » sur avis d'une commission de dégustation et éventuellement par le viticulteur lui-même (en cas de surproduction).

**LES VINS DÉLIMITÉS DE QUALITÉ
SUPÉRIEURE (VDQS)**

Les critères, relatifs à la production et
d'une façon générale à la qualité, sont un
peu moins sévères que pour les AOC.

LES VINS DE PAYS

Obtenus à partir de certains cépages,
ces vins proviennent exclusivement des régions dont ils portent le nom. Leur degré
alcoolique minimum évolue entre 9° et 10°.
Ils sont contrôlés par analyse et dégustation. Leur appellation d'origine peut repré-
senter un territoire plus ou moins vaste.

– A vocation régionale. Ce sont des
vins d'assemblage produits dans trois grandes régions : vin de pays du « jardin de la
France », qui comprend une zone couvrant
une grande partie du bassin de la Loire ;
vin de pays du Comté toulousain pour une
région allant du sud de la Gironde aux
Pyrénées, couvrant environ une dizaine

de départements ; vins du pays d'Oc, soit
quatre départements méditerranéens, des
Pyrénées-Orientales au Gard.

– A vocation départementale. Ils représentent une quarantaine de départements,
comme l'Yonne, l'Ardèche, la Drôme, etc.
Certains couvrent deux départements en
Franche-Comté, Corse et Charente.

– A vocation locale. On en dénombre
environ 140 en France.

LES VINS DE TABLE

Ils portent des noms évocateurs, mais
aussi le nom de la marque qui les vinifie ou
les commercialise. Vendus en bouteilles
étoilées, ils doivent avoir un degré alcoolique compris entre 8,5° et 15° et peuvent
être issus de coupages. Suivant leur origine
ils ont le droit à la dénomination « Vin de
table français » ou « mélange des vins de
différents pays de la Communauté euro-
péenne » (les coupages avec des vins exté-
rieurs à la Communauté sont interdits).

*L*es différents plants de vignes
sont répertoriés et classés sous
l'appellation de cépages, qui
se distinguent par la couleur
de la peau des raisins : rouges,
gris et blancs. Leur nombre dépasse
les cinq mille et leur étude
a donné naissance à une science :
l'ampélographie. Cependant ,
les grandes appellations sont
en nombre limité (une
cinquantaine environ).

LES CÉPAGES

Vigne blanche / Vigne noire	Alsace	Bordelais	Bourgogne	Champagne	Corse	Côtes du Rhône	Jura	Languedoc Roussillon	Provence	Savoie	Sud-Ouest	Vallée de la Loire
Aligoté			●							●		●
Bourboulenc					●			●	●			●
Cabernet franc		●								●	●	
Cabernet sauvignon		●						●	●	●	●	●
Carignan					●			●	●	●	●	●
Chardonnay			●	●			●	●		●	●	●
Chasselas	●									●	●	
Chenin blanc								●			●	●
Cinsault					●	●		●	●			
Clairette						●		●	●			
Fer servadou											●	
Gamay			●							●	●	●
Gewurztraminer	●											
Grenache (N et B)					●	●		●	●			
Gros plant												●
Jurançon noir											●	
Malbec		●						●			●	●
Marsanne						●		●	●			
Mauzac								●			●	
Merlot		●				●		●	●		●	●

	Alsace	Bordelais	Bourgogne	Champagne	Corse	Côte du Rhône	Jura	Languedoc Roussillon	Provence	Savoie	Sud-Ouest	Vallée de la Loire		Vigne blanche ○ — Vigne noire ●
										●			Mondeuse	
					●	●		●	●				Mourvèdre	
		○									○		Muscadelle	
												○	Muscadet	
	○							○					Muscat	
											●		Négrette	
					●								Nielluccio	
				●								●	Pinot meunier	
	●		●	●			●			●		●	Pinot noir	
						○	○			○			Roussanne	
	○												Riesling	
		○							○		○	○	Sauvignon	
							○						Savagnin	
		○							○		○		Sémillon	
	○												Sylvaner	
					●	●		●	●		●		Syrah	
											●		Tannat	
		○			○	○		○	○		○		Ugni blanc	
					○			○	○				Vermentino	
						○							Viognier	

ARAMON

Ce très gros producteur de la région du Languedoc, robuste et résistant bien aux maladies (oïdium), est originaire du Midi. Toutefois, il ne donne qu'un vin ordinaire. Extension limitée.

AUBUN (OU COUNOISE)

Assez productif, il donne un vin peu coloré, corsé, médiocre. Le Vaucluse, l'est du Gard, le Languedoc et les Bouches-du-Rhône sont des régions utilisatrices.

CABERNET FRANC OU BRETON

Peu productif et tardif, mais vigoureux. Il fournit un vin de garde assez fin et bouqueté. Il est utilisé en cépage unique pour le Chinon, le Bourgueil et le Champigny. Il participe à la composition du Saumur mousseux. Vinifié en rosé en Anjou, c'est un vin semi-doux. Associé au merlot : Saint-Emilion, Pomerol, Graves.

CABERNET SAUVIGNON

Ce très grand cépage est présent partout dans le monde. Moyennement productif, sensible à l'oïdium, il donne des vins colorés, très solides, et de grande finesse en vieillissant. Associé au petit verdot, on le retrouve dans le Margaux. Associé au merlot, il produit un vin fin mais plus souple dans le Médoc.

CARIGNAN

Productif, mais sensible à l'oïdium, son vin peut être bon à condition de limiter son rendement. Dans ce cas il a du corps, de la couleur et de la finesse. Principal cépage des rouges du Languedoc, il est associé au grenache dans le Roussillon et les Côtes du Rhône.

CÉSAR (OU ROMAIN)

Rustique, très vigoureux, il donne des vins taniques, acides et longs à se dépouiller. On le trouve dans l'Yonne.

CINSAULT

Cépage du Midi, de vigueur moyenne, il produit à la fois du raisin de table et un vin fin et moyennement alcoolique. Il adoucit les vins de grandes appellations. On le trouve associé au grenache auquel il donne du corps et une certaine chaleur.

COT, MALBEC (BORDELAIS)
OU AUXERROIS (CAHORS)

Le vin qui est issu de ce cépage moyennement productif est coloré, astringent, mais fin. On le trouve en appoint dans le Bordelais et la Loire, mais comme cépage principal pour le Cahors.

GAMAY (ROUGE À JUS BLANC)

Tardif et productif, il est sensible aux sous-sols, donnant plus de subtilité sur les granites et les schistes. Dans l'ensemble, ses vins sont relativement fins, et faits pour être bus rapidement. Malgré sa sensibilité à la pourriture grise, au mildiou, à l'oïdium, il est largement planté en raison de ses qualités. Cépage unique en Beaujolais, présent en Mâconnais (associé avec le pinot noir) ; cépage principal en Auvergne, Roannais, Lyonnais ; en recul dans l'Aube et en Lorraine ; enfin, en appoint dans la vallée de la Loire, le Sud-Ouest, le Jura, le Rhône, la Savoie, le Dauphiné.

GOUGET

Produit un vin rouge dans l'Allier.

GRAND NOIR DE LA CALMETTE

Ce cépage teinturier du Midi offre un vin coloré et médiocre. Il est présent en Haut-Languedoc.

GRENACHE OU ALICANTE

Vigoureux et productif, son vin est alcoolique et peu acide. On le connaît pour les vins de liqueur (Banyuls). Planté à Châteauneuf-du-Pape, il réalise un rouge très corsé, d'assez bonne garde.

GROLLEAU

Qualité moyenne, assez productif et toujours associé.

JURANÇON ROUGE

Utilisé dans la région toulousaine, le Tarn-et-Garonne et le Tarn, c'est un cépage peu vigoureux, mais productif.

MERLOT NOIR

Bien que sensible au mildiou, le merlot possède bien des qualités, comme sa fertilité et le fait qu'il produit un vin fin et de garde. C'est pourquoi on le trouve dans le vignoble du Bordelais, associé au cabernet sauvignon (Médoc) et au cabernet franc (Saint-Émilion, Pomerol).

MEUNIER

Cultivé en Champagne, Marne, Aube et Loiret, c'est un assez bon producteur d'un vin fin, sans garde. Toutefois il reste sensible à la pourriture. On l'utilise beaucoup dans les assemblages.

MOURVÈDRE

Cultivé dans le Languedoc, la Provence, la vallée du Rhône et le Sud-Ouest. Il a besoin de beaucoup de chaleur. Il est associé pour le vin de Cassis et les Côtes de Provence.

NÉGRETTE

Assez productif, sensible à la pourriture, son vin est assez coloré, fin, mais ne se garde pas. On le trouve dans le vignoble de Frenton (Sud-Ouest), dans le Poitou.

PINOT NOIR

Son raisin rouge à jus blanc, peu productif, donne un vin de garde très délicat mais de caractère. Remarquable en vieillissant, il s'épanouit avec un bon climat et un sol calcaire. Cépage des grands vins de Bourgogne, il leur offre richesse, bouquet et ampleur. Vinifié en blanc en Champagne.

POULSARD

Cultivé dans le Jura sur les schistes argileux et les marnes bleues. Il donne un vin peu coloré, prenant une teinte pelure d'oignon en vieillissant.

TANNAT

Cultivé dans le Béarn, associé dans le Madiran et l'Irouléguy (Pays basque), il donne un vin coloré, astringent, fin, très tannique et de bonne garde. Autrefois, il était associé aux Bordeaux pour leur donner couleur et charpente. Cépage résistant à la pourriture.

TEINTURIER

Ce cépage produit modestement des raisins à jus rouge et fait un vin ordinaire mais qui sait vieillir. Associé dans le Mâconnais, les vallées de la Loire et de la Garonne.

TROUSSEAU

C'est un cépage très vigoureux, principalement cultivé dans le Jura où il gagne à être mélangé au poulsard. Il donne un vin pourpre, corsé et de bonne garde.

VERDOT (PETIT)

Peu productif, ce vin très coloré, de peu de garde, ordinaire et astringent, entre dans la composition des grands vins du Médoc et du Lauzet (gave de Pau).

SYRAH

Peu fertile. On le retrouve dans la vallée du Rhône, la Drôme (Tain-l'Hermitage) et l'Ardèche. Associé, près de Valence, Châteauneuf-du-Pape, Gigondas, il est aussi présent dans le Languedoc et en Roussillon. Vins fins et de garde.

QUELQUES CÉPAGES RÉGIONAUX

Chenin noir ou pineau d'Aunis, duras, fer, folle noire, grenache gris, lladoner, mérille, mondeuse, niellucio, picpoul noir, pinot gris, terret noir, tibouren, tokay ou pinot gris, tressot, valdiguier.

ALIGOTÉ

Ce cépage précoce, d'origine ancienne, est cultivé surtout en Bourgogne. Il produit un vin blanc léger assez fin, à consommer jeune, car il risque de s'oxyder.

ALTESSE

Peu productif, il donne un vin délicat, fin, corsé, légèrement aromatique. A consommer rapidement. On le trouve en Savoie (Bugey).

ARBOIS

Blanc, moyennement fertile. Très localisé dans le Loir-et-Cher (Sologne).

CHARDONNAY

Vigoureux et assez productif, sensible au millerandage (différence de taille entre les grains), il offre des vins blancs d'une grande finesse, transparents, légers, nerveux et qui assurent un bon vieillissement. Sur les terrains argilo-calcaires, ses résultats sont remarquables en Bourgogne (Chassagne-Montrachet, Puligny-Montrachet, Corton-Charlemagne, Meursault, Mâconnais, Chablis) et en Champagne.

CHASSELAS

Raisin de table avant tout, il se révèle capable d'élaborer des vins blancs délicats, légers, agréables et peu bouquetés comme le Crépy de Savoie ou le Fendant de Suisse. Utilisé en complément à Pouilly-sur-Loire, pour le Sancerre et pour le Côtes du Rhône (Condrieu). Ce cépage, de vigueur et de production moyennes, est résistant à la pourriture mais moins à l'oïdium.

CHENIN OU PINEAU DE LOIRE

Vigoureux et productif, il offre des vins très solides et très fins en Anjou-Touraine. Travaillé sur de faibles rendements, il donne des vins liquoreux avec un beau bouquet (Layon, Vouvray) ou secs en mousseux (Saumur, Vouvray).

CLAIRETTE

Planté dans le Midi, solide, ses vins sont fins, alcooliques, un peu acides, mais bouquetés. Il sert de base aux vins blancs du Languedoc (Clairette du Languedoc et de Bellegarde). On le trouve également dans les Côtes du Rhône, en Provence et dans la vallée du Var. Associé au muscat : Clairette de Die (Drôme).

COLOMBARD

Donne un vin de qualité moyenne. On le trouve dans le nord-est de la Gironde et en Charente.

FOLLE BLANCHE (OU GROS-PLANT)

Productif, mais en recul en raison de sa sensibilité à la pourriture. Il procure un vin vif, très acide, peu alcoolique. Présent dans le Pays nantais, en Vendée et en Poitou.

GEWURZTRAMINER

Nom germanique du cépage savagnin, cultivé en Alsace. Producteur médiocre, sensible à la pourriture, il fournit un vin fin, aromatique et de garde.

GRENACHE BLANC

Planté dans le Midi méditerranéen. Son vin est aromatisé et alcoolique.

MARSANNE

Vigoureux et d'un assez bon rendement. Ses vins sont fins, secs, mais de peu de garde (vins blancs de l'Hermitage et Côtes du Rhône).

MAUZAC

Productif, sensible à la pourriture, il fait un vin fin, frais, fruité, peu acide, mais qui ne vieillit pas : vins mousseux ou blancs de Gaillac et du Tarn, Blanquette de Limoux.

MUSCADELLE

Assez productif, sensible à la pourriture, il donne un vin assez bon, un peu musqué, pas de garde. Avec l'appoint du sémillon, il participe au Sauternes, Monbazillac, Entre-Deux-Mers.

MUSCADET (OU MELON)

Son raisin se transforme en un vin sec, fin, vert et sans garde. Seul, il désigne le nom du vin. Il peut être associé au chenin ou colombard.

MUSCAT À PETITS GRAINS

Précoce, son goût musqué permet l'élaboration d'un vin fin et aromatique. Les viticulteurs le plantent pour faire des vins liquoreux (Frontignan, Rivesaltes, Lunel). En Alsace, le résultat sera sec et moins aromatique. Associé pour les vins mousseux à Die.

PINOT BLANC

Cultivé en Alsace, assez productif, il fait des vins de garde d'une grande finesse. On en trouve un peu en Bourgogne et quelques hectares à Nuits-Saint-Georges.

RIESLING

Planté en Alsace, il donne un vin fin, de garde et bouqueté. Peu productif, il est sensible à la pourriture.

ROUSSANNE

Peu productif, cultivé à l'Hermitage (Drôme), dans la vallée du Rhône, il peut être associé à la marsanne. En cépage unique : Chignin (Savoie).

ROUSSETTE

Cépage unique pour le blanc de Seyssel, associé dans le mousseux du même nom. Utilisé dans les vins de Savoie

SAVAGNIN BLANC
(OU TRAMINER EN ALSACE)

Cépage peu productif. Donne un vin de garde très fin. Associé au chardonnay dans le Jura, il donne le Vin jaune.

SAUVIGNON

Ce cépage de grande qualité permet l'élaboration d'un vin élégant, bouqueté, alcoolique et de bonne garde. Très présent dans le Bordelais et le Val de Loire, il constitue l'élément principal des Sancerre, Quincy, Pouilly-sur-Loire, Pouilly-Fumé et Reuilly. Associé avec la muscadelle et le sémillon, il participe à la réalisation des Sauternes, de l'Entre-Deux-Mers et du Monbazillac.

SÉMILLON

Il s'accommode très bien de la pourriture noble. Produit un blanc riche, très fin et délicat. Vin de garde. On le trouve dans le Sauternes et dans les Graves.

SYLVANER

Productif, rustique, mais fin. Se trouve en Alsace. C'est un cépage vigoureux. Il donne un vin peu alcoolique avec un léger bouquet.

TERRET

Blanc, gris ou noir. Fertile, productif, sensible à l'oïdium. On trouve le blanc dans l'Hérault, le gris dans le Languedoc.

UGNI BLANC

Fertile, productif, peu sensible à la pourriture. Vin vigoureux, fin, nerveux, assez bon, de peu de garde. Surtout en Provence et en Corse, présent dans l'Hérault, le Gard, l'Aude, le Gers et la Gironde. Il remplace souvent la folle blanche.

QUELQUES CÉPAGES RÉGIONAUX

Aubin, beaunois, bergeron, blanc fumé, blanquette, camaralet, grenache blanc, gros manseng, lauzet, len de l'elh, maccabéo, mayorquin, melon blanc, menu pineau, molette, mondeuse blanche, naturé ou savagnin, odenc, pascal blanc, petit manseng, piccardan, picpoul blanc, roussan, rousselou, roussette de Seyssel, ruffiac, tourbat, vermentino, viognier ou vionnier.

SOLS ET CLIMATS DE LA VIGNE

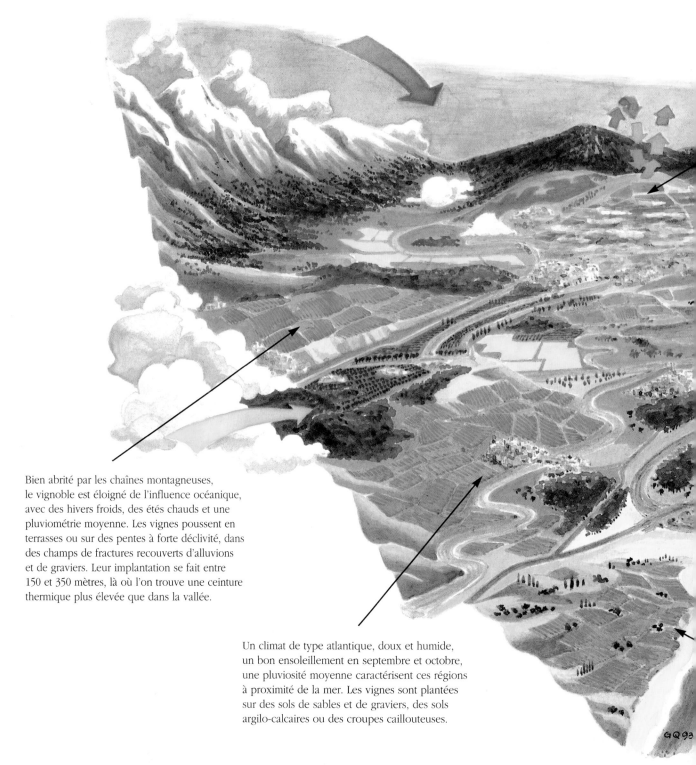

Bien abrité par les chaînes montagneuses, le vignoble est éloigné de l'influence océanique, avec des hivers froids, des étés chauds et une pluviométrie moyenne. Les vignes poussent en terrasses ou sur des pentes à forte déclivité, dans des champs de fractures recouverts d'alluvions et de graviers. Leur implantation se fait entre 150 et 350 mètres, là où l'on trouve une ceinture thermique plus élevée que dans la vallée.

Un climat de type atlantique, doux et humide, un bon ensoleillement en septembre et octobre, une pluviosité moyenne caractérisent ces régions à proximité de la mer. Les vignes sont plantées sur des sols de sables et de graviers, des sols argilo-calcaires ou des croupes caillouteuses.

En montagne, la vigne est implantée à une altitude de 200 à 400 mètres sur des éboulis calcaires ou des moraines glaciaires, orientées vers la recherche du maximum d'ensoleillement, sud sud-est ou sud sud-ouest. La pluviométrie moyenne répartie sur toute l'année est compensée par des automnes secs et chauds : septembre fait le vin.

Sur ces côtes d'effondrement et ces croupes calcaires, les vignes sont plantées en général au sud et à l'est. Elles sont bien abritées par les chaînes montagneuses sans être totalement soustraites aux influences océaniques, d'où moins de précipitations. Le gel étant plus fréquent et plus dangereux dans le fond des vallées, les vignobles cherchent les pentes de faible altitude, jusqu'à 400 mètres. Les températures y sont moins élevées et par conséquent les vendanges plus tardives.

La vigne est implantée sur des pentes bien exposées avec un sous-sol calcaire. Le climat est de type atlantique, avec une influence continentale. Le régime de pluie est réparti sur toute l'année, avec des précipitations plus nombreuses sur les plateaux. Les risques climatiques sont les gelées de printemps et les orages d'été.

Chaleur des étés, douceur des hivers, les îles montagneuses offrent, à basse altitude, des conditions idéales. L'humidité apportée de la mer, arrêtée par les montagnes qui la condensent, donne ainsi quelques précipitations.

Le sable accueille fort bien les vignes. Grâce aux apports marins, éoliens et aux alluvions, ces dunes permettent le développement de cépages de qualité et la production de vins aux arômes subtils et fins. Autre intérêt : le phylloxéra ne peut y survivre.

LE CYCLE DE LA VIGNE

LA NOUAISON *(juin-juillet)*

Stade au cours duquel les grains de raisin nouvellement fécondés sont parfaitement attachés à la rafle. Une mauvaise fécondation des grappes peut entraîner l'avortement. C'est ce qu'on appelle la coulure.

LA FLORAISON *(juin-juillet)*

En juin, lorsque la température atteint les 20° C, des inflorescences (grappes de fleurs) surgissent. Une floraison précoce donne souvent un bon millésime.

LA FEUILLAISON *(mai)*

Avec la chaleur, les feuilles s'agrandissent et de minuscules grappes voient le jour (la sortie). Les pampres s'allongent et partent dans tous les sens.

LE DÉBOURREMENT *(mars-avril)*

Sous l'influence de la température en hausse et de l'humidité, les bourgeons gonflent et éclatent, laissant apparaître une bourre destinée à les protéger. Aussitôt rejetée, cette bourre laisse place à des petites feuilles d'un vert tendre.

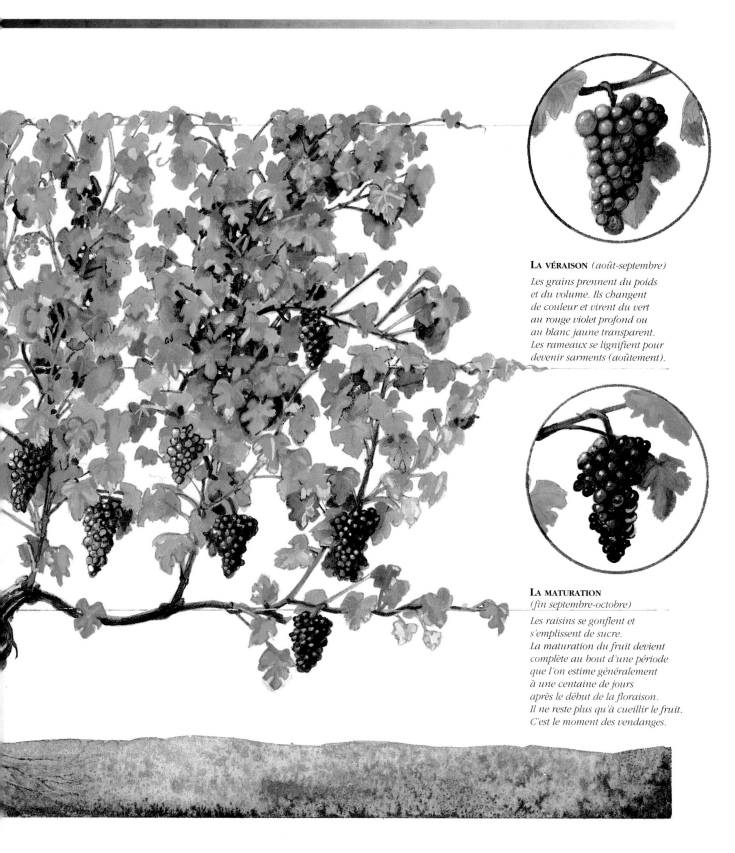

LA VÉRAISON *(août-septembre)*

*Les grains prennent du poids
et du volume. Ils changent
de couleur et virent du vert
au rouge violet profond ou
au blanc jaune transparent.
Les rameaux se lignifient pour
devenir sarments (aoûtement).*

LA MATURATION
(fin septembre-octobre)

*Les raisins se gonflent et
s'emplissent de sucre.
La maturation du fruit devient
complète au bout d'une période
que l'on estime généralement
à une centaine de jours
après le début de la floraison.
Il ne reste plus qu'à cueillir le fruit.
C'est le moment des vendanges.*

Aboutissement de l'année vigneronne, la vendange se déroule au moment où les raisins sont arrivés à maturité, c'est-à-dire à un bon équilibre entre sucres et acidité. En général, elle se fait une centaine de jours après la floraison. Cette récolte se déroule en plusieurs temps : la cueillette des grappes, le ramassage, la mise au pressoir.

La cueillette se pratique traditionnellement à la main. C'est le cas dans la plupart des grands crus où l'on fait une sévère sélection des grappes et des raisins pour préserver la qualité du produit final. C'est le cas également des vignobles trop pentus où c'est la seule façon de ramasser les fruits.

Cependant la mécanisation se répand de plus en plus, grâce à une technique en évolution constante. En huit jours, une machine effectue le travail de cinquante personnes en trois semaines ! Leur introduction sur le vignoble français date des années 70, et aujourd'hui, leur nombre approche les 10 000. Ce sont bien souvent des machines polyvalentes, automotrices ou tractées, au châssis transformable afin de les utiliser pour la taille et les traitements de la vigne.

Le principe de la vendange est simple : des secoueurs ou batteurs font vibrer la vigne, qui laisse échapper les grains. Ceux-ci sont récupérés sur un tapis de plastique souple à écailles ou godets et dirigés vers des bacs de réception. La machine à vendanger ne récolte que les baies mûres et laisse les rafles.

Un tri permet d'éliminer les débris végétaux avant le transfert dans des bennes. Certaines machines possèdent un pressoir incorporé pour éviter au jus de s'oxyder.

Dans le cas de la cueillette manuelle, les grappes sont recueillies dans des paniers, puis regroupées dans des bennes. Durant le transport, on ne doit ni écraser ni déchirer les grains. Autant de précautions qui permettent de ne pas devancer la vinification et donneront au vin toutes ses qualités.

Les vendanges à Vertus, en Champagne

43

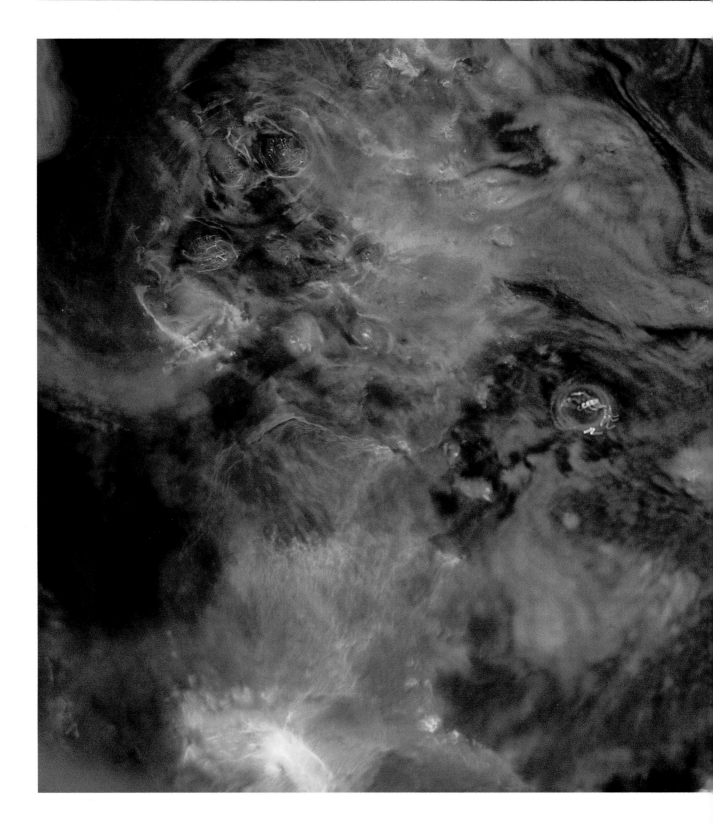

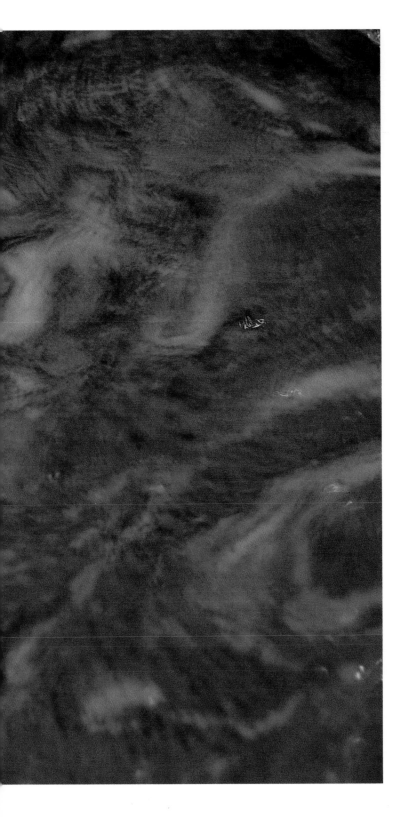

*La vinification consiste à
transformer le jus de raisin pressé
brut (ou moût) en vin. Cette
vinification est issue d'un savoir-
faire qui s'est amélioré au fil
du temps. Les principales étapes
en sont : l'égrappage, le foulage,
la fermentation alcoolique,
la macération, le soutirage,
le pressurage, le décuvage. Cette
vinification diffère sensiblement
en fonction des types de vins :
rouge, blanc, rosé, mousseux,
Champagne, vins doux naturels
et vins de liqueur.*

PRINCIPES DE VINIFICATION

Vins rouges

1. Après l'éraflage effectué par des égrappoirs, les raisins noirs passent dans le fouloir mécanique. Le vin tire sa coloration rouge des pigments présents dans la peau du raisin.

2. Le jus est versé dans des cuves en chêne, en ciment ou en acier inoxydable, pour y subir la fermentation alcoolique. Sous l'effet des levures, le raisin se transforme progressivement en alcool.

3. La cuve de fermentation vidée (vin de goutte), reste le marc que l'on presse deux ou trois fois pour obtenir le vin de presse. Celui-ci représente environ 20 % du volume total.

4. Selon le type de vin recherché par le vinificateur, un certain volume de vin de presse est incorporé au vin de goutte.

5. Après soutirage, le vin élevé en fûts de chêne prend tout son caractère. L'élevage est complété par le vieillissement en bouteilles. Le passage en fûts n'est pas obligatoire.

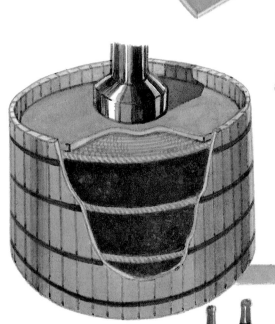

Vins blancs

2. Le pressurage est effectué ici dans un pressoir horizontal. A l'intérieur, des chaînes émiettent le gâteau de marc et la pression des plateaux aux extrémités est mesurée pour faire couler le jus sans écraser les pépins.

1. Les raisins passent dans un fouloir-égrappoir. Le vin blanc peut aussi bien être obtenu avec des raisins blancs qu'avec des raisins noirs. Cette pratique est rare hors de la région du Champagne. Il convient de presser rapidement pour limiter le contact entre le jus et les pigments foncés de la peau.

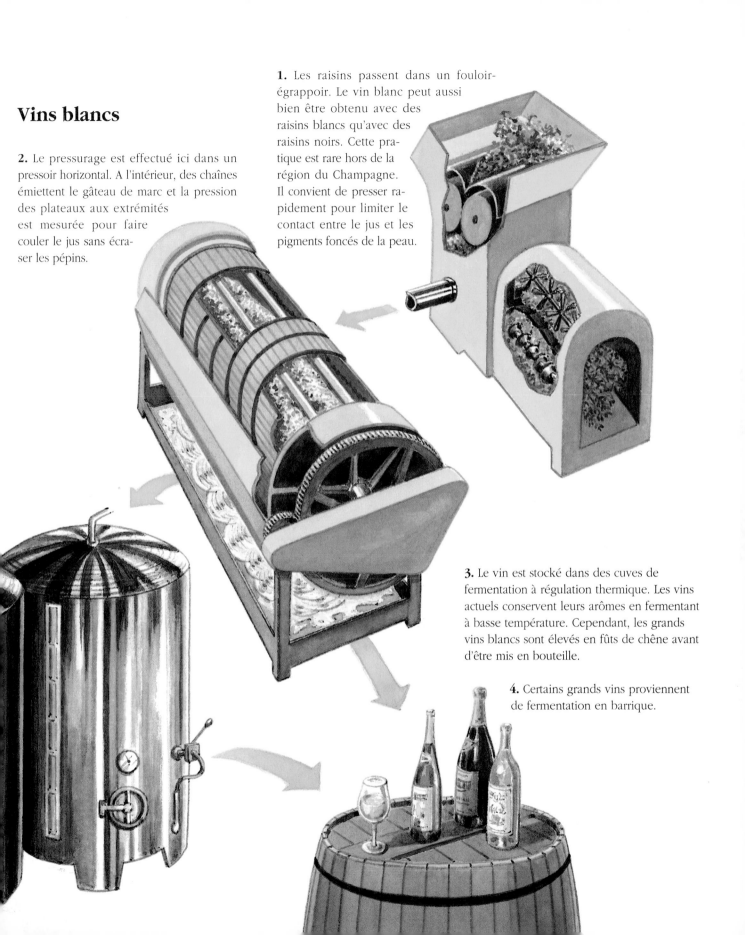

3. Le vin est stocké dans des cuves de fermentation à régulation thermique. Les vins actuels conservent leurs arômes en fermentant à basse température. Cependant, les grands vins blancs sont élevés en fûts de chêne avant d'être mis en bouteille.

4. Certains grands vins proviennent de fermentation en barrique.

LA VINIFICATION

VINS ROUGES

Pour obtenir du vin rouge, on utilise des raisins noirs à jus blanc, comme le gamay ou le pinot noir, ou, plus rarement, des raisins noirs à jus coloré, comme le syrah. La coloration vient des pigments colorants contenus dans la peau des grains. L'intensité de cette coloration dépend du temps de macération dans la cuve.

Après le foulage qui consiste à rompre la pellicule du raisin par une pression douce, afin d'en délivrer la pulpe et le jus, on sépare les grains de la rafle (le squelette de la grappe) : c'est l'égrappage.

Dans un fouloir, les peaux éclatent et laissent passer la pulpe. Le jus est alors versé, par un système de pompage, dans des cuves en chêne, ciment ou acier inoxydable, pour y subir la fermentation alcoolique. Sous l'effet des levures (micro-organismes vivants), les structures naturelles du raisin vont se transformer progressivement en alcool.

Suivant les régions et le type de vin désiré, la cuvaison dure entre trois et vingt et un jours. La fermentation se déroule à des températures entre 28 et 30°C, qui doivent être bien contrôlées. Des systèmes de refroidissement du moût, au moyen d'échangeurs et de circulation d'eau sur la cuve, permettent de maîtriser la situation.

Lorsque l'on estime la macération suffisante, le vin nouveau sera soutiré. Le marc qui reste au fond sera pressé. Ainsi on

Courbe de fermentation au Château Margot

obtiendra un nouveau jus, le « vin de presse », riche en tanin, qui sera mélangé au premier dans des foudres (tonneaux de grande capacité) ou dans des cuves. Il arrive également que ce jus de moût soit vinifié à part. Le vin restera à incuber encore quelques semaines pour réaliser sa fermentation malolactique, sous l'effet d'une bactérie. Cette fermentation secondaire améliore considérablement le vin, en lui enlevant, entre autres, de l'acidité.

Les vins destinés à être bus jeunes seront alors filtrés et mis en bouteilles après une courte période de repos. Les autres vieilliront en fûts, barriques bordelaises ou pièces bourguignonnes, plus ou moins longuement (un à deux ans). La durée moyenne pour les vins d'appellation est en général de dix-huit mois.

VINS ROSÉS

Un vin rosé n'est jamais un mélange de vin blanc et de vin rouge. Ce principe strictement interdit par la loi supporte pourtant une exception, le champagne rosé, où, au vin blanc de Champagne, est incorporé un peu de vin rouge de Bouzy. Cette opération est destinée à le teinter.

Le procédé de vinification se situe entre le principe du vin obtenu sans macération et celui avec macération. Les cépages sont les mêmes que ceux du vin rouge, mais on n'utilise qu'en partie les matières colorantes des peaux.

La phase de macération est simplement interrompue lorsque le jus du raisin a atteint une coloration suffisante. Cette macération est dite « par saignée ». Lorsque le moût a atteint la teinte voulue, on « saigne » la cuve (soutirage). S'il est pressuré immédiatement, il donne du vin gris, comme les rosés de Sancerre et de Saumur. Dans le cas contraire, la pression retardée de quelques heures, on obtient une robe d'un rouge plus soutenu, comme c'est le cas du Tavel.

Cuvier en inox

Laboratoire de recherche Moët et Chandon à Épernay

VINS BLANCS

Le vin blanc s'obtient à partir de raisins blancs ou de raisins noirs à jus non coloré, et en évitant toute macération des parties solides de la grappe (eau, pépins, rafle). De nombreux Champagne, par exemple, sont des « blancs de noirs », les « blancs de blancs » étant exclusivement réalisés avec des raisins blancs. Pour éviter la coloration du jus, on supprime la phase de macération.

Les vins sont pressés à leur arrivée au cuvier dans un fouloir, puis récupérés dans un égouttoir qui laisse filer le jus – dit moût – d'égouttage. Les blancs de grande qualité ne sont souvent faits qu'avec ce vin de goutte, récupéré au début du pressurage.

Il existe également des pressoirs horizontaux qui ne déchirent pas les peaux et récupèrent aussi bien les grappes entières que les restes de l'égouttoir. Il en sortira le « moût de la presse ». Ainsi le jus fermenté n'a pas le temps de se charger en colorants et en tanin.

Pour éclaircir ce jus (le débourbage), on peut soit le filtrer, soit le faire décanter, soit utiliser le froid qui permet de faire tomber les « bourbes » au fond de la cuve. On se sert depuis un certain temps de centrifugeuses qui permettent une excellente clarification.

La fermentation est plus délicate pour les vins blancs que pour les vins rouges. Elle est controlée, lente (deux à trois semaines) et à basse température (18°C maximum). Pour refroidir la cuve, on fait couler de l'eau à l'intérieur d'une double paroi, ou on emploie un mélange réfrigérant.

L'autre grand principe est d'éviter le contact avec l'air qui risque de jouer sur la coloration, l'arôme et même le goût. Pour éviter l'oxydation, on fait brûler du soufre, puis, très souvent, on conserve sous gaz carbonique.

La fermentation des vins doux et liquoreux est plus courte ; soit elle s'arrête d'elle-même, soit artificiellement avec un agent chimique.

La mise en bouteille des vins blancs secs se fait généralement un peu plus tôt que celle des blancs doux, après une période de douze à dix-huit mois en fûts.

La vendange du Chardonnay en Champagne

En Champagne, dégustation pour l'assemblage des vins

VINS EFFERVESCENTS

LA MÉTHODE CHAMPENOISE :

Sitôt vendangés, sitôt pressés. En Champagne, pour éviter l'oxydation et la coloration, on ne traîne pas pour mettre les raisins dans les pressoirs traditionnels, de belle largeur, ronds et bas. Leur forme a été étudiée pour absorber quatre tonnes de grains, ce qui donne exactement 26,66 hectolitres de moût en plusieurs pressées. La première presse, la plus importante (2 000 litres), donne le vin de cuvée, les deux autres, les vins de taille. Après une éventuelle adjonction de sucre pour augmenter sa teneur alcoolique et diminuer son acidité (chaptalisation), le moût est laissé à décanter (débourbage), puis mis en cuve ; commence alors la fermentation alcoolique, puis malolactique. Quand elles sont terminées, les vinificateurs élaborent les assemblages de cuvées provenant de différents vignobles et fermentées à part.

Le principe de fabrication du Champagne repose sur une seconde fermentation à l'intérieur d'une bouteille hermétiquement close. Pour cela on additionne au vin de la première fermentation une liqueur à base de sucre de canne, de levures et d'un peu de vin vieux. A l'issue de différentes manipulations, ce vin se décompose en donnant du gaz carbonique. C'est la période du vin sur latte.

Au bout d'une ou plusieurs années, les bouteilles sont transférées sur les pupitres de remuage. Légèrement penchées, la tête en bas (la mise sur pointe), elles sont régulièrement tournées (1/8e de tour) et inclinées de plus en plus, de manière à ce que le dépôt descende en direction du col. Ce remuage (auquel s'adjoint une légère trépidation) peut s'effectuer à la main (environ 35 000 bouteilles par jour pour un bon remueur) ou mécaniquement. Il peut durer de huit mois à deux jours.

Puis, placées en position verticale, les bouteilles attendent la phase du dégorgement. Autrefois fait « à la volée », cette opération se déroule désormais dans le froid artificiel. Le goulot est placé dans une solution de saumure à -20°C pendant quelques minutes et le col sera prisonnier d'un glaçon. La pression chassera le dépôt. La perte de vin est compensée par l'adjonction d'une liqueur (le dosage) composée de sucre de canne et de vin vieux de Champagne.

Ce dosage varie selon le but recherché : brut, extra-dry, sec, demi-sec. Une fois bouchée et « muselée » par un lien métallique, la bouteille sera secouée pour permettre le mélange liqueur-vin, c'est le poignettage. Une période de repos sera nécessaire avant l'étiquetage et le capsulage (l'habillage), puis la mise en vente.

LE VIN MOUSSEUX :

Il résulte d'une technique similaire mais industrielle. Il est élaboré suivant le procédé des vins blancs et rosés, la deuxième fermentation étant, elle aussi, provoquée par l'adjonction de sucre et de levure, mais en cuves métalliques closes, à une température comprise entre 10 et 15°C.

Le gaz carbonique dégagé, maintenu sous pression, accélère alors la fermentation qui s'effectue en moins de trois semaines. Le vin est ensuite mis au repos, filtré et embouteillé sous pression.

Laboratoire de recherche Moët et Chandon à Épernay

Un vin est un être vivant. Il naît, on le choie durant sa jeunesse, il passe des examens, se lance dans la vie, mûrit avec bonheur, vieillit tranquillement et disparaît élégamment sur la table d'un gourmet. En fonction de ses origines, il traverse plus ou moins vite ces périodes. Cela va de plusieurs mois pour les primeurs à un siècle et plus pour quelques crus exceptionnels. Par ailleurs les lieux (caves, caveaux et chais), les contenants (fûts, magnums, bouteilles), les éléments climatiques (chaleur, froid, humidité) ou techniques (bouchons, transport), sont autant de données qui peuvent influer sur la conservation des vins.

Les caves de la Romanée-Conti

La première étape du vieillissement commence chez le viticulteur. Après les diverses opérations de vinification, les meilleurs vins passent plusieurs années en cave afin de se parfaire. Logés dans des barriques, pièces ou foudres de chêne installés dans des lieux aux conditions idéales (chais parfaitement aérés et de température équilibrée), ces vins de bonne garde vont vieillir un certain temps avant d'être mis en bouteilles. Cette période est importante pour l'amélioration du vin : le bois laisse s'oxygéner le liquide qui continue sa maturation et il lui communique tanin et parfum. Pendant cette période, le vin est l'objet de soins constants : c'est l'élevage.

Régulièrement le maître de chai procède à des ouillages, c'est-à-dire au remplissage des fûts afin de les maintenir à un niveau constant. Du fait de la pénétration du vin dans le bois et surtout de l'évaporation, se forme une petite couche d'air qui pourrait être préjudiciable au liquide (développement de ferments nuisibles).

Pour pallier cet inconvénient, on pratique le méchage au soufre, qui consiste à faire brûler une mèche soufrée dans l'atmosphère des fûts. Le parfum de gaz sulfureux empêche le contact du vin avec l'air et l'apparition de micro-organismes.

Une dégustation et un contrôle en laboratoire permettent de vérifier si le vin est prêt pour la mise en bouteilles. Commence alors le collage, qui permet d'ôter les particules en suspension. On introduit une substance de nature protéique (albumine de sang, blanc d'œuf, colle de poisson, gélatine, caséine) qui les attire au fond. Le filtrage peut remplacer ou compléter le collage.

Une fois son vin limpide, l'éleveur peut procéder à la mise en bouteilles, qui s'effectue de manière mécanique ou semi-mécanique. Il doit faire particulièrement attention à la qualité des bouchons, souples, poreux, d'une dimension suffisante et sains. Conduites en cave, les bouteilles seront ensuite couchées et mises au repos dans des casiers en attendant leur mise en vente.

Un vin qui sort d'une mise en bouteilles, qu'elle soit réalisée d'une manière industrielle ou artisanale, a besoin d'une période de repos de trois à quatre mois. Le déboucher avant donnerait un vin plat, dont ni la saveur ni le bouquet ne pourraient s'exhaler. Même problème dans le cas d'un long voyage : le vin devra se reposer de quelques jours à quelques semaines pour retrouver toutes ses qualités.

Combien de temps doit-on conserver un vin avant de le consommer ? Question insoluble en détail, puisque chaque vin a sa personnalité propre et peut vieillir différemment. Cependant, à partir des indications de cépages, de crus, des conseils des vignerons, œnologues et autres critiques gastronomiques, on peut se faire une opinion.

Ensuite, seule la dégustation de temps à autre peut donner des indications sur l'évolution d'un vin. Cela exige deux choses : posséder un nez et un palais bien formés, et disposer d'une quantité de bouteilles suffisante pour tester.

Mais attention aux opinions toutes faites, comme celles concernant le Beaujolais nouveau, parfait, dit-on, au lendemain de sa mise en bouteilles. Selon le célèbre œnologue anglais, Hugh Johnson, c'est tout simplement un mythe. En fait, « il s'améliore régulièrement jusqu'à Noël et pendant son premier hiver. Il suffit de voir comme il est soyeux à Pâques et vous comprendrez ce que vous avez manqué en le buvant dès l'automne ».

LES BLANCS SECS

La plupart des blancs secs ne séjournent pas en tonneau. Leurs arômes disparaissant assez vite, ils doivent être bus relativement rapidement. C'est le cas des vins de type Muscadet et Gros Plant. Idem pour les vins à tendance très aromatique comme les Muscat ou les Gewurztraminer. En revanche, les grands crus comme les Bour-

gogne, qui séjournent en fûts, doivent pouvoir se boire un peu plus tard. Nous mettrons à part le Château-Chalon et le Vin jaune du Jura qui, après six ans de fût, ne craignent plus les années.

LES BLANCS MOELLEUX OU LIQUOREUX

Ils s'apprécient très jeunes ou après une très longue garde. En effet, ils subissent une période de creux entre trois et dix ans. On peut surveiller leur évolution à la couleur de leur robe, qui passe du jaune paille au jaune d'or, avant de s'ambrer peu à peu. Les vins blancs des vendanges tardives d'Alsace font partie de cette catégorie.

LES VINS EFFERVESCENTS ET LES CHAMPAGNE

Ils ne gagnent rien au vieillissement, y compris les millésimés. Une bouteille ancienne ne sera alors qu'une curiosité.

LES ROSÉS

Ils sont assimilables aux vins blancs, sauf ceux issus du cépage poulsard (Jura), qui acceptent de deux à sept ans. Par ailleurs certains Tavel peuvent attendre également quelques années.

LES ROUGES

Les primeurs jouent la carte de l'année. C'est le cas de la plupart des vins de cépage gamay, sympathiques et fruités, comme les Beaujolais. Avec, là encore, des exceptions pour des appellations du type Moulin-à-Vent qui gagnent à attendre plusieurs années. Les cabernet, à condition d'une macération suffisante, savent se garder longtemps, tout comme les cépages grenache (Châteauneuf-du-Pape) ou syrah. En général, les rouges très tanniques se bonifient au bout de quelques années.

Livre d'Heures de

Janvier

La taille se déroule
pendant les mois froids.
En supprimant
les sarments inutiles, elle
permet un développement
du cep pour obtenir
une production plus
importante ou
de meilleure qualité.

Février

Six mois environ après
les vendanges a lieu
la clarification ou collage,
qui permet d'assurer
un vin clair, sans
particules et stabilisé.
Filtré, il est ensuite mis en
bouteilles ou expédié
en baril.

Mars

Le désherbage est essentiel
pour le développement
de la vigne.
Autrefois manuel, puis
par labourage avec
des animaux de trait,
il s'effectue maintenant
d'une façon chimique.

Avril

L'attachage ou palissage
se déroule au printemps.
On fixe la tige à
un tuteur vertical
et les branches sont
attachées par des liens
à des fils de fer
horizontaux.

Mai

Pour lutter contre
les parasites de toutes
sortes comme les insectes
et les champignons
microscopiques, on traite
la vigne à l'aide
de sulfates, de DDT,
de fongicides
et d'insecticides.

Juin

Nouvelle taille,
l'ébourgeonnement
consiste à ôter
les jeunes pousses qui
se développent
sur le cep, au détriment
des branches à fruits.
A cet époque, on soufre
la vigne contre l'oïdium.

la Vigne et du Vin

Juillet

C'est la grande préparation du matériel vinaire : nettoyage des tonneaux, cuves, foudres, tuyauteries, pressoirs, fouloirs et égrappoirs. Les parties métalliques sont protégées de la rouille.

Août

Opération « en vert », l'épamprage consiste à tailler l'extrémité des rameaux faibles qui absorbent en partie les matières nutritives destinées au raisin. Pour mieux exposer les grappes, on procède à l'effeuillage.

Septembre

Les vendanges peuvent être manuelles ou mécaniques. Elles se déroulent en trois phases : la cueillette du raisin, la récolte des grappes et le transport sur les lieux de transformation.

Octobre

Le foulage-égrappage des raisins s'effectue mécaniquement. Les grains sont écrasés pour en libérer le jus et séparés des rafles. Puis la vendange est envoyée dans des cuves de fermentation.

Novembre

Pour assurer une bonne maturation en fûts, le vin nouveau fait l'objet de multiples opérations comme le soutirage, qui permet d'ôter les dépôts, et l'ouillage (remplissage) qui compense l'évaporation.

Décembre

La fermentation en bouteilles passe, en Champagne, par le remuage en plan incliné, qui permet d'amener le dépôt au goulot. Après dégorgement et ajout d'une « liqueur », le vin peut être bouché et capsulé.

GÉRALD QUINSAT 93

L'histoire des vins de France est indissociablement liée à celle des améliorations techniques et qualitatives. Si les Romains ont apporté leurs outils et leur savoir-faire, ce sont les Gaulois qui, sous le règne de Marc-Aurèle (160-181), remplacèrent par des tonneaux les traditionnelles outres en peau qu'on rendait imperméables en les enduisant de poix à l'intérieur. Bien entendu, cette formule donnait un goût particulier au vin : le résiné. L'autre moyen de transport bien connu des Grecs et des Romains était l'amphore.

Les tonneaux n'ont guère évolué depuis leur création. De forme arrondie (pour faciliter le transport en les roulant), ils sont fabriqués en chêne, ce qui donne au vin tout à la fois son tanin et son bouquet.

Dans le Bordelais, un tonneau est une mesure. Il équivaut à quatre barriques de 225 litres soit 900 litres. En Bourgogne, le vin en vrac est mesuré en pièces, une pièce valant 228 litres.

LES ÉTAPES DE LA FABRICATION D'UN TONNEAU

A l'origine, on utilise un chêne sessile venu des forêts françaises, en général des Vosges ou de la région du Centre. Les tonneliers, qui ne sont plus qu'une soixantaine, utilisent chaque année près de 100 000 m³ de grumes, autrement dit d'arbres abattus (en hiver) à l'âge émérite de 180 ans minimum.

Le grume doit tout d'abord passer entre les mains d'un « merrandier » pour être traité contre les parasites, séché et débité en « billons » de 1,30 mètre. Ces morceaux sont alors fendus (et non sciés) dans le sens du

fil pour garder leur qualité d'étanchéité, devenant ainsi des « merrains », planches grossières qui vont être livrées au tonnelier.

Le premier stade du travail du bois est consacré au séchage des merrains.durant un an et demi à trois ans. Séchage naturel en plein air, séchage mécanique avec régulation du taux d'humidité ou les deux conjugués, chacun a sa méthode pour faire baisser d'environ 50% le taux d'hydratation.

Équarris en atelier, les merrains deviennent des « douelles », planches plus étroites aux extrémités et légèrement évidées. Placées sur une forme circulaire, elles sont reliées par un anneau de métal. A l'intérieur de cette ébauche on dispose un brasero, tandis que les douelles sont régulièrement humidifiés. L'action de la chaleur va permettre au tonnelier de cintrer légèrement les douelles et de faire glisser un

second cercle de fer d'un diamètre légèrement plus grand. Pour ajuster douelles et cercles, les ouvriers utilisent marteau et chasse, sorte de coin à bout plat.

Chauffée une seconde fois (le bousinage) pendant une quinzaine de minutes environ, la barrique exhalera ainsi tous ses arômes. Une chauffe plus ou moins longue développera des tanins plus ou moins importants et des parfums différents.

Les autres étapes de la fabrication sont la pose des fonds, le ponçage, la pose des cercles de roulage, traditionnellement fabriqués en châtaignier entouré d'une jeune pousse de saule (vime), l'impression au fer rouge de la marque de la fabrique, le percement des trous de bonde.

Dans les crus du Bordelais ou de Bourgogne, peut commencer alors le long voyage des barriques.

L'usage du bouchon de liège remonte à l'Antiquité. Des découvertes ont permis de constater que Grecs et Romains l'utilisaient déjà pour fermer leurs amphores. Il semble que l'usage se soit peu à peu perdu à partir du Moyen Age.

L'Histoire veut qu'en France ce soit Dom Pérignon, moine de l'abbaye de Haut-Villers, en Champagne, maître ès dégustation et créateur des « cuvées » de vins de Champagne, qui en ait été l'inventeur. Il s'inspira probablement des gourdes des pèlerins de Saint-Jacques-de-Compostelle, obturées par un morceau de liège grossièrement découpé.

Toujours est-il qu'auparavant, c'est bien souvent un morceau de bois taillé, enveloppé d'un tissu huilé, qui servait à boucher récipients et bouteilles. La caste des verriers-bouteilleurs recommandait, en 1659, d'utiliser un bon chanvre toujours net. L'huile qui surnage et empêche l'oxygénation est probablement une technique des plus courantes.

Même s'il est déjà utilisé au XVIe siècle, l'usage du bouchon en liège débute réellement au XVIIe, avec l'essor de la bouteille de verre. Ce bouchon, qui n'est pas toujours enfoncé au ras du goulot, est maintenu par une corde ou un muselet métallique, parfois en alliage de cuivre. Au XVIIIe siècle, les goulots sont très souvent recouverts de parchemin, de papier ou de vessies, le tout imprégné de cire ou de résine.

En fait on s'est vite aperçu des propriétés du liège : souple, étanche mais poreux, imputrescible, il permet au vin de respirer, mais sans excès. Sa taille (de 35 à 50 mm) et ses qualités sont en rapport avec l'aptitude au vieillissement de chaque vin. Il est d'usage, pour certains grands crus, de les reboucher tous les vingt-cinq ans. En effet, au fil du temps, le bouchon se durcit, s'imbibe de vin et perd sa spongiosité. Pour éviter cela, certains vignerons le protégent en recouvrant le goulot de cire fondue.

LES BOUTEILLES

Dans l'Antiquité, les premiers récipients utilisés pour recevoir le vin furent, sans aucun doute, des jarres de terre cuite. Chez les Romains, on les enduisait de poix, voire de plâtre. On faisait mûrir le vin dans des fumoirs, plus pour la chaleur que pour le parfum « fumé ». Les Grecs utilisaient aussi la poix, mais conservaient leurs récipients enterrés.

Quant au verre, on sait que les Égyptiens en connaissaient la technique, plusieurs millénaires avant notre ère. Les Romains l'utilisaient également, comme l'indiquent des flacons habillés d'osier trouvés à Pompéi.

Ce n'est que beaucoup plus tard, avec la mode italienne de la Renaissance, que s'impose en France l'usage de ces récipients en verre mince protégés par une enveloppe d'osier, et utilisés jusqu'alors sur les tables à des fins purement décoratives.

Le XVIIᵉ siècle vit l'apparition des premières fabriques de bouteilles en gros verre, de teinte vert foncé. La première étant sans doute celle de Dôle, qui date de 1506. C'est à cette époque que l'on prend l'habitude d'utiliser le verre plutôt que le grès pour conserver le vin.

Fabriquées artisanalement, soufflées avec une canne, les premières bouteilles n'ont pas les formes que nous leur connaissons aujourd'hui. Plus massives, trapues, parfois aussi larges que hautes, elles ont pourtant des éléments communs comme le cul de bouteille et le goulot serré. Elles s'affinent peu à peu pour prendre la forme classique type Bourgogne.

En 1723, Bordeaux se dote d'une grande verrerie industrielle. Mais il faudra attendre le début du XIXᵉ siècle pour voir les régions commencer à personnaliser leurs bouteilles, telle la « bordelaise » ou la « champenoise ».

Avec la mécanisation de la fabrication (à Cognac en 1894), qui remplace le traditionnel souffleur de verre, on standardise

formes et contenances. Aujourd'hui, beaucoup de producteurs régionaux tiennent à marquer leurs bouteilles soit par un signe distinctif, soit par une forme hors des normes des « grandes familles ». Ces dernières se distinguent de la production commune, comme les bouteilles d'Anjou portant en relief les armes de la région, ou celles de Bordeaux avec leurs trois croissants entrelacés au bas du col.

LES BOUTEILLES ET LEUR CONTENANCE

Si la plupart des bouteilles répondent aux normes européennes de 75 et 37,5 cl, certaines régions ont gardé des contenances qui leur sont propres. C'est le cas de l'Alsace avec ses flûtes (72 cl), du Beaujolais avec son pot (50 cl), de l'Anjou avec sa fillette (35 cl) et du Jura avec le clavelin (62 cl) destiné à accueillir le Vin jaune. La double contenance et tout ce qui lui est supérieur ont donné des appellations particulières qui se sont développées pratiquement uniquement en Bordelais et en Champagne.

Bordeaux
Demi-bouteille = 37,5 cl
Bouteille = 75 cl
Magnum = 2 bouteilles
Double magnum= 4 bouteilles
Jéroboam = 6 bouteilles
Impériale = 8 bouteilles

Champagne
Quart de bouteille = 20 cl
Demi-bouteille = 37, 5 cl
Bouteille = 75 cl
Magnum = 2 bouteilles
Jéroboam = 4 bouteilles
Réhoboam = 6 bouteilles
Mathusalem = 8 bouteilles
Salmanazar = 12 bouteilles
Balthazar = 16 bouteilles
Nabuchodonosor = 20 bouteilles.

Véritable carte d'identité, l'étiquette a pour fonction de renseigner le consommateur sur l'origine, la provenance, le type et les caractéristiques du vin. La réglementation prévoit donc la présence d'un certain nombre de mentions obligatoires, en rapport avec la catégorie du vin contenu dans chaque bouteille. D'autres indications peuvent être portées sur les collerettes et sur les bandeaux (millésime, mode de consommation, lieu de production, etc.) ainsi que sur la capsule et le bouchon.

LES AOC

Les mentions obligatoires sont :
- Le nom de l'appellation.
- La mention « Appellation d'origine contrôlée » ou « Appellation contrôlée » avec la région d'origine. Seuls les vins de Champagne sont dispensés de cette obligation.
- Nom et raison sociale de l'embouteilleur et adresse de son principal établissement, voire une adresse codée. Des indications comme « Mis en bouteille à la propriété » ou « Mis en bouteille au château » (typiquement bordelais) constituent des éléments de confiance.
- Le volume net (la contenance de la bouteille).
- Le taux d'alcool.
- La mention « Produit en France », « France » ou « Produce of France » (obligatoire pour l'exportation).

Les autres mentions autorisées : millésime, qualité et originalité du vin (qui peut varier suivant les régions) comme « Grand Cru classé », « Cru classé », « Cru bourgeois », « climats », « villages » etc., le type d'élaboration (primeur, nouveau, vin vieux, sur lie, vendange tardive) selon une liste d'expressions établies, le cépage, les distinctions, les conseils aux consommateurs, une numérotation, la couleur (blanc, rouge, rosé, tuilé, gris...) etc.

LES VDQS

Les mentions obligatoires et autorisées pour ces VDQS sont les mêmes que pour les AOC, mais doivent, bien entendu, comporter la mention « Appellation d'origine - Vin délimité de qualité supérieure » et le « label de garantie VDQS » avec son numéro de contrôle. Ce label est accordé par l'Institut national des appellations d'origine (INAO) après dégustation.

LES VINS DE PAYS

Les étiquettes doivent indiquer « Vin de pays » avec l'origine géographique et le degré d'alcool. Elles doivent en outre comporter la mention « Vin de table de France » ou « Vin de table français », lorsque ces vins sont vendus en France, ou la mention « Produit en France », lorsqu'ils sont vendus sur les marchés d'exportation. Les autres mentions obligatoires sont le nom et la raison sociale de l'embouteilleur, l'adresse de son établissement principal, le nom de la localité où le vin a été mis en bouteille, le volume net, le degré d'alcool, etc.

Les mentions facultatives sont :
- Nom du producteur.
- Mode d'élaboration.
- Nom et adresse du propriétaire.
- Marque commerciale.

LES VERRES

Par tradition, et parce que leurs vins étaient souvent épais, les Grecs les coupaient d'un peu d'eau. Ce mélange se faisait dans des cratères, puis on le versait aux convives dans des gobelets assez étroits ou des sortes de tasses à deux anses, au fond décoré de scènes de banquets ou de jeux. Ces rites furent repris par les Romains.

On rapporte toujours l'image des Gaulois, un peu rustres, buvant dans des cornes. En effet, César l'évoque dans La guerre des Gaules, en précisant qu'il s'agit de cornes d'aurochs. Pourtant de multiples découvertes prouvent que bols, gobelets, coupes, cornets, voire verres à pied circulaient aussi à table. On a retrouvé également des verres à boire à fond refoulé en cul de bouteille, ainsi qu'un calice de verre datant du VIIIe siècle. Au Moyen Age on uti-

lisait des gobelets en étain ou des calices en métal précieux, souvent travaillés et parfois sertis de pierres précieuses.

En fait, il faut attendre le développement de l'utilisation de la bouteille en verre pour voir se développer l'usage du verre à boire. Et, très vite, artisans et artistes vont commencer à tailler et travailler cette nouvelle matière. Devenu élément de décoration, le verre voit son pied sculpté, sa forme s'évaser, sa transparence disparaître derrière de multiples gravures et tailles en épaisseur. Il devient œuvre d'art.

La taxation des objets travaillés, au début du XIXe siècle, va

LE VERRE INAO

CE VERRE IDÉAL, MIS AU POINT PAR DES SPÉCIALISTES DE L'INAO, EST CONFORME AUX NORMES INTERNATIONALES (AFNOR). DE FORME TULIPÉ, IL MESURE ENVIRON 15,5 CM ET SON GOBELET DE 10 CM CONTIENT ENVIRON 21,5 CL (MAIS ON NE LE REMPLIT QU'AUX DEUX TIERS). SA TIGE PERMET DE TENIR LE VIN ET LE DE LE FAIRE TOURNER, SANS LE CHAUFFER.

POUR LE SERVICE DE LA TABLE

IL FAUT PRÉVOIR UN MINIMUM DE QUATRE VERRES : LE VERRE À EAU, DEUX VERRES À VIN ROUGE DE TYPE BOURGOGNE ET BORDEAUX, OU UN VERRE À VIN ROUGE ET UN À VIN BLANC, ENFIN UNE FLÛTE À CHAMPAGNE.

modifier les habitudes. Des régions vont établir leur forme de verre, et il est d'usage de les utiliser pour boire la production du cru. Ainsi les verres à vins d'Alsace possèdent une très longue jambe opaque, teintée en vert, et un calice de forme sphérique.

Les verres à Bourgogne sont plus larges et généreux, ils ont la jambe plus courte et un gobelet profond (tulipe). Les verres à Anjou, à tige relativement haute, se démarquent par un calice à fond plat. Les Bordeaux se boivent dans des verres ovoïdes. Pour le Champagne, on préfère à la coupe, laissant échapper gaz et arômes, la flûte qui met en valeur le très joli pétillement et retient les odeurs.

Dernier-né de la technique et de la personnalisation des régions, le verre à Cahors. Conçu par les cristalleries d'Arques à la demande de la Confrérie du vin de Cahors, cet élégant verre ballon, légèrement plus étroit à l'ouverture, a pour particularité l'anneau reliant le calice au pied.

Avant d'être mis sur le marché, il a été testé et approuvé par une vingtaine de sommeliers, choisis parmi les plus réputés de France.

Un verre doit faire admirer le liquide qu'il contient, la matière doit se faire oublier. D'où l'utilisation de verre fin ou de cristal, d'où également l'importance d'une jambe – pas trop longue – pour le tenir, afin que les doigts ne cachent pas la lumière.

« LES IMPITOYABLES »
D'UNE LIGNE CONTEMPORAINE, CRÉÉE PAR LA MAISON L'ESPRIT ET LE VIN, LA LIGNE DE VERRE « LES IMPITOYABLES » NE POSSÈDE PAS DE PIED. LE VERRE SE TIENT PAR DEUX PROFONDES INCURVATIONS, UN PEU COMME UN TASTE-VIN. LE MODÈLE IDÉAL EST LÉGER, TRANSPARENT ET ÉQUILIBRÉ. IL EST PORTÉ SUR UNE JAMBE BIEN PROPORTIONNÉE. RENFLÉ VERS LE BAS, RESSERRÉ VERS LE HAUT, IL PEUT FAIRE REMONTER L'ENSEMBLE DES ARÔMES DANS CETTE « CHEMINÉE » OÙ LE NEZ PLONGERA, IDENTIFIANT CHACUN DES COMPOSANTS.

Moment essentiel de l'analyse d'un vin, la dégustation est en fait l'art de découvrir un vin, d'apprécier ses qualités, de déceler ses défauts, de retrouver éventuellement ses origines et son âge. Pour cela le dégustateur utilise trois de ses sens : la vue, l'odorat et le goût.

L'ŒIL

La dégustation traditionnelle s'effectue encore avec un taste-vin. Cette petite coupe d'argent, munie d'une anse pour l'index et d'un reposoir pour le pouce, est toujours utilisée dans les caves. Sa taille peut varier, mais ses stries obliques et ses bosses sont toujours présentes. Elles sont là pour refléter et faire jouer la lumière à travers le vin. Sorte de petits miroirs convexes ou concaves, elles permettent de découvrir les aspects chatoyants de la robe. Le renflement au centre ou ombilic a surtout pour fonction de réduire la contenance.

Le verre tulipe de type INAO permet toutefois de réaliser un examen visuel plus aisé.

Regardé du dessus, puis latéralement en inclinant le verre pour que le liquide s'étale au maximum, le disque de surface doit être brillant, avoir des éclats et ne pas présenter de dépôts.

Son apparence doit être limpide et sa robe présenter des nuances de teintes qui vont, pour les vins blancs, de l'aspect jaune très pâle, quasi transparent, à l'ambre brûlé, en passant par toutes les nuances de jaune ; et pour les rouges, des teintes fraîches aux rouges profonds, violacés, en passant par des nuances de pourpre et des aspects brun tuilé.

Grâce à un léger mouvement circulaire, le dégustateur va humecter les parois. En redescendant, le vin va se mettre à « pleurer ». Ces larmes, appelées aussi jambes, donneront l'indice de viscosité du vin. Cette viscosité est due principalement au glycérol.

Le liquide ne doit pas présenter de traces de bulles sur les bords du disque, signe que le vin « travaille », c'est-à-dire qu'il poursuit sa fermentation. Bien entendu ceci ne concerne pas les perlants, mousseux et autres vins pétillants.

LE NEZ

Le premier aperçu se fait en humant légèrement au-dessus du verre. Cette phase fait apparaître quelques esters et sert à détecter quelques odeurs parasites. C'est en même temps un avant-goût de ce que l'on va découvrir par la suite.

Puis, en saisissant le verre par le pied et en effectuant un léger mouvement rotatif, on oxygène le vin, c'est-à-dire qu'on augmente le phénomène d'oxydation permettant aux parfums de s'épanouir. L'intensité de ces éléments aromatiques permet une première analyse, formulée dans un vocabulaire riche d'évocations florales, fruitées, épicées, végétales, boisées ou encore fumées.

LA BOUCHE

Cette dernière étape, extrêmement liée à l'élément olfactif, permet d'affiner les sensations. La dégustation se fait avec une petite gorgée qu'on laisse glisser sur la langue, accompagnée d'un filet d'air pour favoriser sa diffusion.

Tournée, « mâchée » puis avalée, cette gorgée de vin laisse une dernière sensation : sa longueur en bouche. Cette persistance, suivant son importance, est signe d'un épanouissement du vin.

Le dégustateur analyse de multiples données comme la température, l'acidité, les saveurs (sucrées, amères), la consistance et, enfin, d'autres éléments aromatiques qui complètent les analyses olfactives.

Pour qualifier le vin, le dégustateur possède un vocabulaire spécifique de plusieurs centaines de mots. Ce langage imagé et poétique recouvre des notions précises.

AIMABLE : vin bien équilibré, « coulant », c'est-à-dire agréable à boire.

ÂPRE : vin au caractère accentué, donne l'impression de râper.

ARÔME : se dit du parfum que certains vins développent dans le palais.

ASTRINGENT : caractère acide, qui « tire » les dents.

BOISÉ : goût provenant d'un long séjour du vin dans un fût. Se dit également d'une odeur évoquant le bois.

BOUCHONNÉ : goût de bouchon, dû à un liège de mauvaise qualité.

BOUQUET : sensations olfactives exhalées par le vin. Un vin « bouqueté » exhale avec finesse son parfum.

BRILLANT : éclat de la robe (couleur).

CAPITEUX : riche en alcool, montant un peu à la tête.

CARACTÈRE : ensemble des qualités qui constituent la personnalité d'un vin.

CHARNU : vin d'une certaine consistance.

CHARPENTÉ : vin robuste, bien constitué, généreux.

CHAMBRER : augmenter la température d'un vin en le plaçant plusieurs heures dans une pièce tempérée avant dégustation.

CHARMANT : vin agréable et léger.

CORSÉ : vin robuste, riche en alcool. A cet adjectif se rattachent les mots « corps », « corsage », « cuisse » et « jambe ».

DÉLICAT : peu chargé de tartre et de colorant, mais au caractère néanmoins subtil.

ÉTOFFÉ : solide, ample et laissant présager une bonne conservation.

FRUITÉ : dont le bouquet possède un arôme naturel rappelant celui d'un fruit, notamment les vins rouges jeunes.

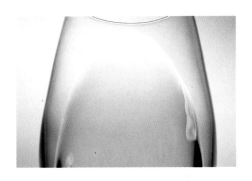

GÉNÉREUX : vin alcoolisé, riche en goût et en parfum.

GOULEYANT : facile à boire, fruité, frais.

GOÛT DE TERROIR : en rapport avec le sol où la vigne a été cultivée.

LÉGER : le contraire de corsé, vin d'un faible teneur en alcool.

LONG EN BOUCHE : persistance de la puissance aromatique. Plus le vin est long, plus il est grand.

MÂCHÉ : vin assez consistant qui donne l'impression de pouvoir être mâché.

MADÉRISÉ : vin oxydé par un vieillissement prolongé dont le goût rappelle celui du Madère.

MATURITÉ : période où le vin développe pleinement toutes ses qualités.

MOELLEUX : qui donne une sensation d'onctuosité sur le palais.

NERVEUX : qui dénote un caractère vif.

PLEIN : vin robuste et généreux.

RACÉ : vin de grande classe.

ROND : vin souple et charnu, légèrement velouté.

ROBE : terme employé pour parler de la couleur d'un vin.

SEC : se dit d'un vin blanc lorsqu'il manque de sucre, et d'un vin rouge lorsqu'il manque de moelleux.

SOUPLE : vin peu chargé en tanin, agréable à boire et moelleux au palais.

TUILÉ : vin rouge vieux, qui présente une robe décolorée tournant à l'orange.

VELOUTÉ : agréable, moelleux, présent au palais. On dit également qu'il descend dans la gorge en « culotte de velours ».

VERT : se dit d'un vin jeune, pas encore fait, ou encore d'un vin acide qui « tire » les dents comme un fruit vert. Ce défaut est dû à un manque de maturité du raisin.

VIF : vin à la robe brillante, qui a du nerf.

Depuis l'Antiquité le vin est considéré comme un élément thérapeutique. Platon en recommandait l'usage modéré, en particulier lors de la vieillesse. Hippocrate allait beaucoup plus loin en lui donnant un rôle préventif, ajoutant que « le vin est une chose merveilleusement appropriée à l'homme si, en santé comme en maladie, on l'administre à propos et à juste mesure, suivant la constitution individuelle ». Il l'utilisait comme diurétique et pour les fièvres. Un autre médecin, Galien, lui prêtait les mêmes vertus et recommandait même de s'enivrer une fois par mois ! Celse, un Romain, le conseillait comme régime « échauffant » pour les anémiés, et Pline l'Ancien, grand naturaliste, ajoutait à ses soins à base de sarments et feuilles de vigne un peu de vin, remède qui soigne « le corps et l'âme ». Au Moyen Age, saint Benoît en recommandait l'usage à ses moines pour se maintenir en forme. En Italie, au XIIe siècle, l'École de médecine de Salerne, en Campanie (lieu d'un fameux cru antique), publia des conseils médicaux liés à l'usage du vin, bénéfique en particulier pour les vieillards.

PLATON

ARS LONGA VITA BREVIS

PLINE L'ANCIEN

SAINT BENOIT

GQ 93

la santé

Plus près de notre époque, on constate que le vin revient souvent dans les soins prodigués aux malades, qu'il s'agisse de désordres de l'estomac et de l'intestin (Bordeaux rouges), de problèmes urinaires (les blancs), de digestion (Bourgogne), de nausées (Champagne), ou même pour soigner les plaies, comme le pratiqua, au XVIe siècle, le chirurgien Ambroise Paré ! Après Pasteur qui fut l'un des plus ardents propagandistes du vin, les médecins abandonnèrent peu à peu cette thérapeutique pour mieux lutter contre l'alcoolisme. Aujourd'hui les mœurs et les goûts se sont modifiés, la consommation aussi. L'approche est désormais plus culturelle. Le retour au naturel relance l'intérêt des vertus thérapeutiques des vins, bien souvent cautionnées par des médecins. Comme le précise le professeur Masquelier, cité par le docteur Maury dans son ouvrage *Soignez-vous par le vin*, « le vin est autre chose qu'une simple dilution d'éthanol, c'est le contenu cellulaire d'un fruit mûr, remanié par la fermentation ; il occupe une place très particulière en raison du nombre, de la variété et de la place de ses constituants non alcooliques ».

AMBROISE PARÉ

LOUIS PASTEUR

Les chercheurs en donnent la composition suivante :

– Eau ;

– Alcools sous forme d'éthanol, sorbitol et glycérol ;

– Sucres (glucides, glucose et fructose) ;

– Composés phénoliques (colorants) aux propriétés antiseptiques et bactéricides ;

– Tanins qui agissent sur les intestins et la vésicule biliaire ;

– Acides qui facilitent la digestion ;

– Éléments minéraux qui jouent, entre autres, dans le fonctionnement du système cardio-vasculaire : sels de potassium (en grand nombre), de sodium, de calcium, de magnésium, de silicium ; phosphore, fer, et plus modestement zinc, fluor, cuivre, manganèse, chrome.

– Vitamines C, Thiamine ou B1, Riboflavine ou B2, B3 ou PP, B5, B6, B7, B8, P ou C2, toutes utiles sur le plan nutritionnel ;

– Acides aminés ;

– Esters (les parfums) ;

– Enzymes.

* Le bon vin réjouit le cœur des hommes mais il y a une mesure en toute chose.

chimique du vin

En étudiant leurs composants, on a pu attribuer aux différents vins certaines propriétés thérapeutiques. En général, on considère que les blancs secs sont diurétiques, les vins rouges reminéralisants, les vieux vins rouges bactéricides, les Champagne toniques, les Côtes de Provence et Côtes du Rhône équilibrants, etc. On peut même affiner cru par cru. Ainsi le docteur Maury précise que les Graves sont conseillés aux convalescents et opérés, les Sauternes préventifs de l'irritabilité stomacale, les Pomerol et Saint-Émilion indiqués dans les cas de décalcification, les Côtes de Nuits excellents pour les anémiés, les vins de Corse bons pour les fatigués et les déprimés, les Corbières et Minervois efficaces pour l'arthrite et les allergies, les Pécharmant actifs pour les intestins, etc. Sur le plan diététique, ils peuvent être largement utilisés grâce à leurs sels minéraux et leurs vitamines.

Sur le plan nutritif, le vin peut être considéré comme un aliment qui possède de considérables possibilités énergétiques. Il peut même se révéler efficace pour perdre du poids, comme l'ont montré des études américaines, et tout récemment des travaux de l'université de Lausanne. En substitution à certains aliments, l'alcool apporte les calories nécessaires, lesquelles ont l'avantage de brûler sans laisser de déchets. En revanche, la consommation d'alcool au-delà des besoins énergétiques est facteur d'obésité. On l'aura compris, bu raisonnablement, le vin peut être source de bien-être physique et psychologique.

Lieu essentiel pour l'amateur de vin, la cave est d'abord l'endroit où l'on range ses bouteilles. Comme un collectionneur de timbres classe ses vignettes dans l'album suivant un certain ordre, l'amateur de vin installera ses bouteilles suivant ses besoins, ses goûts, et surtout de la place dont il dispose. Mais la cave n'est pas un simple placard, elle est le lieu idéal pour conserver et surtout faire vieillir le vin. C'est pourquoi on demandera à cette pièce de posséder un certain nombre de qualités.

LES MILLÉSIMES

La plupart des vins AOC et VDQS portent sur leur étiquette ou sur la collerette leur date de naissance : le millésime. Cet élément est important puisqu'une année peut être bonne, très bonne ou exceptionnelle. Ces « qualificatifs » sont établis par un ensemble d'experts, dégustateurs et œnologues, en fonction des critères météorologiques et des premières dégustations. Raison pour laquelle il est intéressant de savoir le plus tôt possible la valeur d'une nouvelle récolte. En effet, un vin peut voir ses prix multipliés par trois, quatre ou cinq en l'espace de quelques mois (entre sa période de sortie des fûts et sa mise en vente sur les marchés) du fait de la qualité de son millésime.

L'amateur suivra donc l'avis des spécialistes, qu'ils soient œnologues, membres d'associations viniques ou journalistes, qui, pour donner leurs jugements, tiennent compte de toutes les données qui conditionnent le cycle de la vigne.

Ainsi, au moment de la floraison (période où la fleur doit être fécondée pour donner le raisin), des pluies printanières trop abondantes provoquent un phénomène de « coulure », c'est-à-dire un dessèchement de la fleur.

Autres éléments importants : une faible pluviométrie, trop ou pas assez d'ensoleillement, des vendanges humides, etc. Toutes choses auxquelles il faut ajouter les catastrophes naturelles tels les gelées tardives, les orages, les grêles...

En fonction de tous ces paramètres et une fois les vendanges terminées, on peut établir les premiers pronostics. C'est d'ailleurs une tradition bien ancrée à l'Union nationale des œnologues, à Paris, qui dévoile chaque année, au mois de novembre, ce que devrait être, région par région, la qualité des vins de l'année en cours.

Si les années exceptionnelles (généralement impaires) sont exceptionnelles, il faut savoir qu'un petit vin sera plus sensible à une mauvaise année et qu'un grand cru gardera, lui, une certaine tenue. Rappelons enfin que les prix évoluent selon l'âge de la bouteille et que l'amateur qui veut se constituer une grande cave doit quelquefois prendre des risques calculés en commandant tôt des vins dont il ne connaît pas encore la valeur.

QUELQUES GRANDES ANNÉES

Sans remonter au déluge, les connaisseurs admettent que, parmi les plus grandes années, il faut citer 1900, 1921, 1929, 1945, 1947, 1949, 1955, 1959, 1961, 1970, 1976, 1978, 1982. Certes, dans le commerce courant, il reste difficile de se procurer des vins de plus de vingt ans d'âge, cependant il est toujours possible d'en acheter chez les propriétaires. Les très anciennes années se vendent comme des pièces de collection. Elles ont un marché, des ventes aux enchères et une cote remise à jour chaque année par un spécialiste (*). Grandes stars du Bordelais, les Château d'Yquem et Mouton-Rothschild culminent, pour des crus de 1929, à 8 400 F la bouteille pour le premier et à 4 800 F pour le second. Pour la même année, un Château Margaux se montre plus raisonnable (2 780 F), tout comme un Pichon-Longueville (1490 F).

Sans aller chercher si loin et si cher, les années quatre-vingt ont été exceptionnelles pour pratiquement tous les vins. Ces millésimes de grande qualité restent un excellent investissement dans les vins de garde.

* Arthur Choko, *La cote des vins* (Ed. de l'Amateur).

★ Année exceptionnelle
★ ★ ★ ★ Très bonne année
★ ★ ★ Bonne année
★ ★ Année moyenne
★ Petite année

Années	BORDEAUX ROUGES	BORDEAUX BLANCS	BOURGOGNES ROUGES	BOURGOGNES BLANCS	CRUS DES CÔTES DU RHÔNE	ALSACE	POUILLY s/LOIRE SANCERRE	ANJOU TOURAINE	CRUS DU BEAUJOLAIS
1971	★★★★	★★★★	★★★★	★★★★	★★★★	⭐	★★★	★★★	★★★
1973	★★	★	★★	★★★	★★★	★★★	★	★★	★★
1974	★★★★	★★★	★★	★★	★★	★★	★	★★	★
1975	⭐	★★★★	★	★★★	★★	★★★	★★★	★★★	★★★
1976	★★★★	★★★★	★★★★	★★★★	★★★★	⭐	★★★★	★★★★	★★★★
1977	★★	★★	★★	★★★	★★★	★★	★	★★	★★★
1978	★★★★	★★★	⭐	★★★★	⭐	★★	★★★★	★★★★	★★
1979	★★★★	★★★	★★★★	⭐	★★★	★★★★	★★★	★★★	★
1980	★★	★★	★★	★★★	★★★★	★★	★★★	★★	★★★
1981	★★★★	★★★	★★	★★★	★★★★	★★★★	★★	★★★	★★★
1982	★★★★	★★	★★	★★	★★	★	★★	★	★★
1983	★★★	★★★★	★★	★★★	★★★★	★★★		★★	★
1984	★★		★	★	★	★		★★	
1985	★	★★★	★★★★	★★★★	★★★★	★★★	★★★	★★★	★★★★
1986	★★★★	★★★	★★	★★★★	★★	★★★	★★★	★★★	★
1987	★★★★	★★	★★★	★★	★	★★	★	★★	★★★
1988	★	★★★	★★★★	★★★	★★★★	★★★	★★★	★★★	★★★
1989	★★★	★★★★	★★★	⭐	★★★★	⭐	★★★★	★★★★	★★★★
1990	★★★	★★★★	⭐	⭐	★★★★	★★★	★★★★	★★★★	★★★
1991	★★★	★	★	★★	★★	★★	★★	★	⭐

GRANDE OU PETITE ?

Le choix est fonction des goûts et aussi des budgets de chacun. Et de la place dont on dispose. On s'aperçoit vite qu'une base d'une centaine de bouteilles reste bien modeste et qu'il faudrait multiplier ce chiffre par cinq, voire par dix, si l'on doit en faire vieillir un certain nombre.

Imaginons que vous possédiez 10 bouteilles par grande région vinicole, histoire de survoler toute la géographie : Alsace, Bordeaux, Bourgogne, Beaujolais, Champagne, vallée du Rhône, Languedoc-Roussillon, Sud-Ouest, Provence, vallée de la Loire, soit déjà 100 bouteilles, qui ne sont pas totalement représentatives, car il faut penser que pour certaines régions comme le Bordelais, on ne peut se limiter à un seul vin rouge. Les blancs moelleux et les blancs secs méritent qu'on s'y attardent également. Par ailleurs, nous n'avons pas compté des régions comme la Savoie ou le Jura. La Loire représente à elle seule tant de disparités, du Sancerre au Gros Plant il y a tout un monde. D'ores et déjà, on constate qu'une cave éclectique est assez difficile à réaliser.

Deuxième exemple. On considère que vous consommez en moyenne deux bonnes bouteilles par semaine, soit en un an 104 bouteilles. Il s'agit, bien entendu, de vins à boire jeunes, puisque vous commencez votre cave. Si vous stockez également une centaine de bouteilles qui doivent vieillir au minimum 5 ans, avant de les boire vous avez déjà en cave plus de 200 flacons. Comme vous voulez renouveler l'opération pour que dans 6, 7 ans et plus vous ne buviez que des vins de 5 ans,

en quatre ans, cela fera 400 bouteilles qui s'ajouteront aux 100 de consommation normale annuelle !

A ce petit jeu, on s'aperçoit vite qu'il faut savoir jongler entre les différentes longévités de vin, en fonction des bonnes ou moins bonnes années, et que posséder des crus de toute la France relève de la gageure. Il faut donc établir quelques simples règles de base.

LE PLAISIR D'ABORD !

Un vin est toujours une réjouissance que l'on aime faire partager. A part quelques bouteilles uniques, il vaut mieux disposer de quelques exemplaires d'un même cru.

Même question pour le vieillissement : il est souvent nécessaire de goûter de temps à autre un vin de garde pour apprécier son taux de maturité. D'où l'intérêt de disposer d'une réserve suffisante.

Enfin, un vin est un investissement. Il faut connaître son budget, mais aussi, comme un bon gestionnaire, prévoir l'avenir. Certains crus de bonne tradition coûteront un prix raisonnable l'année de leur mise en vente. Cinq ans plus tard, ils auront fait un bond et seront peut-être inaccessibles à une bourse moyenne.

La constitution d'une cave doit donc faire l'objet d'une attention régulière. A vous d'être attentif aux informations communiquées, en particulier dans la presse. Une météorologie favorable, sans gelées tardives ni orages de grêles, avec un bon équilibre entre ensoleillement et pluie, annonce une belle récolte et, si tout va bien, une grande année.

LA CAVE

LES NORMES

En principe la meilleure cave est souterraine, plus ou moins profondément enterrée dans le sol. Creusée dans le calcaire ou la pierre, construite en pierre ou en briques, elle a de ce fait une température constante : douce en hiver, fraîche en été, c'est-à-dire d' environ 10 à 12°C.

Le fait que le sol soit en terre ou recouvert d'une couche de gravillons est un plus qui permet à la cave de « respirer ». Une certaine humidité doit également y régner, avec un degré d'hygrométrie d' environ 70%. Une trop grande humidité provoque des moisissures, abîme les bouchons, décolle les étiquettes. Une cave trop sèche provoque un dessèchement des bouchons.

Les murs doivent être secs, nettoyés et éventuellement chaulés (2/3 de chaux vive, 1/3 d'eau) pour faire disparaître les parasites.

Il est nécessaire que la cave soit suffisamment ventilée. De l'air qui circule évite une trop grande humidité.

Enfin, une cave doit être obscure, isolée du bruit, des vibrations et aussi des mauvaises odeurs qui peuvent se communiquer au vin.

Il est rare de disposer de la cave idéale suivant les normes que nous venons d'indiquer. Cependant chacun peut réaliser un cellier de fortune dans un lieu suffisamment sombre, aéré et de température constante. Un placard ou un meuble fait éventuellement l'affaire, à condition de le munir de grilles d'aération en haut et en bas. On choisira de préférence une pièce au sud, donc forcément exposée aux ardeurs solaires. Pour équilibrer le taux d'humidité, il suffit d'une simple éponge que l'on aura soin de mouiller régulièrement.

Certains choisissent de placer leurs bouteilles dans la cuisine. Ce n'est guère un lieu idéal de vieillissement, tout au plus un endroit pour entreposer les vins à température de la pièce. Il faut simplement éviter de les placer à côté de sources de chaleur (four, cuisinière). Les bouteilles seront allongées dans la pénombre.

Les caves d'immeubles modernes peuvent éventuellement faire office de cellier. En béton ou parpaings, elles sont souvent trop sèches. Une cuvette d'eau ou mieux, un coin de sable régulièrement humidifié, redonnera l'hygrométrie nécessaire. Même si la température est un peu au-dessus des normes, sa stabilité sera un avantage. Veillez simplement à son aération (souvent assez bien conçue). Quant à la lumière, pas de néon, mais une baladeuse ou des ampoules de faible voltage.

Si les vibrations sont importantes (circulation, métro), on posera des éléments absorbants sur le sol et les fixations murales des casiers (mousse, caoutchouc, ressorts).

Dernier point essentiel : protéger sérieusement l'accès. Les visiteurs nocturnes ont une fâcheuse tendance à repérer ces lieux magiques et à faire la razzia de ces précieux liquides. Mieux qu'un cadenas, la porte blindée dissuade réellement.

En dernier ressort, des fabricants proposent des armoires à vins. Ce sont des meubles réfrigérés, ventilés et humidifiés grâce à un petit climatiseur intégré. Les modèles vont de 50 à 500 bouteilles.

Les maisons individuelles disposent souvent d'un sous-sol bétonné. Un des espaces libres peut être transformé en cellier. On veillera particulièrement à son isolation. Des plaques de polystyrène montées sur Isorel ou Placoplâtre assureront une température constante. Pensez également à isoler vos tuyauteries de chauffage avec des gaines en laine de verre. Et si c'est vraiment indispensable, investissez dans un climatiseur, l'air chaud sera évacué à l'extérieur.

Il existe de nombreuses formules en kit proposées par des fabricants spécialisés, comme les caveaux semi-enterrés que l'on implante dans son jardin, ou encore les escaliers hélicoïdaux aménagés. Il suffit de faire un tour dans les manifestations commerciales et les salons du type Vinexpo à Bordeaux ou Foire de Paris pour faire le point sur toutes ces nouvelles possibilités.

LES RANGEMENTS

Les bouteilles doivent être obligatoirement couchées pour que le liquide reste en contact avec le bouchon. Toujours humide, ce dernier gardera ainsi toutes ses qualités d'étanchéité.

Pour les ranger, on utilise des casiers d'une épaisseur d'une à deux bouteilles. On y classera les vins achetés par petites quantités, les blancs près du sol (l'endroit le plus frais), les rosés dessus, et les rouges en haut. Les vins les plus accessibles sont ceux que l'on consommera dans l'année ou les dix-huit mois. Pour les plus grosses quantités, on préférera les alvéoles ou compartiments, en briques creuses, béton léger, poudre de lave, dans lesquels on empilera bon nombre de bouteilles. Ces casiers peuvent être carrés (on y met les plus grosses quantités), en losange (permettant de regrouper de petits lots) ou ronds.

On veillera enfin à ce que les bouteilles aient le goulot tourné vers l'avant, afin de surveiller l'état des bouchons, et que la bouteille soit tournée vers le bas afin de protéger l'étiquette.

Pour éviter toute manipulation intempestive, les casiers seront étiquetés. On peut utiliser la traditionnelle ardoise ou bien des étiquettes en plastique. Il vaut mieux les classer par ordre alphabétique et numérique et établir un plan de cave.

LE LIVRE DE CAVE

Indispensable pour connaître le contenu de votre cellier, le livre de cave est là pour répertorier les vins selon leur origine (région, appellation, cru), le millésime, la provenance (propriétaire, cave, coopérative), la date d'achat, la quantité et le prix par bouteille.

Par ailleurs, il permet de contrôler l'état du stock, d'y mettre des appréciations personnelles : dégusté avec qui, quand, avec quels plats, commentaires sur le vin.

39

36

Nᵒ
40

Nᵒ
37

Chambertin
clos de Bèze
grand cru
1987

Savigny-
-les-Beaune
1ᵉʳ cru 89

33
N° 30
N° 34
N° 31
Nuits Saint Georges
Bourgogne
Htes Côtes de Nuits
1989

Les vins à servir à table dépendent de deux facteurs : les mets qu'ils doivent accompagner et leur capacité propre, c'est-à-dire leur faculté « physique » à être bus.

DÉBOUCHER

Première étape de cet agréable moment qu'est la dégustation du vin : il faut déboucher les bouteilles. Si la bouteille est ancienne, on évite de la remuer pour ne pas brusquer le vin et mettre en suspension les éventuels dépôts.

On découpe la collerette d'étain suffisamment bas pour le vin n'y soit jamais en contact. Si le goulot est ciré, on brise délicatement la matière et on enlève tous les résidus et poussières à l'aide d'une petite brosse.

Pour ôter le bouchon, on utilise un instrument à large spire qui pénètre le liège sans le briser et donne suffisamment de prise pour le retirer. Il existe de nombreux types de tire-bouchons permettant le travail sans effort par appui sur le goulot. Ils sont tout à fait recommandables, même ceux qui, par un système de pompe, envoient de l'air dans le goulot, ce qui, par la pression, expulse le bouchon.

En débouchant plus ou moins longtemps à l'avance, on permet au vin de respirer. Cette oxygénation permet soit d'éliminer certains de ses défauts, soit d'exhaler au maximum ses arômes.

On parvient ainsi à ôter des odeurs parasites comme celle du soufre dans les vins blancs (anhydride sulfureux utilisé pour arrêter l'oxydation dans les fûts). On parvient parfois à réduire une faible odeur de bouchon.

Mais il vaut mieux, bien souvent, oxygéner en transvasant dans un autre récipient. Même procédé si l'on veut supprimer le gaz dissous, reste d'une fermentation malolactique (la fermentation secondaire) non encore achevée.

Les blancs et rosés n'auront guère à gagner à rester à l'air libre, tout comme les rouges jeunes qui se boivent frais. Par contre, les rouges plus capiteux peuvent très nettement gagner en qualité et mettre en valeur leur bouquet.

Le Champagne est débouché au dernier moment, en démontant muselet et collerette métallique, puis en saisissant fermement le bouchon entre le pouce et l'index. Après quelques mouvements de rotation, le bouchon se décollera tout seul. On le retiendra au maximum pour que le gaz sous pression ne s'échappe que sous la forme d'un léger soupir.

DÉCANTER

La décantation consiste à transférer le vin d'une bouteille dans un autre récipient, en général une carafe en cristal. L'opération est rendue quelquefois nécessaire en raison du dépôt qui réside au fond de la bouteille. Elle doit se faire avec précaution, au travers d'une source lumineuse pour mieux contrôler le déplacement de la lie. On utilise parfois certains appareils munis d'un système pivotant actionné par des molettes. La manœuvre prend alors des allures impressionnantes, mais elle l'offre l'avantage d'un contrôle rigoureux et précis de l'inclinaison de la bouteille.

Tout cela est nécessaire pour permettre au vin d'offrir le meilleur de lui-même. Cette pratique est systématique dans certains crus du Bordelais.

TEMPÉRATURE

La température du vin est la première inquiétude de l'amateur. Il la contrôle avec un thermomètre à vin qu'il plonge dans le goulot. Certains vins auront besoin d'être rafraîchis dans les compartiments bas du réfrigérateur (bien que ce procédé soit parfois rejeté par certains œnologues) ou dans un seau avec de la glace (ce qui permet de les maintenir à température constante sur la table), d'autres se contenteront de la température de la cave, enfin certains seront « chambrés », c'est-à-dire qu'ils atteindront une température maximum de 17 ou 18°C .

Servis très frais : les blancs liquoreux (6°C), les Champagne et la plupart des vins effervescents (6 à 8°C).

Servis frais (8°C) : les blancs secs, frais, un peu acides comme les blancs de Loire et les rosés.

Mi-frais (10 à 12°C) : les blancs légèrement plus onctueux (Graves, Bourgogne blancs), les rouges jeunes et fruités (Beaujolais, Gamay).

Tempérés (12 à 14°C) : les rouges de Loire, certains Côtes du Rhône, Bourgogne et Beaujolais.

Chambrés (14° à 18°C) : suivant leur âge, leur teneur en tanin et leur corpulence, ils gagneront un peu en degrés. Ce sont, en particulier, tous les grands vins de la vallée du Rhône, de Bourgogne et du Bordelais.

LE SERVICE

Pour les grands vins, on recommande souvent l'utilisation du panier verseur où la bouteille est couchée, le goulot légèrement relevé.

Les vins doivent être servis, par la droite, dans les verres qui leur sont destinés. On verse fermement mais sans excès, ni brusquerie, en les remplissant à mi-hauteur environ. Puis il faut effectuer une légère rotation en remontant le goulot, de façon à ne pas laisser échapper une goutte sur la nappe. Une serviette blanche, tenue dans l'autre main, permet d'essuyer les gouttes qui pourraient rester sur le goulot.

Pour le Champagne, on remplira la flûte en deux ou trois temps pour éviter que la mousse ne déborde.

Les vins et

Il est toujours difficile de recommander un vin avec un plat particulier, car les goûts, les modes et même l'inspiration peuvent modifier les choix. Il existe toutefois un certain nombre de critères de base qui permettent d'éviter les hérésies.

Quelques principes :

1°) On sert toujours les vins blancs secs avant les vins rouges ;

2°) Les vins légers précèdent les vins corsés ;

3°) Les vins frais sont servis avant les vins chambrés ;

4°) Pas de vin moelleux avec les viandes rouges en sauce et le gibier.

Ne s'harmonisent pas :

Tous les vins : avec les potages en général, sauf les soupes de poissons et quelques soupes paysannes ; les hors-d'œuvre et les salades à la vinaigrette, les fromages à la crème, les entremets au chocolat, les fruits frais et acides. Les vins rouges : avec les crustacés, les plats aux sauces blanche et madère, les fromages blancs et les plats sucrés.

les mets

De nombreux vins peuvent se boire en apéritif. Citons, pour mémoire :
– Tous les vins doux naturels : Rasteau, Muscat, Banyuls, Pineau des Charentes,
Rivesaltes, Frontignan, etc.
– Les vins blancs doux ou moelleux, comme le Coteau du Layon ou le Bonnezeaux (Anjou),
le Sauternes, les Alsace de vendanges tardives, le Monbazillac ou le Jurançon (Sud-Ouest),
ou encore le rosé de Cabernet (Anjou).
– Des vins capiteux, épicés ou musqués : Gewurztraminer, Muscat d'Alsace.
– Des vins blancs secs (Bourgogne aligoté, Chablis, Sauvignon, vins du Pays nantais)
qui peuvent être accompagnés d'une crème de liqueur (cassis, framboise,
fraise, poire, etc). Dans certaines régions, on sert de la même
manière des vins rouges et rosés.
– Les vins effervescents : Vouvray, Saumur, Crémant
d'Alsace, Blanquette de Limoux, Clairette de Die…
– Le Champagne servi nature ou accompagné de
crème de liqueur, comme le cassis (Kir royal).

Fruits de mer, crustacés, poissons

Vins blancs secs :
Riesling, Muscadet, Gros Plant,
Chablis, Mâcon, Sancerre,
Pouilly-Fuissé,
Entre-Deux-Mers.
Poissons en sauce :
Beaujolais blanc, Côtes du
Rhône blanc ou vin blanc du
Jura. Pour le homard à l'améri-
caine : un vin rouge (Château-
neuf-du-Pape, Gigondas)
ou rosé (Tavel).

Foie gras

S'il est servi en début de repas :
Champagne, blanc liquoreux ou
doux (Sauternes, Quarts de Chaume,
Gewurztraminer, Muscat d'Alsace,
Corton-Charlemagne),
vins doux naturels (Banyuls).
S'il est servi après un rôti :
vin rouge (Beaune, Pomerol,
Châteauneuf-du-Pape).

Volailles à la broche

Beaujolais, vins de Loire, Bordeaux
légers (Saint-Amour, Brouilly,
Fleurie, Bourgueil,
Chinon, Saint-Emilion).
Pour l'oie et la dinde : des rouges
plus corsés (Nuits-Saint-Georges,
Cahors, Côtes de Fronsac,
Chambertin).

Plats en sauce à base de vin

Servir de préférence un blanc
ou un rouge de la même
région que le vin utilisé
pour la préparation.

conseillés

Volailles en sauce

Des blancs (en rapport avec la sauce) comme l'Arbois et le Sauternes ou des rouges comme le Beaujolais et le Bourgogne Passetoutgrains.

Viandes rouges

Côtes de Provence rouge ou rosé, Bordeaux légers, Beaujolais. Viandes rouges en sauce : des rouges plus corsés. Gibier : des rouges somptueux, de grands Bordeaux et Bourgogne (Saint-Estèphe, Château Talbot, Pommard, Chambertin).

Fromages

Avec les pâtes cuites (Gruyère) ou pressées (Saint-Nectaire, Cantal), les fromages frais et les chèvres : des blancs secs, fruités, légers ; des rosés et des rouges légers. Avec les pâtes persillées (Bleus, Roquefort) : des rouges légers. Avec des croûtes fleuries (Brie, Camembert) et lavées (Pont-l'Evêque, Maroilles, Livarot) : des rouges de caractère.

Desserts

Blancs d'Anjou et Bordeaux blancs moelleux. Vins de paille, Muscats, Blanquette, mousseux, Champagne. Vins doux naturels (Maury, Banyuls, Rivesaltes).

*L*e vignoble alsacien forme
un mince ruban, qui s'étire entre
les Vosges et la plaine d'Alsace.
Protégé des vents humides venant
de l'ouest, il bénéficie d'un climat
plutôt sec, avec un hiver froid sans
excès et un été chaud suivi d'une
arrière-saison superbe, propice
à la lente maturation du raisin.
A cette bande de terre longue
d'environ 120 kilomètres, large au
plus d'une quinzaine de kilomètres,
s'ajoute une petite région vinicole
située autour de Wissembourg,
à l'extrême nord du Bas-Rhin.
Les quelque 13 000 hectares
de vignes produisent 1 million
d'hectolitres de vins AOC,
principalement des blancs.

*Le village de Riquewihr, blotti dans une cuvette
tapissée de vignobles*

L'ALSACE

WISSEMBOURG

BAS-RHIN

D 263

● HAGENAU

Autoroute A4

● BRUMATH

Gimbrett
Kienheim ●

RN 4

● Nordheim

RN 4

● STRASBOURG

Soultz -les-Bains ●
Bergbieten ●

● MOLSHEIM

RN 83

FORÊT DES VOSGES

Ottrott ● ● OBERNAI

Heiligenstein ●
Barr ● ● Gertwiller
Andlau ●

Eichhoffen ●

Dambach-la-Ville ●

Scherwiller ●

L'ill

Kintzheim ● ● SELESTAT
Saint-Hippolyte ●● Rodern
Bergheim ●
● Ribeauvillé
Riquewihr ● ● Hunawihr
● Beblenheim
Kaysersberg ● ● Kientzheim
Katzenthal ●
Obermorschwihr ● ● COLMAR

Le Rhin

Turckheim ●
● Eguisheim
Voegtlinshoffen ●
Gueberschwihr ● ● Hattstatt

D 422

**HAUT-
RHIN**

● Bergholtz
Guebwiller ●
Wuenheim ●

Thaur

Thann ● ● Cernay
● Vieux-Thann

L'ill

LES APPELLATIONS

Tous classés en AOC, les vins d'Alsace sont répertoriés en quatre grandes appellations.

**L'APPELLATION RÉGIONALE « ALSACE »
OU « VINS D'ALSACE »**
Mention qui s'ajoute au nom du cépage d'origine, comme Riesling ou Muscat. Le rendement autorisé est limité à 100 hl/ha.

**L'APPELLATION « VINS D'ALSACE
GRAND CRU »**
Issus des quatre cépages nobles (gewurztraminer, riesling, pinot gris et muscat), ces vins proviennent de terroirs délimités, ainsi 25 terroirs ont été classés « Grands Crus » lors du décret du 23 novembre 1983. Les rendements sont fixés à 70 hl/ha, mais peuvent être volontairement réduits à 60 ou 50 hl/ha. Les mentions du cépage et du millésime doivent figurer sur l'étiquette. Peuvent être ajoutées également les mentions « vendanges tardives » ou « sélection de grains nobles ».

**LES APPELLATIONS COMMUNALES
ET DE LIEUX-DITS**
Ils sont une cinquantaine de vins à bénéficier d'une mention supplémentaire : celle du terroir qui s'ajoute aux autres mentions (Sporen à Riquewihr, Schlossberg à Wettolsheim, Wiebelsberg à Andlau).

L'APPELLATION « CRÉMANT D'ALSACE »
Vins mousseux élaborés selon la méthode champenoise à partir de cépages blancs.

PARTICULARITÉS :
L'Edelzwicker est un vin blanc constitué par un assemblage de cépages nobles.

LES CÉPAGES NOBLES

GEWURZTRAMINER

ORIGINE : *cépage traminer ou savagnin rosé. Introduit en Alsace au XIIe siècle.*

QUALITÉ : *cépage précoce, moyennement productif, sensible à la coulure.*

VENDANGE : *à maturité.*

BOUQUET : *pénétrant avec beaucoup de nuances et d'arômes floraux.*

SAVEUR : *corsé et charpenté avec un caractère légèrement moelleux.*

RIESLING

ORIGINE : *vient de l'Orléanais. Cultivé sous les Romains, il s'est particulièrement bien implanté au XVe siècle outre-Rhin. S'est développé en Alsace dès 1848.*

QUALITÉ : *cépage tardif, à productivité élevée.*

VENDANGE : *peut être vendangé tardivement.*

BOUQUET : *élégant, fruité et délicat.*

SAVEUR : *sec, légèrement acide, nerveux.*

MUSCAT

ORIGINE : *cité en Alsace dès 1523.*

VARIÉTÉS : *muscat rose d'Alsace et muscat-ottonel blanc.*

QUALITÉ : *le muscat d'Alsace est relativement tardif et assez nerveux. Le muscat-ottonel est plus précoce, mais sensible au froid.*

BOUQUET : *délicat, très fruité, aromatique.*

SAVEUR : *musquée, goût de raisin marqué.*

TOKAY OU PINOT GRIS

ORIGINE : *Bourgogne, présent en Alsace au XVIIe siècle.*

QUALITÉ : *productivité faible et maturation précoce.*

VENDANGES : *à maturité.*

BOUQUET : *riche et frais.*

SAVEUR : *capiteux, puissant, charnu, corsé, sec avec des nuances de moelleux.*

LA GASTRONOMIE
COQ AU RIESLING
TARTE À L'OIGNON
FAISAN À LA CHOUCROUTE
BAECKEOFFE
GRENOUILLES AU TOKAY
CHOUCROUTE
PRESSKOPF
(FROMAGE DE TETE)

À SERVIR
TOUS LES VINS D'ALSACE
SONT À DÉGUSTER
ENTRE 6° ET 8°C

*Le foudre Sainte Catherine
construit en 1715, toujours
en service dans les caves Hugel*

Faisait-on du vin en Alsace avant la conquête romaine ? La question est discutée. Quoi qu'il en soit, il semble établi que ce sont les Romains qui introduisirent une viticulture commerciale en modifiant les structures agraires en collaboration avec les gaulois.

Au Moyen Age, l'Alsace est renommée pour ses vins. Elle les expédie à Cologne d'où ils partent pour la Scandinavie et l'Angleterre. Le vignoble alsacien prit son essor au IIIe siècle et se développa jus-

*Dambach,
fût sculpté du Domaine des Tonneliers*

En haut et en bas, fût sculpté chez Bruno Sorg à Eguisheim

qu'au XVIe siècle. La guerre de Trente Ans, suite à laquelle une bonne partie de l'Alsace passa sous domination française, ruina vignoble et négoce. On planta de nouvelles vignes.

Le XVIIIe siècle fut morose, même si les vins d'Alsace étaient à la mode en Autriche et en Suisse. Après la Révolution, le vignoble fut morcelé en parcelles. Nombre de vignerons choisirent alors de planter des cépages à grand rendement. Mais la petite prospérité qu'ils connurent au XIXe siècle ne dura guère.

En effet, après l'annexion de l'Alsace en 1871, l'Allemagne prit diverses mesures pour limiter la concurrence que les vins d'Alsace faisaient aux siens ; on encouragea les Alsaciens à produire des vins bon marché. L'apparition du phylloxéra aggrava la situation. Pour y remédier, les producteurs plantèrent des hybrides producteurs directs, résistants au parasite, mais donnant un vin médiocre.

En 1918, l'Alsace redevint française. Ce fut une catastrophe pour les viticulteurs alsaciens car leur vin ne trouva pas preneur – la France produisait toutes sortes de vins. Il n'y avait qu'un remède : opter pour une politique de qualité, ce qui impliquait, entre autres, un nouvel encépagement. Les vignerons s'attelèrent à la tâche et, peu à peu, les vins d'Alsace retrouvèrent une place d'honneur. La législation entérina ces efforts par l'ordonnance du 2 novembre 1945, définissant le statut des vins d'Alsace. Après quelques avatars, les viticulteurs alsaciens obtinrent un quasi-monopole sur la flûte, cette superbe bouteille allongée qu'on reconnaît au premier coup d'œil. Mais il fallut attendre 1962 pour que fût créée l'appellation d'origine contrôlée vins d'Alsace.

La production annuelle atteint aujourd'hui, un million d'hectolitres de vin AOC, dont 93% sont des blancs et 7% des rouges ou des rosés.

LES FÛTS SCULPTÉS

JUSQU'À LA FIN DU SIÈCLE DERNIER, LES FOUDRES ÉTAIENT DÉCORÉS AU GOÛT DE LEURS DESTINATAIRES. LA COUTUME VOULAIT AINSI QU'UN JEUNE MARIÉ PASSÂT COMMANDE D'UN FÛT SCULPTÉ POUR GARNIR LA CAVE DE SA NOUVELLE MAISON. LA PARTIE LA PLUS TRAVAILLÉE ÉTAIT LE VERROU DU PORTILLON DE NETTOYAGE QUI REPRÉSENTAIT EN GÉNÉRAL DES ANIMAUX MARINS (DAUPHINS, BALEINES, HIPPOCAMPES) OU DES ALLÉGORIES (BACCHUS CHEVAUCHANT DES TONNELETS, SIRÈNES ENVOÛTANTES). CERTAINS ESTIMENT QU'IL S'AGISSAIT D'UNE INDICATION POUR DIFFÉRENCIER CAVES CATHOLIQUES ET CAVES PROTESTANTES.

A droite, le village de Turckheim et ses maisons à colombage

Le village de Bergheim

CAVE VINICOLE DE TRAENHEIM
67310 TRAENHEIM

Le promeneur le plus grincheux succomberait au charme de l'Alsace. Lumière, couleurs, ondulations des collines, maisons à colombages, profusion de fleurs aux fenêtres, vignobles et vergers composent une magnifique toile de maître.

Et si certaines commmunes retiennent le visiteur plus que d'autres, toutes attirent son regard ou son palais dans ce pays béni des fées. Il serait néanmoins fastidieux d'énumérer les quelque soixante étapes qui jalonnent la route des vins d'Alsace.

C'est pourquoi nous en donnerons seulement quelques-unes, en allant du nord au sud.

Nordheim, en faction sur une butte à mi-chemin entre Strasbourg et Saverne, ouvre de belle façon la route du vin : par une vue panoramique sur la plaine d'Alsace.

Bergbieten joue les paradoxes : petit village mais grand cru : le Riesling du lieu-dit Altenberg.

Soultz-les-Bains marque l'entrée du vignoble du Bas-Rhin proprement dit. Sa source thermale étant citée dans le testament de sainte Odile, la ville devait être connue pour les vertus de son eau sous les Carolingiens. Il y a cependant fort à parier que les « touristes » de l'époque préféraient le vin au bain !

Molsheim, entouré de vignobles et de vergers, abrite un musée régional. On s'y promène le nez en l'air pour voir les nids de cigognes perchés sur les maisons.

Obernai figure au nombre des grands témoins du passé, riche en superbes monuments datant du Moyen Age et de la Renaissance : hôtel de ville, halle aux blés, tour de la chapelle… Siège d'une grande brasserie, Obernai n'oublie pas la vigne, loin de là. Les proches coteaux de Schenkenberg et Nationalberg produisent un fort bon Gewurztraminer.

Ottrott, au pied du mont Sainte Odile, se distingue par son Roter Ottroter, Pinot noir qui fut l'un des premiers vins rouges d'Alsace.

Heiligenstein varie les plaisirs : on y trouve le Klevner, cru provenant d'un cépage importé d'Italie au XVIIIe siècle, une très belle fontaine, et un admirable point de vue sur la plaine d'Alsace.

En haut, le village D'Eguisheim
En bas, le domaine de Louis Hauller à Dambach

Guebwiller,
enseigne de vigneron

Eguisheim,
enseigne de restaurant

En haut, Kaysersberg, cité natale du Docteur Schweitzer

En bas, Hunawihr, l'église fortifiée du XVe siècle qui domine le vignoble

Barr, centre viticole important, produit le Kirchberg, classé grand cru.

Hôte d'une foire aux vins à la mi-juillet et d'une fête des vendanges le premier dimanche d'octobre, ce joli bourg abrite une plaisante collection de meubles, de faïences et d'étains dans le musée de la Folie-Marco.

Un sentier vinicole permet de se dégourdir les jambes (après une dégustation, par exemple…). Gertwiller propose, outre le Sylvaner et le Gewurztraminer, son fameux pain d'épice.

A noter sur les tablettes des amoureux la forêt, les points de vue imprenables de la promenade qui mène d'Ottrott à Barr en passant par le mont Sainte Odile. Les virages sont nombreux mais la route est superbe. Andlau, village fleuri dominé par les hautes silhouettes d'anciens châteaux forts, produit entre autres délices le grand cru de Kastelberg.

Dambach-la-Ville fait partie des lieux où l'on s'attarde. Mur d'enceinte aux portes impressionnantes, vieilles et belles maisons, chapelle d'âge vénérable où l'on découvre un superbe maître-autel baroque, ossuaire du XVe siècle, c'est à ne plus savoir où donner du regard.

Et après cette page d'histoire, caves et caveaux invitent à la dégustation.

En effet, la plus importante commune

viticole d'Alsace propose de nombreux crus, dont le Bernstein et le Frankstein.

Scherwiller célèbre à la mi-août une fête du Riesling. Le visiteur qui s'y arrête ce jour-là devra être très raisonnable car les vins des coteaux de Rittersberg et Sommerberg pourraient bien lui tourner la tête...

Kintzheim offre deux attractions idéales pour la famille : une volière d'aigles et une montagne aux singes.

La route longe à présent le parc régional des Ballons d'Alsace tandis que l'on aborde le Haut-Rhin, territoire où foisonnent les grands crus. Gare au petit ballon des gendarmes !

Saint-Hyppolite, au pied du château du Haut-Kœnigsbourg, donne du Pinot noir et un grand cru, le Gloeckelberg, que l'on trouve également à Rodern.

A quelques tours de roue, Bergheim présente ses grands crus, l'Altenberg et le Kanzlerberg. Heureusement, les sentiers vinicoles permettent de s'éclaircir les idées avant de reprendre le volant !

Ribeauvillé séduit tous et chacun. Ici, le curieux peut épuiser sa pellicule photo, le passionné de vieilles pierres s'émerveiller devant les ruines des trois châteaux voisins, et l'amateur de grands crus déguster le Kirchberg.

Nos trois compères applaudiront la fête des Ménétriers qui se tient le premier dimanche de septembre.

Riquewihr est la merveille des merveilles. Maisons délicieuses, fontaines rafraîchissantes, rues pavées, enseignes pittoresques... on ne s'en lasse pas.

Ce haut lieu du tourisme propose de nombreuses « winstub » et autres lieux de dégustation. Deux noms de coteaux sont à retenir par les amateurs : Schœnenbourg et Sporen.

Kientzheim constitue une étape aussi plaisante qu'instructive : son château, siège de l'illustre confrérie de Saint-Étienne,

abrite un remarquable Musée du vignoble et des vins d'Alsace.

Colmar invite le visiteur à prendre son temps au détour des églises et des maisons médiévales. La ville est le siège des instances vinicoles régionales comme la Bourse du vin installée dans la célèbre maison des Têtes datant de la Renaissance.

Son musée d'Unterlinden, où l'on admire le célèbre « Retable d'Issenheim », propose une salle consacrée à la cave alsacienne : instruments viticoles anciens, pressoirs et tonneaux sculptés.

Turckheim s'enorgueillit du légendaire vignoble qui produit le Brand, classé parmi les meilleurs vins d'Alsace.

Voegtlinshoffen et Obermorschwihr, séparés par un saut de puce, proposent, l'un les séduisants grands crus du Hatschbourg, l'autre un Muscat étonnant.

Guebwiller, très ancien centre viticole, est célèbre pour ses vignes en terrasse, qui produisent principalement du Riesling.

On n'y trouve pas moins de quatre grands crus : le Kessler, le Spiegel, le Saering et le Kitterlé.

Thann finit la route en beauté avec le grand cru du terroir, le Rangen.

Le village de Zellenberg

Caractérisé par sa diversité, le Bordelais est le plus important vignoble de vins fins de France. Sur ses 100 000 hectares de vignes, on compte une trentaine d'appellations contrôlées spécifiques (Margaux, Saint-Émilion, Pomerol, Sauternes, etc…) et plus de 5 000 "Châteaux" dont 2 000 sont particulièrement représentatifs.

Le chai du château Cos-d'Estournel
à Saint Estèphe

LE BORDELAIS

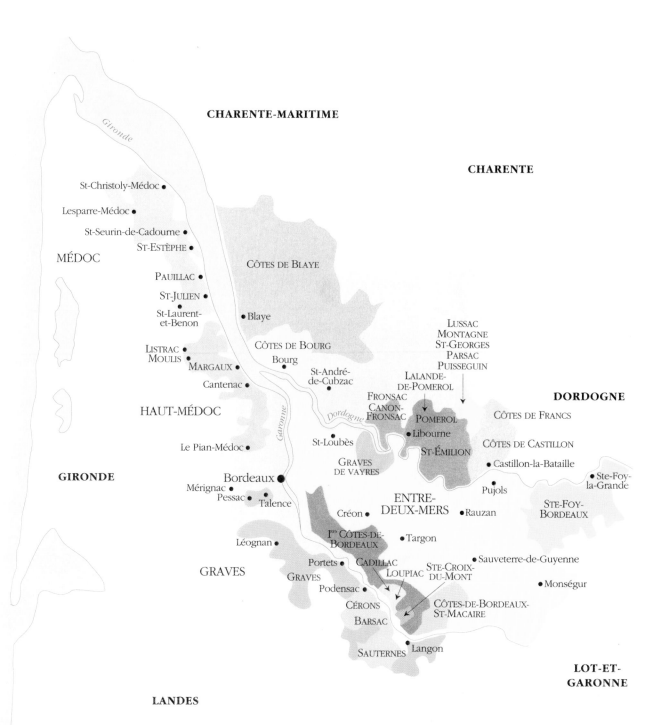

CHARENTE-MARITIME

CHARENTE

St-Christoly-Médoc

Lesparre-Médoc

St-Seurin-de-Cadourne

ST-ESTÈPHE

MÉDOC

CÔTES DE BLAYE

PAUILLAC

ST-JULIEN

St-Laurent-
et-Benon

Blaye

LUSSAC
MONTAGNE
ST-GEORGES
PARSAC
PUISSEGUIN

LISTRAC
MOULIS

CÔTES DE BOURG

MARGAUX

Bourg

St-André-
de-Cubzac

LALANDE-
DE-POMEROL

DORDOGNE

Cantenac

FRONSAC
CANON-
FRONSAC

CÔTES DE FRANCS

HAUT-MÉDOC

POMEROL

CÔTES DE CASTILLON

Libourne

Le Pian-Médoc

St-Loubès

ST-ÉMILION

Castillon-la-Bataille

GIRONDE

GRAVES
DE VAYRES

Ste-Foy-
la-Grande

Bordeaux

Pujols

STE-FOY-
BORDEAUX

Mérignac

ENTRE-
DEUX-MERS

Pessac

Créon

Rauzan

Talence

I^res CÔTES-DE-
BORDEAUX

Targon

Sauveterre-de-Guyenne

Léognan

GRAVES

Portets

CADILLAC

Monségur

LOUPIAC

GRAVES

STE-CROIX-
DU-MONT

Podensac

CÔTES-DE-BORDEAUX-
ST-MACAIRE

CÉRONS

BARSAC

SAUTERNES

Langon

LOT-ET-
GARONNE

LANDES

LES APPELLATIONS

L'APPELLATION BORDEAUX

C'est l'appellation générique qui concerne tous les vins produits dans les terres à vigne du département de la Gironde, suivant des normes (encépagement, degré d'alcool, rendement à l'hectare...) plus ou moins exigeantes et leur caractère spécifique.
Il existe sept appellations générales : Bordeaux, Bordeaux Claret, Bordeaux rosé, Bordeaux supérieur, Bordeaux Claret supérieur, Bordeaux supérieur rosé, Bordeaux mousseux.

L'APPELLATION RÉGIONALE OU COMMUNALE

Elle peut simplement concerner une région (Médoc, Haut-Médoc, Graves, Entre-Deux-Mers) et faire l'objet d'une appellation particulière liée au classement (Grand Cru, Premier Cru, Cru Bourgeois...).
Il en existe quarante.
POUR LES VINS ROUGES :
– Le Médoc et le Haut-Médoc, avec six appellations communales : Margaux, Moulis, Listrac, Saint-Julien, Pauillac, Saint-Estèphe.
– Pomerol, Lalande-de-Pomerol, Fronsac, Canon-Fronsac et Néac.
– Saint-Emilion et six appellations satellites : Saint-Georges-Saint-Emilion, Montagne-Saint-Emilion, Parsac-Saint-Emilion, Lussac-Saint-Emilion, Puisseguin-Saint-Emilion, Sables-Saint-Emilion.
– Les Graves, les Graves Supérieurs et Pessac-Léognan.
POUR LES VINS BLANCS :
Le Sauternes, Barsac, Cérons, l'Entre-Deux-Mers, Graves-de-Vayres, Sainte-Foy-Bordeaux, Cadillac, Loupiac, Sainte-Croix-du-Mont, Côtes de Bordeaux Saint-Macaire.
POUR LES VINS BLANCS ET ROUGES :
Côtes de Blaye, Premières Côtes de Blaye, Côtes de Bourg, Premières Côtes de Bordeaux, Bordeaux Côtes de Castillon, Bordeaux Côtes de Francs.

LES CÉPAGES
CABERNET FRANC, CABERNET SAUVIGNON, MALBEC (OU COT), MERLOT, MUSCADELLE, PETIT VERDOT, SAUVIGNON, SÉMILLON.

LA GASTRONOMIE
LAMPROIE À LA BORDELAISE
ALOSE À L'OSEILLE ET À L'ENTRE-DEUX-MERS
MAQUEREAUX AUX COTES DE BLAYE
CUISSES DE GRENOUILLES AU GINGEMBRE ET AU SAUTERNES
GIGOT DE PRÉ-SALÉ
CIVELLES À LA VINAIGRETTE
CEPES À LA BORDELAISE

À SERVIR
ROUGES : 16°C
BLANCS : 10°C
CRÉMANT : 8°C
MOELLEUX : 6° À 8°C

Le château Palmer à Margaux

CRUS CLASSÉS DE MARGAUX
• PREMIER CRU •
CHÂTEAU MARGAUX
• SECONDS CRUS •
CHÂTEAU RAUSAN-SÉGLA
CHÂTEAU RAUZAN-GASSIES
CHÂTEAU LASCOMBES
CHÂTEAU DURFORT-VIVENS
CHÂTEAU BRANE-CANTENAC
• TROISIÈMES CRUS •
CHÂTEAU KIRWAN
CHÂTEAU D'ISSAN
CHÂTEAU GISCOURS
CHÂTEAU
MALESCOT–SAINT–EXUPÉRY
CHÂTEAU BOYD-CANTENAC
CHÂTEAU CANTENAC-BROWN
CHÂTEAU PALMER
CHÂTEAU DESMIRAIL
CHÂTEAU FERRIÈRE
CHÂTEAU
MARQUIS D'ALESME–BECKER
• QUATRIÈMES CRUS •
CHÂTEAU PRIEURÉ-LICHINE
CHÂTEAU POUGET
CHÂTEAU MARQUIS DE TERME
• CINQUIÈMES CRUS •
CHÂTEAU DAUZAC
CHÂTEAU DU TERTRE

*Caves du Château Margaux
1961 l'année du siècle*

MARGAUX

Gloire à ce vin, qui a donné une renommée mondiale à un petit village. Tous, néophytes et connaisseurs, s'accordent à vanter l'extrême délicatesse du Margaux. Ce rouge prodigieux demande quelques années pour atteindre sa maturité ; si l'on en croit ses plus fervents admirateurs, lorsqu'il atteint sa plénitude, on peut parler de perfection. Hemingway aimait tant ce vin qu'il appela sa fille… Margaux.

Un domaine s'impose entre tous, Château Margaux. Son vignoble de 60 hectares, classé Premier Cru, donne un vin d'une finesse remarquable. Doit-il sa réputation à son vin, aux colonnes qui ornent sa superbe façade, ou à l'allée de platanes qui y mène ? Toujours est-il que le château lui-même, ouvert aux visiteurs, est presque aussi connu que son vin.

Quoiqu'il produise un vin exceptionnel, le prestigieux Château Margaux ne doit pas faire oublier que la commune de Margaux compte sept autres crus classés en 1855. Citons quelques Seconds Crus : Château Rausan-Ségla, Château Rauzan-Gassies, Château Durfort-Vivens.

L'AOC Margaux s'étend à quatre communes voisines.

Soussans abrite un domaine plein de charme, le Château de la Tour-de-Mons, qui produit un excellent vin.

Il est classé Cru Bourgeois, titre que l'œnologue Alexis Lichine, qui fut propriétaire à Margaux, jugeait inférieur à ses mérites, car, écrivait-il, on y produit « des vins supérieurs à quelques crus classés ».

Cantenac fait du coude à coude avec Margaux en présentant sept crus classés, dont un Second Cru, celui du Château Brane-Cantenac.

Non loin du village, le flâneur peut admirer deux châteaux du XVIIᵉ siècle, Issan et Martinens, et le Château Kirwan, demeure de style néoclassique entourée d'un magnifique parc fleuri. Ces trois domaines, bien entendu, possèdent leur vignoble. Labarde propose deux crus classés, Château Dauzac et Château Giscours. Ce dernier organise des tournois de polo en septembre.

Dans la même commune, le Château Siran se distingue par une collection inattendue de porcelaines chinoises et un parc regorgeant de cyclamen.

Arsac, situé à l'intérieur des terres, concourt à la célébrité du Margaux avec un cru classé Château du Tertre. Signalons aussi le Château d'Arsac, producteur d'un Cru Bourgeois entreposé dans des chais ultramodernes ; ce domaine accueille des expositions d'art contemporain.

Le château Issan à Cantenac

LE CHÂTEAU MARGAUX

LE BORDELAIS

*Le Château Rausan-Ségla
à Margaux*

Le Château Kirwan à Cantenac

*Le Château Lascombes
à Margaux*

La collection de tire-bouchons d'Edmond de Rothschild à Château Clarke

En haut, la promenade de la Jalle de Tiquetorte
En bas, le Château Chasse-Spleen

MOULIS

Le caractère particulier des vins de Moulis-en-Médoc tient essentiellement à la quantité de calcaire contenue dans le sol, supérieure à la moyenne du Médoc.

Rouges à la robe bien colorée, ils sont corsés, charpentés, robustes, et développent une saveur accentuée et un bouquet pénétrant. L'appellation Moulis contrôlée s'applique à 350 hectares de vignobles répartis entre Moulis et six communes environnantes. Elle comprend plusieurs Crus Bourgeois.

Le plus connu des Moulis est sans conteste le vin du Château Chasse-Spleen, dont les propriétaires ont renoué avec une très ancienne tradition en nommant leur demeure. Dans l'argot des amateurs du jus de la treille, le vin s'appelait autrefois « chasse-mélancolie », « chasse-ennui » ou « chasse-cafard ». A découvrir également, le chai de 1 200 tonneaux du Château Poujeaux ainsi que le Château Maucaillou.

PRINCIPAUX CHÂTEAUX DE MOULIS
CHÂTEAU BISTON-BRILLETTE
CHÂTEAU DUTRUCH GRAND-POUJEAUX
CHÂTEAU FRANQUET GRAND POUJEAUX
CHÂTEAU GRANINS GRAND POUJEAUX
CHÂTEAU MOULIN-À-VENT
CHÂTEAU DE TRESSAN

Le chai de château Clarke

**PRINCIPAUX CHÂTEAUX
DE LISTRAC**
CHÂTEAU LESTAGE
CHÂTEAU PEYREDON-
LAGRAVETTE
CHÂTEAU FOURCAS-LOUBANEY
CHÂTEAU MAYNE-LALANDE

Le Château de Maucaillou

Château Maucaillou met à la disposition des passionnés du vin tout un arsenal qui les mènera au bout de la curiosité : musée des arts et métiers de la vigne et du vin, document racontant la naissance d'un millésime, chais et cuviers luxueux, séminaires sur le vin...

Si le temps se prête aux balades et aux pique-niques, le délicieux moulin de Tiquetorte et les bords de la Jalle de Tiquetorte sont à deux pas...

LISTRAC

Point culminant du Haut-Médoc, à deux pas de la forêt, Listrac déroule un sol pierreux et légèrement pentu qui produit des rouges à la belle robe rubis.

Ayant bon bouquet, du caractère et du corps, ils révèlent toutefois beaucoup de finesse. L'appellation comprend quelques Crus Bourgeois supérieurs, parmi lesquels le Château Clarke et le Château Fourcas-

Dupré. Château Clarke se taille la part du lion avec 120 hectares de vignoble sur les 500 de la commune.

Le domaine a été entièrement reconstitué par le baron Edmond de Rothschild en 1973. Y siège le cercle œnologique de Clarke, qui tient tables d'hôtes, et organise dégustations et visites.

Quant au Château Fourcas-Dupré, Cru Bourgeois supérieur, il produit un vin remarquable. A noter également parmi les richesses de Listrac, les Crus Bourgeois Château Peyredon-Lagravette, Château Lestage et Château Fonréaud (tous trois exposent divers outils viticoles) et Château Mayne-Lalande, propriété typique du Médoc. Ajoutons une mention au Château Cap Léon-Veyrin, qui présente de très vieux millésimes, ainsi qu'une collection d'objets de chais et de tonnellerie. Enfin, comme un bonheur n'arrive jamais seul, la cave coopérative de Grand-Listrac propose un vin d'excellente qualité.

PAUILLAC

Trois grands vins connus dans le monde entier et dix-huit crus classés en 1855 ! Pauillac est incontestablement la capitale viticole du Médoc.

On y produit des rouges distingués, corsés et capiteux, avec un bouquet fin, et vieillissant admirablement. En bonne capitale, Pauillac offre à la vente les délices du Médoc dans sa Maison du vin, siège de la Commanderie du Bontemps. Présenter ces seigneurs du Médoc par ordre de préférence relèverait du crime de lèse-majesté. C'est pourquoi nous adopterons l'ordre alphabétique pour les premiers crus.

Château Lafite-Rothschild

Château Lafite est implanté sur les rondeurs de Pauillac. Renommé depuis longtemps, le domaine fut acquis par James de Rothschild en 1868. D'une récolte à l'autre, le baron et ses successeurs ont su conserver à ces vins de longue garde une grande noblesse. Les

GRANDS CRUS DE PAUILLAC
• PREMIERS CRUS •
CHÂTEAU LAFITE-ROTHSCHILD
CHÂTEAU LATOUR
CHÂTEAU MOUTON-ROTHSCHILD
• SECONDS CRUS •
CHÂTEAU PICHON-LONGUEVILLE
CHÂTEAU PICHON-LONGUEVILLE-COMTESSE DE LALANDE
• QUATRIÈME CRU •
CHÂTEAU DUHART-MILON-ROTHSCHILD
• CINQUIÈMES CRUS •
CHÂTEAU LYNCH-BAGES
CHÂTEAU CROIZET-BAGES
CHÂTEAU HAUT-BAGES-LIBÉRAL
CHÂTEAU BATAILLEY
CHÂTEAU HAUT-BATAILLEY
CHÂTEAU PONTET-CANET
CHÂTEAU GRAND PUY-LACOSTE
CHÂTEAU GRAND PUY-DUCASSE
CHÂTEAU D'ARMAILHAC
CHÂTEAU CLERC-MILLON
CHÂTEAU PÉDESCLAUX
CHÂTEAU LYNCH-MOUSSAS

caves recèlent des trésors en bouteilles, dont la plus ancienne fêtera bientôt son bicentenaire.

Château Latour

En matière de réputation, Château Latour ne le cède à personne : son vignoble était connu au XVIe siècle !

Les ceps s'enracinent dans un sol aride, particulièrement pierreux, où ils demeurent jusqu'à un âge très avancé avant d'être remplacés un à un.

Le Château Latour,
1er Grand Cru Classé à Pauillac

La Gironde à Pauillac

Principaux Châteaux de Pauillac
Château Bernadotte
Château Lacoste Borie
Les Forts-de-Latour
Château Montgrand Milon
Château Artigues-Arnaud
Château Haut-Bages
Averous

Le Château Lafite-Rothschild,
1ᵉʳ Grand Cru Classé à Pauillac

Cuvier en bois au château Pontet-Canet
à Pauillac

*Le Château Mouton-Rothschild,
1er Grand Cru Classé à Pauillac*

La vigne donne ici un vin dur et char-nu qui demande plusieurs années pour exprimer sa richesse. Ce rouge exception-nel est de très longue garde, puisqu'il ne craint pas le demi-siècle. Les cuvées ne méritant pas l'appellation Latour sont com-mercialisées sous les noms de Forts de Latour ou Pauillac.

Château Mouton-Rothschild

Château Mouton-Rothschild entra dans le patrimoine de la célèbre famille par l'inter-

Le Château Pichon-Longueville-Baron

médiaire du baron Nathaniel en 1853. Son vin n'a pas failli depuis! Il est même passé, en 1973, du stade de deuxième cru au rang de premier cru, véritable révolution dans l'immuable classement de 1855.

Le Mouton-Rothschild doit sa particularité au cépage cabernet sauvignon et à une vinification inhabituelle. Il est en effet laissé en cuve après la fin de la fermentation. Ce procédé offre un vin ayant beaucoup de corps, qui exige une longue maturation en bouteilles afin d'atteindre la splendeur. Château Mouton-Rothschild est par ailleurs un haut lieu du tourisme viticole.

Dans le chai, – l'un des plus impressionnants du Bordelais, les fûts se comptent par centaines. Sous le chai, dans le silence des caves, repose une armada de 100 000 bouteilles. Enfin, le Musée du vin présente une collection unique d'objets et d'œuvres d'art se rapportant au vin.

Les Pauillac classés deuxièmes crus proviennent d'un domaine autrefois commun : le Château Pichon-Longueville-Comtesse de Lalande (plutôt souple et fin) et Pichon-Longueville-Baron (plus corsé).

Pauillac propose également une douzaine de cinquièmes crus, parmi lesquels le robuste Château Batailley, le très fin Château d'Armailhac, le plaisant Grand-Puy-Lacoste, le riche Lynch-Bages et le distingué Pontet-Canet.

Le chai du Château Pichon-Longueville-Comtesse-de-Lalande

Le Château Pontet-Canet

Le Château Cos-d'Estournel
En haut, le portail provenant du sultanat de Zanzibar

Saint-Estèphe

Un sous-sol argileux et légèrement humide confère aux Saint-Estèphe leur caractère particulier. Vins corsés, bouquetés, fruités dans leur jeunesse, ils présentent des différences sensibles selon les domaines. Classé Second Cru, Château Cos-d'Estournel offre un vin riche et vigoureux proche du Pauillac par sa finesse et sa grandeur.

C'est le plus souple et le plus léger des Saint-Estèphe. Le Cos-d'Estournel est par

L'entrée du Château Cos-d'Estournel

ailleurs un lieu singulier ; le château, inspiré du style mauresque, s'orne d'un portail monumental qui provient du... sultanat de Zanzibar ! Le château de Montrose, Second Cru, produit un vin tanique et charnu, qui prend toute sa plénitude en vieillissant. Troisième Cru méritant un meilleur classement selon Alexis Lichine, le Château Calon-Ségur est le plus puissant et le plus corsé des Saint-Estèphe, ce qui ne l'empêche pas de garder une certaine souplesse.

Ici, comme à Château Latour, les vignes ont la vie longue – jusqu'à cent ans parfois, – et l'on pratique la méthode dite du « jardinage » : les ceps sont remplacés un par un.

Citons également les Château Lafon-Rochet et Château Cos-Labory, tenant bien leur rang de quatrième et cinquième crus.

On trouve encore sous l'appellation Saint-Estèphe nombre de Crus Bourgeois, qui n'ont peut-être pas la distinction des grands crus classés, mais n'en sont pas moins riches et corsés : Château Capbern-Gasqueton, Tour des Termes, Phélan-Ségur, Tronquoy-Lalande, Meyney, Pomys, Haut-Marbuzet, Coutelin-Merville...

Le terroir étant fécond, la production de deux cents propriétaires est vinifiée par la cave coopérative des lieux, et commercialisée sous l'appellation Marquis-de-Saint-Estèphe.

Le Château Lafon-Rochet

Le vignoble du Château Cos-Labory

Le Château Beychevelle

SAINT-JULIEN

Modeste par la taille, Saint-Julien est grand par son vin, l'un des cinq Haut-Médoc mondialement connus.

On n'y trouve pas moins de onze grands crus classés en 1855. Plus corsé que le Margaux dont il a la délicatesse, moins charnu que le Pauillac dont il a la charpente, le Saint-Julien balance entre ces deux crus comme son village, situé entre les deux communes.

Les châteaux les plus renommés sont Léoville-Poyferré, Léoville-Barton et Léoville-Las-Cases, classés seconds crus.

Un petit ruisseau nommé le Juillac sépare ces vignobles de Château Ducru-Beaucaillou (au sol très pierreux comme son nom l'indique), autre remarquable Second Cru. L'appellation s'enorgueillit d'un Second Cru supplémentaire, Château Gruaud-Larose.

Les Château Lagrange et Château Langoa-Barton, classés troisièmes crus, n'ont à jalouser que le rang de leurs voisins.

Château Branaire-Ducru, quatrième cru, s'est doté de chais semi-enterrés où le vin se bonifie lentement tandis que les bouchons bénéficient d'une humidité complice. Château-Talbot, producteur d'un Saint-Julien charnu, classé Quatrième Cru, rappelle que Bordeaux appartint à l'Angleterre. Le domaine doit en effet son nom à John Talbot, comte de Shrewburry, qui perdit la vie au cours de la dernière bataille de la guerre de Cent Ans. Quatrième Cru encore, le fastueux Château Beychevelle dominant le fleuve de son immense terrasse, d'où un jardin à la française rejoint doucement les bords de la Gironde. Jadis propriété du duc d'Épernon, grand amiral du royaume, il tient son nom d'une vieille coutume.

L'histoire raconte que les marins qui remontaient l'estuaire amenaient les voiles en passant devant le château, pour saluer le seigneur du lieu. C'est ainsi que la demeure a pris le nom de « beyche velle » – baisser la voile, en gascon.

Il nous reste à saluer un Quatrième Cru, Château Saint-Pierre, ainsi que deux excellents Crus Bourgeois, Château Gloria et Château du Glana.

GRANDS CRUS DE SAINT-JULIEN
- SECONDS CRUS •
CHÂTEAU LÉOVILLE-LAS-CASES
CHÂTEAU LÉOVILLE-POYFERRÉ
CHÂTEAU LÉOVILLE-BARTON
CHÂTEAU GRUAUD-LAROSE
CHÂTEAU DUCRU-BEAUCAILLOU
- TROISIÈMES CRUS •
CHÂTEAU LAGRANGE
CHÂTEAU LANGOA-BARTON
- QUATRIÈMES CRUS •
CHÂTEAU TALBOT
CHÂTEAU SAINT-PIERRE
CHÂTEAU BEYCHEVELLE
CHÂTEAU BRANAIRE-DUCRU

En haut, le Château Ducru-Beaucaillou
En bas, le Château Gruaud-Laroze
A droite, le Château Léoville-Las Cases

Le parc du château Beychevelle

Le port de Macau

En haut, le clocher fortifié de Macau
En bas, le cuvier du Château Cantemerle

HAUT-MÉDOC

Si les cinq vignobles qui bénéficient d'une appellation d'origine communale forment en quelque sorte des îlots privilégiés, le Haut-Médoc peut être fier de ses châteaux. De Blanquefort, aux portes de Bordeaux, à Saint-Seurin-de-Cadourne, le territoire de l'appellation contrôlée Haut-Médoc, produit d'excellents vins – dont cinq crus classés et un nombre impressionnant de Crus Bourgeois. Pour avoir droit à l'appellation Haut-Médoc, les vins doivent provenir des cépages cabernet sauvignon, cabernet franc, carmenère, merlot, cot et petit verdot, et titrer entre 9,5° et 13°. Les Haut-Médoc sont des rouges séveux, bien équilibrés, bouquetés, avec beaucoup de finesse. Un peu astringents dans leur jeunesse car ils sont riches en tanins, ils vieillissent fort bien.

Les crus classés sont : Château La Lagune à Ludon (troisième), Château La Tour-Carnet à Saint-Laurent-Médoc (quatrième),

**GRANDS CRUS
DU HAUT-MÉDOC**
• TROISIÈME CRU •
CHÂTEAU LA LAGUNE
• QUATRIÈME CRU •
CHÂTEAU LA TOUR-CARNET
• CINQUIÈMES CRUS •
CHÂTEAU BELGRAVE
CHÂTEAU CAMENSAC
CHÂTEAU CANTEMERLE

La forteresse Vauban à Cussac

Château Cantemerle à Macau, Château Belgrave et Château de Camensac à Saint-Laurent-Médoc (cinquièmes).

Le Haut-Médoc propose une grande variété de sites touristiques, dont un fort construit par l'illustrissime Vauban, et quelques lieux de dégustation de Crus Bourgeois : Château Senilhac à Saint-Seurin-de-Cadourne, Château Vieux Braneyre à Cissac-Médoc, Château Aney et Château du Moulin Rouge à Cussac, Château Fort de Vauban à Cussac-le-Vieux.

MÉDOC

Pointe nord du département de la Gironde, le Médoc compte une quinzaine de communes qui bénéficient de l'AOC Médoc, dans un territoire limité approximativement à l'ouest par une ligne Lesparre/Saint-Vivien, au sud par une ligne Lesparre/Saint-Seurin-de-Cadourne.

Les conditions requises en matière d'encépagement et de degrés alcooliques,

pour qu'un vin bénéficie de l'appellation Médoc, sont identiques à celles donnant droit à l'appellation Haut-Médoc.

Le vignoble donne des rouges bien colorés, vigoureux, tanniques, évoluant agréablement avec le temps. L'alchimie entre la terre et le climat étant ici moins subtile que dans le Haut-Médoc, les Médoc sont généralement moins complexes et moins fins que leurs voisins.

Cela n'empêche pas l'appellation de s'honorer d'un bel assortiment de Crus Bourgeois. Vignobles, chais, moulins à vent, colombiers, petits musées, monuments d'âge vénérable, sites pittoresques, parc animalier..., le Médoc offre de multiples promenades. Méritent une mention spéciale : Bégadan, où l'on peut déguster les Crus Bourgeois au Château La Tour de By, et au Château Vieux Robin ; Saint-Yzans-de-Médoc, qui propose un Musée des outils de la vigne et du vin à Château Loudenne (Cru Bourgeois) et une dégustation au Château Les Tuileries.

CHÂTEAU GREYSAC
DOMAINES CODEM S.A
33340 BÉGADAN

CHÂTEAU SOCIANDO-MALLET
JEAN GAUTREAU
33250 SAINT-SEURIN-
DE-CADOURNE

LE BORDELAIS

Le Château La Tour-Martillac

GRAVES

La région des Graves tire son nom de « grave », qui désigne un terrain caillouteux plus ou moins mêlé de sable et d'argile, produisant des vins différents selon les proportions du mélange.

Le territoire de l'AOC Graves – qui comprenait Pessac et Léognan jusqu'en 1987 – s'étire entre la Garonne et la forêt des Landes, du sud de Bordeaux à Langon, en contournant le Sauternais. Les vins rouges ayant droit à l'appellation Graves sont issus des cépages merlot, cabernet sauvignon, cabernet franc, cot et petit verdot.

Pour les vins blancs, l'encépagement ne peut comprendre que des cépages sémillon, sauvignon et muscadelle. Les degrés alcooliques minimum et maximum, identiques pour les rouges et les blancs, sont respectivement de 10° et de 13°.

Les Graves rouges sont des vins élégants, très bouquetés, qui rappellent les Médoc, sans en avoir la délicatesse. Les

Graves blancs sont fins, bouquetés, puissants, secs dans le nord du territoire, de plus en plus moelleux au fur et à mesure que le vignoble se rapproche du Sauternais.

Ouvrons la route à Saint-Morillon, qui présente l'ancien domaine du Château Camarset, le vignoble entouré de pins du Château Belon et le Château Claron, où, dit-on, Napoléon Ier et ses troupes burent toute la récolte en un seul après-midi.

Après Cabanac-et-Villagrains, une plongée dans la forêt mène à Landiras, où le Château d'Arricaud offre un admirable panorama sur les coteaux du Sauternais et de la Garonne. Puis la route contourne le Sauternais (par Budos et Léogats) et conduit à

Mazères, limite méridionale des Graves, où l'on fait du vin rouge et du vin blanc. Portets et ses environs illustrent l'histoire de la vigne dans la région avec le Château Crabitey, qui fut transformé en domaine vinicole par des Franciscaines, et le Château de Portets, fier d'avoir reçu Napoléon Ier.

Castres-en-Gironde, elle aussi, abrite des châteaux historiques, tous producteurs de Graves : Ferrande, Saint-Hilaire et Sansaric. La promenade s'achèvera superbement devant le plus beau château de la région, La Brède.

Ce domaine viticole eut pour seigneur Montesquieu, écrivain célèbre qui inspira la Constitution de 1791, et vigneron avisé qui aimait à signer sa correspondance : « Montesquieu, marchand de vins ».

Le Château La Louvière
Ci-contre, le Château Budos

LE BORDELAIS

**GRAVES BLANCS
CRUS CLASSÉS EN 1959**
CHÂTEAU LAVILLE-HAUT-BRION
CHÂTEAU BOUSCAUT
CHÂTEAU COUHINS
CHÂTEAU COUHINS-LURTON
CHÂTEAU CARBONNIEUX
CHÂTEAU
MALARTIC-LAGRAVIÈRE
DOMAINE DE CHEVALIER
CHÂTEAU OLIVIER
CHÂTEAU LA TOUR-MARTILLAC

**GRAVES ROUGES
CRUS CLASSÉS EN 1959**
CHÂTEAU LA
MISSION-HAUT-BRION
CHÂTEAU LA
TOUR-HAUT-BRION
CHÂTEAU HAUT-BRION
CHÂTEAU PAPE-CLÉMENT
CHÂTEAU BOUSCAUT
CHÂTEAU CARBONNIEUX
CHÂTEAU DE FIEUZAL
DOMAINE DE CHEVALIER
CHÂTEAU HAUT-BAILLY
CHÂTEAU
MALARTIC–LAGRAVIÈRE
CHÂTEAU OLIVIER
CHÂTEAU LA TOUR-MARTILLAC
CHÂTEAU SMITH-HAUT-LAFITTE

En haut, le Château Malartic-Lagravière.
En bas, le Château Haut-Brion, 1er Grand Cru Classé en 1855

PESSAC-LÉOGNAN

L'appellation contrôlée Pessac-Léognan, créée en 1987, regroupe les anciennes appellations Graves-Pessac et Graves-Léognan. Elle concerne une dizaine de communes situées au sud de Bordeaux, d'où proviennent tous les Graves classés en 1953 et en 1959 par l'INAO. Nous citons ici les Châteaux figurant au classement officiel de 1959.

Unique Château des Graves classé en 1855, Haut-Brion est l'un des fleurons du Bordelais. Son histoire débute en 1525 quand la terre tombe dans la corbeille de mariage de Jean de Pontac et Jeanne de Bellon. Sous son impulsion et celle des propriétaires successifs, le domaine prend de l'importance et le vin connait une certaine gloire dans les tavernes anglaises. Racheté en 1935 par le financier américain Clarence Dillon, elle est toujours propriété de ses descendants. Le Château Haut-Brion donne un rouge généreux, puissant

Le Château Olivier

mais fin, avec une note de fumé très carac-téristique. La production se situe autour de 150 000 bouteilles par an. Château Haut-Brion produit également quelque 10 000 bouteilles d'un vin blanc sec très corsé. Château La Mission-Haut-Brion produit un vin rouge remarquable, proche de celui de Château Haut-Brion. Château Laville-Haut-Brion, producteur de vin blanc, figure par-mi les cinq premiers crus classés des Graves. Château Pape-Clément, l'un des plus anciens domaines viticoles de la région, doit son nom à Clément V, qui ins-talla la papauté en Avignon. On y fait un rouge associant finesse et puissance, aux-quelles s'ajoute la petite note de fumé caractéristique du terroir de Pessac.

Domaine de Chevalier produit un rou-ge exceptionnel, très fin et plein de vi-gueur, dont la qualité peut se comparer à celle du vin de La Mission-Haut-Brion, ain-si qu'un excellent vin blanc.

Château Olivier, classé pour ses vins rouge et blanc, est également classé… au titre des monuments historiques. Le superbe bâtiment du XIIIᵉ siècle mérite un détour.

Château Carbonnieux, également pro-ducteur de rouge et de blanc, appartint longtemps à des religieux. La légende dit que, au XVIIIᵉ siècle, ils exportaient leur vin blanc jusque vers la lointaine Turquie. Mais comment franchir les frontières alors que l'islam interdit la consommation de boissons fermentées ? Les rusés moines vendirent leur production sous le nom d'« eau minérale de Carbonnieux », tout simplement !

La liste ne serait pas complète sans les « crus rouges » : Château La Tour-Haut-Brion, Château de Fieuzal, Château Haut-Bailly, Château Smith Haut-Lafitte, les « crus rouges et blancs » : Château La Tour-Martillac, Château Bouscaut et Château Malartic-Lagravière, et les « crus blancs » : Château Couhins et Château Couhins-Lur-ton, petits par la taille (7 hectares) mais grands par la qualité.

Le chai du Château de Fieuzal

GRANDS CRUS DE SAUTERNES
- PREMIER GRAND CRU •
CHÂTEAU D'YQUEM
- PREMIERS CRUS •
CHÂTEAU CLIMENS
CHÂTEAU COUTET
CHÂTEAU
CLOS HAUT–PEYRAGUEY
CHÂTEAU LAFAURIE-PEYRAGUEY
CHÂTEAU LA TOUR-BLANCHE
CHÂTEAU RABAUD-PROMIS
CHÂTEAU RAYNE-VIGNEAU
CHÂTEAU SIGALAS-RABAUD
CHÂTEAU RIEUSSEC
CHÂTEAU SUDUIRAUT
CHÂTEAU GUIRAUD
- SECONDS CRUS •
CHÂTEAU D'ARCHE
CHÂTEAU FILHOT
CHÂTEAU DE MALLE
CHÂTEAU ROMER DU HAYOT
CHÂTEAU LAMOTHE DESPUJOLS
CHÂTEAU LAMOTHE-GUIGNARD
CHÂTEAU DOISY-DAËNE
CHÂTEAU DOISY-DUBROCA
CHÂTEAU DOISY-VÉDRINES
CHÂTEAU CAILLOU
CHÂTEAU BROUSTET
CHÂTEAU DE MYRAT
CHÂTEAU NAIRAC
CHÂTEAU SUAU

En Sauternais, le vignoble croît dans un sol où silice, argile et calcaire se conjuguent d'une façon unique au monde.

Ajoutons que l'on y pratique des vendanges plus que soigneuses, puisque les grains sont cueillis un par un au moment où ils atteignent la surmaturité propice à la vinification – la récolte s'échelonne parfois sur huit semaines. Précisons également que le sucre et l'alcool contenus dans le vin sont le seul résultat de la fermentation du moût. Voilà pourquoi le blanc Sauternes est à nul autre pareil.

Habillé d'or, d'ambre en prenant de l'âge, le Sauternes est un vin liquoreux puissant, onctueux, élégant et fin, qui distille des arômes de fruits secs (raisin, amande, noisette), de fruits mûrs (abricot, pêche) et de fleurs (tilleul, verveine, acacia, chèvrefeuille). Son vieillissement lui assure des qualités remarquables. Le Sauternes vieillit à merveille.

L'AOC comprend, outre Sauternes, les communes de Preignac, Fargues, Bommes

La pourriture noble

et Barsac. Les vins de Barsac peuvent prendre indifféremment l'appellation Barsac ou Sauternes.

Les dimensions du vignoble permettent de sillonner le Sauternais en tous sens en commençant par le village de son choix. Et comme châteaux et vignobles s'enchaînent à plaisir, voici les villages et leurs premiers crus.

Sauternes se place au premier rang de la fierté bordelaise et nationale, avec le fabuleux Château d'Yquem, classé Pre-

CHÂTEAU DE MALLE
COMTESSE DE BOURNAZEL
33210 PREIGNAC

CHÂTEAU FILHOT
COMTE HENRI DE VAUCELLES
33210 SAUTERNES

L'ancien pressoir du Château Myrat

Les caves du Château Coutet

LE BORDELAIS

L'église de Barsac

mier Grand Cru en 1855 (les Sauternes furent alors les seuls blancs du Bordelais pris en considération, c'est assez dire leur gloire !). On y produit un vin qui fait rêver dans un domaine magnifique. Autre orgueil de Sauternes, Château Guiraud est ouvert aux visiteurs.

Preignac veille sur le très classique Château de Malle et son beau jardin, ainsi que sur le château Suduiraut, où Louis XIV en personne avait ses habitudes lorsqu'il séjournait dans le pays.

Le Château de Sigalas-Rabaud

Fargues, modeste bourgade, s'élève au rang de cité avec Château Rieussec, dont le vin est corsé et très liquoreux, et Château La Tour-Blanche, qui abrite une école de viticulture.

Bommes compte trois premiers crus : le Château Lafaurie-Peyraguey, demeure de style mauresque ; le Château Rabaud-Promis ; le Château Rayne-Vigneau. Barsac, enfin, abrite le Château Coutet, dont le bâtiment est une réplique du Château d'Yquem. Rassurons les amateurs dont la bourse est modeste : il existe de nombreux crus secondaires dans le Sauternais !

CÉRONS

Cérons, dont le territoire touche celui de Barsac, produit un vin blanc issu des mêmes cépages que le Sauternes et, comme dans le Sauternais, les raisins sont récoltés par tris successifs quand ils ont dépassé la pleine maturité. Vin élégant et très fin, le Cérons est moins liquoreux que le Sauternes, avec plus de fruit et de nervosité que celui-ci. Une partie de la récolte est vinifiée en sec ou demi-sec et donne un excellent blanc fruité. L'appellation contrôlée concerne Cérons et une partie du territoire de Podensac, au bord de la Garonne, et s'étend à la commune d'Illats, située un peu à l'écart du fleuve.

Le Château de Lafaurie-Peyraguey

Le Château La Tour-Blanche

Le vignoble du Libournais est situé sur la rive droite de la Dordogne, de part et d'autre de Libourne.

Il comprend, à l'est de la ville, les terroirs de Pomerol, Lalande-de-Pomerol et Saint-Émilion, et, dans le prolongement de ce dernier, les vignobles secondaires des Côtes de Castillon (bénéficiant d'une appellation contrôlée) et des Côtes de Francs ; à l'ouest s'étendent les terroirs de Fronsac et Canon-Fronsac. Seuls les vins rouges produits dans cette région, où l'on fait également du blanc, ont droit à une appellation d'origine.

FRONSAC — CANON-FRONSAC

Cité moyenâgeuse dominant la Dordogne, Fronsac est depuis longtemps célèbre pour ses vins. C'est en effet le duc de Fronsac qui lança la mode des vins de Bordeaux à la cour de Louis XV.

En 1633, le cardinal Richelieu racheta la seigneurie de Fronsac, dont hérita son petit-neveu Louis Armand du Plessis.

Le duc de Fronsac, devenu duc de Richelieu, fit venir à Versailles le produit de son vignoble – sa « tisane de vigne » comme l'on nommait parfois le vin.

On fit d'abord la fine bouche, sans doute parce que le duc, libertin notoire, traitait un peu à la légère l'autorité royale (il fut embastillé trois fois !).

Mais, en goûtant de plus près au breuvage, on jugea la « tisane à Richelieu »

point mauvaise, puis fort bonne, jusqu'à ne plus pouvoir s'en passer. Le vin de Fronsac fit fureur à Versailles, et bientôt, la cour adopta les vins de Bordeaux.

Bien colorés, fruités et charnus, les vins de Fronsac sont généralement meilleurs après quelques années de viellissement. L'AOC Fronsac s'applique à Fronsac, et à six communes environnantes : La Rivière, Saint-Michel-de-Fronsac, Saint-Germain-la-Rivière, Saint-Aignan, Saillans et Galgon. Les vins provenant de Fronsac, notamment le coteau de Canon, bénéficient de l'AOC Canon-Fronsac. Ils se distinguent de leurs voisins par une robe d'un ton plus soutenu et une saveur plus corsée ; les Canon-Fronsac demandent quelques années de bouteille pour donner le meilleur d'eux-mêmes.

Vues du vignoble de Fronsac
A droite, le Château La Rivière

**Principaux Châteaux
de Canon-Fronsac**
Château Canon
Château Haut-Mazeris
Château Capet-Bégaud
Château Mazeris
Château Mazeris-Bellevue
Château du Pavillon
Château Roullet

Le Château Pétrus, issu du merlot et d'une infime proportion de cabernet franc, provient d'un vignoble de 12 hectares

CHÂTEAU GOMBAUDE GUILLOT

33500 POMEROL

POMEROL

Il serait abusif de dire que le Pomerol est né du fer. Néanmoins, c'est à l'oxyde de fer contenu dans le sous-sol d'un petit terroir d'environ 700 hectares que ce vin prestigieux doit son caractère particulier. Le vignoble, très ancien, prit son essor au XIIᵉ siècle, lorsqu'il devint propriété des Frères de l'hôpital Saint-Jean de Jérusalem (le futur ordre de Malte).

Sa renommée est toutefois assez récente car, jusqu'au siècle dernier, les vins de Pomerol étaient confondus avec ceux de Saint-Émilion.

Aujourd'hui encore, alors que le nom de Château Pétrus connaît une gloire universelle, il n'existe pas de classement officiel des Pomerol. Le Pomerol est un vin généreux, séveux, bien charpenté, offrant un bouquet riche en arômes, tout à la fois corsé et velouté.

Doté de la finesse des meilleurs Médoc, de la sève et de la vigueur des Saint-Émi-

CHÂTEAU MAZEYRES
33500 LIBOURNE

lion, le Pomerol est fréquemment considéré comme l'heureux compromis entre ces deux types de grands vins rouges.

En dépit de l'absence de titres officiels, les connaisseurs ont établi depuis longtemps une hiérarchie des Pomerol, dont le Château Pétrus est le roi incontesté.

C'est dire la rareté de ce vin superbe ! Il est vrai que le domaine est plutôt modeste dans sa superficie (11 hectares), à l'image de sa construction aux fenêtres couleur turquoise, surnommée « la maison de poupée ». Ses qualités proviennent sans nul doute de son sous-sol très argileux, couvert d'une mince couche de graviers mais aussi du travail des viticulteurs. Les rendements sont limités, les cépages anciens, la fermentation prolongée et le vieillissement étalé sur deux bonnes années dans des fûts neufs. Rien de trop pour un résultat exceptionnel. Rond et velouté, admirablement équilibré, le Château Pétrus est digne de sa réputation même dans les années moyennes.

Les meilleurs crus de Pomerol sont le Château Beauregard, le Château Certan de May, le Château La Conseillante, le Château l'Église-Clinet, le Château l'Évangile, le Château Feytit-Clinet, le Château Trotanoy et le Vieux Château-Certan.

LALANDE-DE-POMEROL

Lalande-de-Pomerol, au nord de Pomerol, et Néac, entre Pomerol et Montagne-Saint-Émilion à l'est, produit des vins très proches des Pomerol sur un vignoble de quelque 900 hectares.

Généreux, nerveux, veloutés, les vins de Lalande-de-Pomerol offrent souplesse, moelleux, et un bouquet qui n'appartient qu'à eux. Les meilleurs crus sont le Château Bel-Air, le Château Bourseau, le Château Grand-Ormeau et le Château de la Commanderie. Les vins de Néac, généreux et bouquetés, sont plus charpentés. Se placent en tête le Château Tournefeuille, le Château Belles-Graves, le Château Teysson.

CHÂTEAU DE SALES
LES HÉRITIERS A. DE LAAGE
33500 POMEROL

Au VIIIᵉ siècle, saint Emilion fit étape en un coin perdu sur la route de Saint-Jacques-de-Compostelle. Il trouva dans ce désert une source miraculeuse – en jaillissait-il du vin? Abandonnant son projet de pèlerinage, il s'installa sur les lieux du miracle. Ainsi naquit Saint-Émilion, où l'on visite encore l'ermitage du saint homme.

Mais laissons la légende au profit de l'Histoire, qui dit que Saint-Émilion est l'une des plus anciens sites viticoles de France : son vin était déjà connu au IVᵉ siècle, du temps où la cité s'appelait Lucaniac.

Village médiéval admirablement préservé, Saint-Émilion produit un vin que le Roi-Soleil lui-même qualifiait de « nectar des dieux ». L'aire de l'appellation, qui s'étend sur environ 5 700 hectares, comprend les vignobles de Saint-Émilion et de sept communes voisines : Saint-Christophe-des-Bardes, Saint-Étienne-de-Lisse, Saint-Hippolyte, Saint-Laurent-des-Combes, Saint-Sulpice-de-Faleyrens, Saint-Pey-d'Armens et Vignonet.

CHÂTEAU-FIGEAC
THIERRY MANONCOURT
33330 SAINT-ÉMILION

S'y ajoute depuis 1977 l'ancienne aire de l'appellation Sables-Saint-Émilion, située sur le territoire de Libourne.

Les Saint-Émilion sont des vins de longue garde, généreux en arômes, puissants, chaleureux, à la belle robe rouge foncé. Cependant leurs caractéristiques diffèrent selon la nature du sol et du sous-sol; on distingue notamment les vins de coteaux et les vins de plaine. Depuis 1954, les Saint-Émilion, jusqu'alors non répertoriés officiellement, sont classés en onze pre-

• GRANDS CRUS •
CHÂTEAU L'ANGÉLUS
CHÂTEAU FONROQUE
CHÂTEAU L'ARROSÉE
CHÂTEAU FRANC-MAYNE
CHÂTEAU GRAND-
BARRAIL-LAMARZELLE-FIGEAC
CHÂTEAU
BALESTARD-LA-TONNELLE
CHÂTEAU GRAND CORBIN
CHÂTEAU BELLEVUE
CHÂTEAU
GRAND-CORBIN-DESPAGNE
CHÂTEAU BERGAT
CHÂTEAU GRAND-MAYNE
CHÂTEAU CADET-BON
CHÂTEAU GRAND-PONTET
CHÂTEAU CADET-PIOLA
CHÂTEAU
CANON-LA-GAFFELIÈRE
CHÂTEAU
GUADET-SAINT-JULIEN
CHÂTEAU CAP-DE-MOURLIN
CHÂTEAU HAUT-CORBIN
CHÂTEAU HAUT-SARPE
CLOS DES JACOBINS
CHÂTEAU CHAUVIN
CHÂTEAU LA CLOTTE
CHÂTEAU LANIOTE
CHÂTEAU LA CLUSIÈRE
CHÂTEAU LARCIS-DUCASSE
CHÂTEAU CORBIN
CHÂTEAU LARMANDE
CHÂTEAU CORBIN-MICHOTTE
CHÂTEAU LAROZE
CLOS LA MADELEINE
CHÂTEAU MATRAS
CHÂTEAU MAUVEZIN
CHÂTEAU
COUVENT-DES-JACOBINS
CHÂTEAU MOULIN DU CADET
CHÂTEAU CROQUE-MICHOTTE
CHÂTEAU
CURÉ-BON-LA MADELEINE
CHÂTEAU PAVIE-DECESSE
CHÂTEAU DASSAULT
CHÂTEAU PAVIE-MACQUIN
CHÂTEAU PAVILLON-CADET
CHÂTEAU
FAURIE-DE-SOUCHARD
CHÂTEAU
PETIT-FAURIE-DE-SOUTARD

En haut, le village de Saint-Émilion

Le chai du Château Bélair

CHÂTEAU FOURNEY
VIGNOBLES ROLLET
33330 SAINT-ÉMILION

En haut, les Grandes Murailles à Saint-Émilion
En bas, vue du vignoble de Saint-Émilion

miers grands crus et soixante-trois grands crus. Château Ausone et Château Cheval-Blanc caracolent en tête de ce palmarès. Les autres châteaux sont classés par ordre alphabétique.

La tradition veut que Château Ausone soit bâti à l'emplacement où se trouvait la villa du poète Ausone, qui vécut au IVᵉ siècle. Ausone fait figure d'immortel dans le monde du vin.

En effet, s'il a petitement mérité de la littérature, il a grandement mérité du jus de la treille en chantant ses louanges. Le Château Ausone « se caractérise par sa générosité, sa plénitude ».

Son rival, Château Cheval-Blanc, situé en plaine, donne un vin « souvent considéré comme le meilleur Saint-Émilion pour son bouquet et son moelleux ». Citons les challengers : Château Beau-Séjour-Duffau-Lagarosse, Château Bélair, Château Canon, Le Clos Fourtet, Château Figeac, Château La Gaffelière, Château Magdelaine, Château Pavie, Château Trottevieille.

CHÂTEAU LAROZE
33330 SAINT-ÉMILION

Le Château Ausone

LES SATELLITES DE SAINT-ÉMILION

Cinq communes situées au nord de Saint-Émilion bénéficient d'une AOC comportant leur nom suivi de Saint-Émilion.

Lussac-Saint-Émilion

Lussac-Saint-Émilion produit sur ses coteaux un vin coloré et corsé non dénué de finesse. Les principaux Châteaux sont : Lyonnat, Bellevue, Lussac, Lion-Perruchon et Vieux-Chênes.

Puisseguin-Saint-Émilion

Puisseguin-Saint-Émilion, doté de coteaux pierreux, donne des vins de bonne garde, charnus, colorés et corsés. Les producteurs le plus souvent cités sont Châteaux Les Lorets, Teillac, Roc-de-Boissac et Teyssier.

Montagne-Saint-Émilion

Montagne-Saint-Émilion possède le vignoble le plus étendu des « satellites ». Ses vins de coteaux sont plus puissants et plus colorés que ses vins de plaine, plutôt souples, séveux et légers. Les Châteaux Montaiguillon, des Tours, Corbin, Roudier et Négrit sont généralement considérés comme les meilleurs crus.

Parsac-Saint-Émilion

Parsac-Saint-Émilion, dont le vignoble s'étage sur des coteaux, produit des vins assez bouquetés mais un peu moins corsés que ceux de ses voisins. Les producteurs commercialisent volontiers leur vin sous le nom de Montagne-Saint-Émilion, ainsi que la réglementation les y autorise depuis 1972.

Saint-Georges-Saint-Émilion

Saint-Georges-Saint-Émilion est l'une des meilleures appellations satellites. Ses vins robustes, bien charpentés, au bouquet évoquant la truffe, sont doués d'une bonne longévité. Après Château Saint-Georges, producteur d'un vin racé, citons les Châteaux Saint-André-Corbin, Saint-Georges-Macquin, Tourteau et Samion.

• GRANDS CRUS •
CHÂTEAU FONPLÉGADE
CHÂTEAU LE PRIEURÉ
CHÂTEAU RIPEAU
CHÂTEAU LA TOUR-FIGEAC
CHÂTEAU LA TOUR-DU-PIN-
FIGEAC GIRAUD BELIVIER
CHÂTEAU LA TOUR-DU-PIN-
FIGEAC MOUEIX
CLOS SAINT-MARTIN
CHÂTEAU TRIMOULET
CHÂTEAU SANSONNET
CHÂTEAU TROPLONG-MONDOT
CHÂTEAU LA SERRE
CHÂTEAU VILLEMAURINE
CHÂTEAU SOUTARD
CHÂTEAU YON-FIGEAC
CHÂTEAU TERTRE-DAUGAY

Le chai du Château Ausone

LA FORTERESSE DE BLAYE
CONSTRUITE AUX XIe ET
XIIe SIÈCLES, ELLE FUT
REMANIÉE PAR VAUBAN QUI
LUI DONNA SA FORME
CARACTÉRISTIQUE D'ÉTOILE.
DE LA CORNICHE ON DÉCOUVRE
UN MAGNIFIQUE PANORAMA.

La forteresse de Blaye

PREMIÈRES CÔTES-DE-BORDEAUX

Peuplant les coteaux de haut en bas et puisant dans ce sous-sol diversifié, le vignoble des Premières-Côtes-de-Bordeaux forme une longue écharpe sur la rive droite de la Garonne, de Sainte-Eulalie à Saint-Maixant. L'appellation concerne les vins rouges et blancs produits dans trente-sept communes dont Cadillac, Loupiac et Sainte-Croix-du-Mont, qui bénéficient également d'une appellation spécifique.

Les vins rouges, provenant principalement du nord, sont issus des cépages exigés pour l'appellation Bordeaux, et doivent titrer de 10° à 13°.

Les Premières-Côtes-de-Bordeaux rouges sont des vins puissants, bien charpentés, se bonifiant avec l'âge. Pour les blancs, qui doivent titrer au minimum 11,5°, l'encépagement est fait en sauvignon, sémillon et muscadelle. La gamme va du moelleux au liquoreux.

CÔTES-DE-BLAYE

Autour de Blaye, où la vigne croît jusque sur la citadelle édifiée par Vauban, s'étend un vaste vignoble qui court vers le nord jusqu'à Saint-Ciers-sur-Gironde et vers l'est jusqu'à Saint-Savin. Ce pays verdoyant compte trois AOC obtenus en 1936. Les Côtes-de-Blaye sont des blancs secs, frais et parfumés issus des cépages merlot blanc, folle blanche, pineau de la

Loire, colombard, frontillan, sémillon, muscadelle et sauvignon ; ils titrent entre 10° et 13°.

La production des Premières-Côtes-de-Blaye, rouges ou blancs, dépasse les 200 000 hectolitres. Pour les rouges, qui doivent titrer au minimum 10,5°, les cépages exigés sont le cabernet franc, le cabernet-sauvignon, le merlot et le malbec.

Ce sont des vins légers, souples, aromatiques, à boire jeunes. Les blancs proviennent des cépages muscadelle, sémillon et sauvignon ; le degré alcoolique minimal est fixé à 11°.

La gamme va du blanc sec, fruité et nerveux, à boire dans l'année suivant la

mise en bouteilles, aux vins moelleux et liquoreux. Comme un peu partout dans le Bordelais, les vins doux régressent au profit des blancs secs, plus au goût du jour.

Enfin l'appellation Blaye, ou Blayais, désigne des vins rouges et des vins blancs qui ressemblent à leurs voisins mais répondent à des critères moins exigeants.

Le vignoble « rouge » se compose de cabernet, cabernet-sauvignon, merlot, malbec, et verdot ; ils doivent titrer entre 9,5° et 12,5°. L'encépagement du vignoble « blanc » est le même que pour les Côtes-de-Blaye, et le degré alcoolique minimal est fixé à 10°. Ce sont des vins légers, frais qui se consomment jeunes.

Cette appellation régresse au profit des Premières Côtes-de-Blaye

Vue du port de Blaye

PRINCIPAUX CHÂTEAUX DES PREMIÈRES CÔTES-DE-BORDEAUX
CHÂTEAU LAMOTHE
CHÂTEAU LAGORCE
CHÂTEAU BALOT
CHÂTEAU DE LA MEULIÈRE

PRINCIPAUX CHÂTEAUX DES CÔTES-DE-BLAYE
CHÂTEAU HAUT-GRELOT
CHÂTEAU PEYREYRE
CHÂTEAU LARDIÈRE
CHÂTEAU LOUMÈDE

LE BORDELAIS

BOURG
L'ANCIENNE RÉSIDENCE
DES ARCHEVÊQUES DE
LA CITADELLE, XVIIe SIÈCLE,
POSSÈDE UN IMPRESSIONNANT
LABYRINTHE DE SOUTERRAINS
QUI ONT LONGTEMPS SERVI
DE CAVES AUX PRÉLATS.

Le village de Bourg

**PRINCIPAUX CHÂTEAUX
DES CÔTES DE CASTILLON**
CHÂTEAU LA PIERRIÈRE
CHÂTEAU DE CHAINCHON
CHÂTEAU VIRAMON
CHÂTEAU CASTEGENS
CHÂTEAU DE L'ESTANG
CHÂTEAU HAUT TUQUET

CÔTES DE CASTILLON

Le vignoble castillonais, contigu à celui de Saint-Émilion, escalade hardiment les coteaux à la limite du département de la Dordogne. Encépagé principalement en merlot, il donne des rouges corsés et colorés, fort agréables, qui gagnent à prendre de l'âge car ils sont un brin rustiques dans leur jeunesse. L'appellation Bordeaux Côtes de Castillon s'applique à des vins qui satisfont aux critères exigés pour l'appellation

Le village de Castillon la Bataille

Bordeaux Supérieur. Elle concerne les communes de Castillon-la Bataille, Bièves-Castillon, Saint-Magne-de-Castillon, Les Salles, Saint-Genès-de-Castillon, Monbadon, Saint-Philippe-d'Aiguille et Sainte-Colombe.

CÔTES DE FRANCS

Le petit vignoble des Côtes de Francs, qui prolonge celui des Côtes de Castillon vers le nord, donne un vin rouge proche du Bordeaux Côtes de Castillon. Ici aussi, le vin doit répondre aux critères de l'appellation Bordeaux Supérieur pour avoir droit à son appellation spécifique. L'appellation Bordeaux Côtes de Francs s'étend à Francs, Saint-Cibard, Les Salles et Tayac.

CÔTES DE BOURG

Au confluent de la Garonne et de la Dordogne, la rive droite s'orne de rondeurs qui font figure de montagnes dans le Bordelais. C'est pourquoi le Bourgeais a reçu le surnom de «petite Suisse girondine». L'on y fait un peu de vin blanc doux, et des vins rouges qui jouissent d'une réputation méritée.

Les vignes – merlot, cabernet, cabernet-franc, malbec – donnent des rouges robustes, charpentés, colorés et charnus, auxquels quatre ou cinq ans de bouteille confèrent de la finesse, et de la distinction.

PRINCIPAUX CHÂTEAUX DES CÔTES DE FRANCS
CHÂTEAU LACLAVERIE
CHÂTEAU PUYGUÉRAUD
CHÂTEAU DE FRANCS

PRINCIPAUX CHÂTEAUX DES CÔTES DE BOURG
CHÂTEAU DU MOULIN VIEUX
CHÂTEAU DE MENDOCE
CHÂTEAU HAUT MACÔ
CHÂTEAU GALAU
CHÂTEAU HAUT-GUIRAUC
CHÂTEAU DE LIDONNE

Le Château de Bube, Côtes de Bourg

Vues des vignobles de Côtes de Bourg

**Principaux châteaux
de l'Entre-Deux-Mers**
Château Candeley
Château Bonnet
Château Fondarzac
Château la Blanquerie
Château Launay
Château Thieuley

En haut, l'Entre-Deux-Mers, vue du vignoble
En bas, le village de Sauveterre

Le Château de Cadillac

**Principaux châteaux
de Loupiac et de Cadillac**
Château la Bertrande
Château Fayau
Château de Ricaud
Château Rondillon

ENTRE-DEUX-MERS

Du point de vue géographique, l'Entre-Deux-Mers est le triangle formé par la Garonne et la Dordogne – les « mers » –, triangle dont la base est la limite du département de la Gironde. La vigne est partout présente dans cette région joliment vallonnée, mais l'AOC Entre-Deux-Mers est réservée aux vins blancs produits sur les aires des appellations suivantes : Cadillac, Loupiac, Sainte-Croix-du-Mont, Côtes-de-Bordeaux-Saint-Macaire, Graves de Vayres et Sainte-Foy-Bordeaux. Neuf communes du canton de Targon sont autorisées à utiliser l'appellation associée Entre-Deux-Mers Haut-Benauge (du nom du château Benauge, la forteresse qui domine le pays). Les Entre-Deux-Mers doivent titrer entre 10° et 13°, et être élaborés à partir des cépages principaux sémillon, sauvignon et muscadelle ; les cépages autorisés à titre accessoire sont le merlot blanc, le colombard, le mauzac et l'ugni blanc. Ce

sont des vins frais, légers, fruités, qui se boivent jeunes.

GRAVES DE VAYRES

Cette appellation est réservée à un petit territoire de Graves de la rive gauche de la Dordogne, en face de Libourne.

Quelque 500 hectares de vignobles répartis entre Vayres et Arveyres y donnent des vins rouges aromatiques et souples, d'évolution assez rapide, des vins blancs doux – en régression ces dernières années – et des blancs secs frais et fruités. Ce sont des vins qui se consomment jeunes.

SAINTE-FOY-BORDEAUX

L'aire de cette appellation se trouve aux confins du plateau de l'Entre-Deux-Mers, où elle voisine avec le Bergeracois.

On y fait d'agréables rouges corsés, des blancs moelleux et souples, ainsi que des blancs secs.

CADILLAC

Cette petite ville du Bordelais ne porte pas le nom des célèbres voitures américaines, c'est tout le contraire ! La ville de Detroit (États-Unis), où l'on fabrique ces véhicules, fut fondée par le chevalier Lamothe-Cadillac.

L'AOC Cadillac s'applique à des vins blancs moelleux ou liquoreux titrant au minimum 13°.

Le vignoble couvre une petite centaine d'hectares répartis sur dix-huit communes. Non loin de Cadillac trône l'imposant château des ducs d'Epernon, où la Connétablie de Guyenne, confrérie vineuse qui veille aux destinées des vins blancs de la région, a établi ses quartiers.

LOUPIAC

Les Loupiac sont des vins blancs, principalement des vins doux produits selon des règles identiques à celles en vigueur dans le Sauternais, semblables à ceux qui proviennent de Sainte-Croix-du-Mont. Dans les meilleures années, les blancs moelleux sont de bonne garde.

SAINTE-CROIX-DU-MONT

L'appellation concerne ici des blancs doux issus de parcelles où sont appliquées les règles de production du Sauternais. On y fait les meilleurs vins doux de la rive droite de la Garonne, épanouis au bout de trois ou quatre ans de bouteille.

CÔTES-DE-BORDEAUX-SAINT-MACAIRE

Prolongeant vers le sud les Premières Côtes-de-Bordeaux, l'aire de cette appellation couvre une cinquantaine d'hectares répartis sur onze communes. Ce vignoble assez restreint produit des blancs moelleux originaux assez fins.

CHÂTEAU DU CROS
BOYER ET FILS
33410 LOUPIAC

Ci-dessus, le Château du Pavillon à Sainte-Croix-du-Mont

A gauche, le vignoble de Sainte–Croix-du-Mont

PRINCIPAUX CHÂTEAUX DE SAINTE-CROIX-DU-MONT
CHÂTEAU PEYROT-MARGES
CHÂTEAU LOUBENS
CHÂTEAU DE BARITAULT
CHÂTEAU LA RAME

*C*ommencée à Chablis,
la Bourgogne viticole se poursuit par
la Côte d'Or qui comprend la Côte
de Nuits et la Côte de Beaune,
s'allonge sur la Côte Chalonnaise
et le Mâconnais, s'achève sur
le Beaujolais, à la limite de Lyon.
Au total plus 30 000 hectares plantés
en pinot noir, grand seigneur
dominant des vins rouges
– exception faite des gamay noir
au jus blanc qui règnent dans
le Beaujolais – , et en chardonnay
pour les blancs.

Le canal de Bourgogne à Châteauneuf-en-Auxois

CÔTES-DE-NUITS

- DIJON
- Fixin
- Gevrey-Chambertin
- Morey-St-Denis
- Chambolle-Musigny
- Vosne-Romanée
- Vougeot

HAUTES CÔTES-DE-NUITS

- Nuits-St-Georges
- Comblanchien

CÔTE DE BEAUNE

- Pernand-Vergelesses
- Savigny-lès-Beaune
- Ladoix-Serrigny
- Aloxe-Corton

HAUTES CÔTES DE BEAUNE

- Pommard
- BEAUNE
- Volnay
- Meursault
- Auxey-Duresses
- Puligny-Montrachet
- Chassagne-Montrachet
- Chagny
- Santenay
- Bouzeron
- Rully
- Mercurey

CÔTE CHALONNAISE

- Givry
- CHALON-SUR-SAÔNE

- Montagny-lès-Buxy
- Buxy

- Sennecey

- CLUNY
- TOURNUS

MÂCONNAIS

- Pouilly
- MÂCON
- Fuissé
- Vinzelles
- St-Verand
- Juliénas
- St-Amour
- Chenas
- Fleurie
- Chiroubles
- Morgon
- Belleville

BEAUJOLAIS

- Brouilly

- VILLEFRANCHE

Saône

CHABLIS

Yonne — Armançon

- Dannemoine
- Vézannes
- Épineuil
- Maligny
- Tonnerre
- GRAND CRU
- AUXERRE
- CHABLIS
- PETIT CHABLIS
- St-Bris-le-Vineux
- SAUVIGNON DE ST-BRIS
- Vincelles
- Irancy
- Coulanges-la-Vineuse
- Cravant
- Serein

LES APPELLATIONS

Le système d'appellation des vins de Bourgogne se répartit en quatre grands niveaux.

L'APPELLATION RÉGIONALE

Elle concerne tous les vins produits en Bourgogne et peut être suivi d'un deuxième élément concernant le type de vin comme Bourgogne aligoté, Bourgogne Passetoutgrains ...

L'APPELLATION SOUS-RÉGIONALE

Elle s'applique à un niveau plus restreint par exemple Bourgogne-Hautes Côtes de Beaune, Bourgogne-Hautes Côtes de Nuits, Beaujolais, Mâcon...

L'APPELLATION COMMUNALE

Cette appellation qui couvre en général le territoire d'une commune, concerne une cinquantaine de villages : Meursault, Pommard, Fixin, Beaune, Gevrey-Chambertin...
Mais cette appellation peut être également multi-communales comme Montagny, Chablis, Saint-Véran...

L'APPELLATION SOUS-COMMUNALE

Cette appellation désigne une petite parcelle appelée en Bourgogne « climat » ou cru. Ces climats peuvent être aussi classés Grand Cru. Les Grands Crus classés sont au nombre de trente et un.

L'APPELLATION BOURGOGNE

Les vins rouges et les vins rosés sont produits à partir de pinot noir et pinot gris dans l'ensemble de l'appellation, hormis dans l'Yonne où l'on peut rajouter les cépages césar et tressot (en voie de disparition pour ce dernier). Les vins blancs sont faits à partir de chardonnay (dit beaunois ou aubaine) et de pinot blanc. Ce sont des vins d'assemblage de 10° au minimum pour les rouges et de 10,5° pour les blancs.

BOURGOGNE ORDINAIRE ET BOURGOGNE GRAND ORDINAIRE

Les vins rouges et les vins rosés titrent au minimum 9° et sont produits à partir de pinot noir et gris, et de gamay (dans l'Yonne, césar et tressot). Les vins blancs (9,5° au minimum) sont à base de chardonnay, aligoté, melon de Bourgogne et sacy (pour l'Yonne uniquement).

BOURGOGNE PASSETOUTGRAINS

Ces vins rouges proviennent d'un mélange d'un tiers de pinot et de deux tiers de gamay (9,5° au minimum).

BOURGOGNE ALIGOTÉ

Au cépage aligoté peut s'adjoindre jusqu'à 15% de chardonnay pour faire ces blancs secs titrant 9,5°.

CRÉMANT DE BOURGOGNE

Préparé selon la méthode champenoise, on y retrouve des cépages dit de première catégorie (pinot noir, pinot gris et blanc et enfin chardonnay) et de deuxième catégorie (aligoté, melon , gamay noir à jus blanc).

LES CÉPAGES

ALIGOTÉ, CHARDONNAY, GAMAY, PINOT GRIS, PINOT NOIR.

LA GASTRONOMIE

ROGNONS DE VEAU AU CHABLIS
BŒUF BOURGUIGNON
COQ AU CHAMBERTIN
ŒUFS EN MEURETTE
POIRES BEAUJOLAISES
GOUGERE

À SERVIR

BLANCS : 8° À 10°C
ROUGES : 14° À 16°C
BEAUJOLAIS : 12° À 13°C
POUR LES ROUGES DE PLUS DE 10 ANS (CHAMBERTIN, VOUGEOT…) : 16° À 18°C

LA BOURGOGNE

**LES CLIMATS DE CHABLIS
GRANDS CRUS**
BLANCHOTS, BOUGROS,
LES CLOS, GRENOUILLES,
PREUSES, VALMUR ET
VAUDÉSIR.

DOMAINE ALAIN GEOFFROY
89800 BEINES

JEAN-PAUL DROIN
89800 CHABLIS

CHABLIS

Ainsi va la gloire... Il se produit chaque année de par le monde entre 3 et 4
millions d'hectolitres de breuvages bapti-
sés Chablis, tandis que les rives du modeste Serein, à une centaine de kilomètres de
Dijon, donnent de 100 000 à 150 000 hectolitres de Chablis – du vrai.

La terre du Chablisien exige beaucoup
des hommes et du vignoble, et le ciel ne
se montre guère plus clément. L'hiver est
parfois très rude, et si l'été chaud favorise
la maturation des raisins, le printemps tar-
de plus souvent qu'à son tour, avec des
températures inférieures à 0°C jusqu'en
mai. Les viticulteurs rusent avec le climat,
en ayant recours à des procédés artisanaux
pour protéger les vignes du gel : chauffe-
rettes au pied des ceps ; aspersion d'eau
qui, en gelant, emprisonne les bourgeons
dans la glace et joue ainsi le rôle d'isolant
contre les températures inférieures à 0°C.

L'unique cépage est le chardonnay,
qu'on appelle ici beaunois. Il s'enracine
dans un sol de marnes argilo-calcaires dit
« kimmeridgien », abondant en petits fos-
siles d'huîtres en forme de virgules dans
les meilleures parcelles.

Ce sont ces *Ostrea virgula* chères aux
vignerons qui signent les Grands Crus.

Il existe dans le Chablisien quatre
AOC désignant des vins de qualités très
différentes.

Les Chablis Grands Crus se distinguent de leurs cousins d'abord par leur
robe jaune d'or.

A la fois secs et d'une rondeur admirable, ce sont des vins délicats, parfumés,
très riches en arômes, qui commencent à
s'épanouir après trois ans de bouteille. Les
Chablis Grands Crus se boivent jusqu'à
huit ans après la récolte, certains millésimes atteignant sans faiblir les dix ans.

Les princes du Chablisien proviennent
tous d'un vignoble de 90 à 100 hectares,
situé sur la rive droite du Serein, vignoble
que se partagent les climats Blanchots,
Bougros, les Clos, Grenouilles, Preuses,
Valmur et Vaudésir.

Les Chablis Premiers Crus sont habillés
d'or pâle tirant parfois sur le vert.

Secs, nerveux, légers sans maigreur, ils
acquièrent de la finesse avec un peu d'âge
et atteignent leur plénitude à trois ans.

S'ils bénéficient de bonnes conditions,
ils peuvent rester bons à boire jusqu'à six
ans. Les cadets des Grands Crus proviennent de vingt-sept climats totalisant 450 à
600 hectares.

Les Chablis mobilisent plus de la
moitié du vignoble chablisien avec 1 350
à 1 500 hectares répartis sur dix-neuf
communes.

Ces blancs très secs à la robe limpide,
pleins de vivacité et de fraîcheur, demandent un an de maturation en bouteille, et
se boivent dans les trois ans suivant la
récolte.

Les Petit Chablis enfin, le plus souvent
issus de sols crétacés, sont des vins primeurs, très fruités, à boire dans l'année. La
production en est assez modeste, puisque
le vignoble couvre 110 à 150 hectares.

Si Chablis trouve une place légitime
dans tous les guides touristiques, l'Association des sentiers chablisiens propose à
chacun de découvrir le pays de la façon la
plus plaisante qui soit : à pied, en suivant
les sentiers balisés par ses soins.

DOMAINE DES ILES
GÉRARD TREMBLAY
89800 CHABLIS

DOMAINE LAROCHE
89800 CHABLIS

DOMAINE DES MALANDES
LYNE ET JEAN-BERNARD MARCHIVE
89800 CHABLIS

**LES CLIMATS DE CHABLIS
PREMIERS CRUS**
MONT-DE-MILIEU
MONTÉE-DE-TONNERRE
FOURCHAUME
FORÊTS
VAILLONS
MÉLINOTS
CÔTE-DE-LÉCHET
BEAUROY
VAUCOPINS
VOGROS
VAUGIRAUT

Les caves Droin à Chablis

155

LA BOURGOGNE

L'AUXERROIS

Aujourd'hui quelque peu éclipsés par leur brillant voisin, les vins d'Auxerre connurent la célébrité pendant plusieurs siècles, jusqu'à l'invasion du phylloxéra. Après ce terrible coup du sort, le vignoble fut reconstitué sur les terrains les plus favorables aux vins de qualité. L'Auxerrois offre une très large gamme d'appellations dominées par le Bourgogne Irancy et le Sauvignon de Saint-Bris.

Vignoble à Irancy

Les Bourgogne Irancy, rouges et rosés, sont issus de pinot noir, de tressot et de césar – ce dernier constituant leur signature depuis le XIe siècle –, plantés sur des sols argilo-calcaires du kimmeridgien.

L'aire d'appellation compte 85 hectares répartis entre les territoires d'Irancy, de Vincelottes et de Cravant.

Les rouges, habillés de grenat foncé, sont des vins corsés et charpentés, développant un bouquet de framboise. Leur richesse en tanin, qui augmente avec la proportion de césar, les rend un peu durs dans leur jeunesse, mais ils savent récompenser l'amateur doué de patience, car ils s'arrondissent avec l'âge et se conservent longtemps.

Les rosés sont rustiques et très fruités. Le Sauvignon de Saint-Bris est un VDQS blanc issu du sauvignon. Cependant la modestie de l'appellation ne l'empêche pas de mériter une place d'honneur parmi les vins de l'Auxerrois.

Ce vin frais, vif et désaltérant, offre la légère saveur fumée que l'on retrouve fréquemment dans les « blancs de sauvignon ». Il est bon à boire dans les deux ans qui suivent la récolte.

Le vignoble emprunte des parcelles à Saint-Bris-le-Vineux, Chitry, Irancy, Vincelottes, Quenne, Saint-Cyr-lès-Colons et Cravant.

Paysage près de Chitry

Vignoble de Coulanges-la-Vineuse

En haut, Gevrey-Chambertin, "Les Goulots"
En bas, l'église de Fixin

Domaine Esmonin
Michel & Fille
21220 Gevrey-Chambertin

MARSANNAY-LA-CÔTE

Marsannay-la-Côte est dépourvu de grands et de Premiers Crus mais occupe une place à part. L'on y produit en effet sous l'appellation Bourgogne Clairet (ou Rosé) de Marsannay le meilleur rosé de Bourgogne, qui est aussi l'un des meilleurs de France, estiment nombre de connaisseurs. Les Marsannay rosés sont des vins très désaltérants, vifs et séveux, de couleur soutenue, caractérisés par des arômes de fruits rouges (fraise, framboise).

FIXIN

Fixin, célèbre pour ses toits bicolores vernissés, dispose d'environ 200 hectares d'AOC, dont un dixième pour ses cinq Premiers Crus. Le vignoble y donne des rouges fermes très colorés, alliant puissance et souplesse. Ces vins de bonne garde - jusqu'à quinze et même vingt ans - s'affinent avec l'âge en développant un arôme de cassis.

GEVREY-CHAMBERTIN

Le Chambertin est sans conteste de lignée royale, et même impériale, pourrait-on dire, puisque c'était le vin favori de Napoléon Ier.

C'est pour clamer haut et fort qu'il naît de sa terre que la commune de Gevrey a pris le nom de Gevrey-Chambertin.

Les 446 hectares de l'appellation Gevrey-Chambertin sont les plus féconds de la Côte de Nuits. Couleur de rubis intense, pleins, charnus, robustes, puissamment bouquetés, les Gevrey-Chambertin sont des vins splendides. Ils sont de bonne garde, avec des variations sensibles selon les crus. Deux géants dominent, l'illustre appellation Chambertin (13 hectares) et Chambertin-Clos-de-Bèze (15 hectares), dont les vignobles mitoyens produisent des vins semblables à s'y méprendre. Ils se distinguent des autres Grands Crus par leur couleur profonde et leur nez puissant reconnaissable entre tous.

Ces rouges généreux, qui allient velouté, rondeur et force, ont l'art et la manière de vieillir en développant leurs qualités au bout de dix à vingt ans de bouteille.

Les vins de Latricières-Chambertin (7 hectares) partagent avec leurs prestigieux voisins une robe sombre, la vigueur et la richesse aromatique.

Et s'ils n'ont pas la plénitude et la majesté du Chambertin, ils sont indiscutablement de la même race.

Le vignoble de Mazis-Chambertin (10 hectares), contigu à celui du Clos de Bèze, a le panache de Latricières... à une plume près. Plus légers, moins vigoureux que leurs pairs, ses vins sont dotés d'une finesse exquise.

Un peu inférieurs dans la parentèle, voici Charmes-Chambertin et Mazoyères-Chambertin (presque 32 hectares en tout), dont les vins sont considérés comme quasiment identiques dans le pays, Mazoyères se plaçant légèrement plus haut.

La ressemblance est assez frappante pour que les aires d'AOC se confondent.

Toutefois, si les Mazoyères peuvent être vendus sous le nom de Charmes, les Charmes n'ont pas droit à l'appellation Mazoyères.

Suivent les cadets : Chapelle-Chambertin (5,5 hectares), dont les vins ajoutent aux qualités de leurs frères un fruité et une légèreté qui leur donnent une place à part dans la famille ; Griotte-Chambertin (5,5 hectares), dont le nom reflète les arômes subtilement fruités d'un vin séduisant et charnu ; Ruchottes-Chambertin (3 hectares) enfin, que son vignoble situé en haut de coteau place à part dans cette famille de vins.

On n'y élève pourtant des vins délicats et de bonne race.

En haut, le Clos de Bèze
En bas, Gevrey-Chambertin, "Clos les Ruchottes"

Jean-Philippe Marchand
21220 Gevrey-Chambertin

Principaux climats de Gevrey-Chambertin

Clos Saint-Jacques

Aux Combottes

Les Cazetiers

Bel-Air

Combe-aux-Moines

Poissenot

Étournelle

Les Goulots

Morey-Saint-Denis, le « Clos de Tart »

**PRINCIPAUX CRUS
DE MOREY-SAINT-DENIS**
LES BONNES-MARES
(UNE PARTIE)
LE CLOS DU TART
LE CLOS DE LA ROCHE
LE CLOS SAINT-DENIS
LE CLOS DES LAMBRAYS

HERVÉ ROUMIER
21220 CHAMBOLLE-MUSIGNY

MOREY-SAINT-DENIS

Morey-Saint-Denis est terre de diversité. Certains de ses vins rouges en effet évoquent les Gevrey-Chambertin par leur vigueur, d'autres se rapprochent des Chambolle-Musigny par leur délicatesse.

Les Morey-Saint-Denis types sont généralement des vins étoffés, à la robe sombre et au nez puissant, doués d'une bonne aptitude à vieillir. L'aire d'AOC communale couvre 109 hectares, hors les domaines des Grands Crus.

Chef de file des Grands Crus, Bonnes-Mares n'emprunte qu'une petite parcelle de 1,84 hectare à la commune de Morey, l'essentiel de son vignoble, soit 13,70 hectares, se trouvant sur le territoire de Chambolle-Musigny.

Ses vins tout d'équilibre entre vigueur, élégance et délicatesse, offrant un riche bouquet de fraise et de cassis, sont parmi

les meilleurs de la Côte de Nuits. Proches des Chambolle-Musigny, les Bonnes-Mares sont cependant très riches en tanin, ce qui en fait des vins de longue garde – dix à vingt ans – aptes à conserver durablement leurs qualités. Le Clos de Tart, dont les limites n'ont pas changé depuis plusieurs siècles, produit sur un peu plus de 7 hectares, des vins aux arômes incomparables de fraise et de violette, alliant robustesse et finesse, délicatesse et vigueur pour le plus heureux des mariages.

Ils prennent beaucoup de grâce en vieillissant. Le Clos de la Roche, dont le vignoble s'étend sur presque 17 hectares,

produit des vins robustes, dont le nez puissant évoque les parfums délicats de la fraise et de la violette. Ces gaillards sachant vieillir présentent paradoxalement une grande délicatesse.

Le Clos Saint-Denis (6,5 hectares) élève l'un des rouges les plus légers de la Côte de Nuits. Moins charpenté, moins corsé que ses cousins des Clos de Tart et de la Roche, il se distingue par une grande élégance et beaucoup de finesse.

Le classement au rang de Grand Cru du Clos des Lambrays date seulement de 1981, ce qui ne signifie pas que ses vins soient des novices. Les 8,7 hectares du vignoble donnent en effet un excellent vin charpenté, vigoureux et subtil qui n'a pas à rougir devant ses pairs. Citons dans les vingt Premiers Crus de la commune le cli-

En haut, le musée du vin sur le thème des moines de Cîteaux au Château Ziltener

En bas, cave du Château Ziltener

mat Monts Luisants, un original qui produit une petite quantité d'excellent vin blanc.

CHAMBOLLE-MUSIGNY

Quand un vignoble joue le charme sur 128 hectares, il prend l'appellation Chambolle-Musigny. Rondeur, délicatesse, élégance, les Chambolle-Musigny parés de rubis sont dits les plus « féminins » de la

Côte de Nuits. Ces rouges tout en finesse qui peuvent être bus dans les deux ou trois ans se gardent de cinq à dix ans. Les Grands Crus de Chambolle-Musigny sont Bonnes-Mares, déjà cité, et le fabuleux Musigny dont la renommée a fait le tour du monde.

Le cru Musigny (10,6 hectares) comprend les Musigny, les Petits Musigny et la Combe d'Orveau. Ce vignoble exceptionnel donne des vins d'une délicatesse incomparable offrant de subtils arômes de fruits rouges. Ronds, fins, élégants, ils s'épanouissent assez rapidement, néanmoins, les bons millésimes ne perdent rien à prendre quelques années de bouteille. Musigny produit aussi quelques hectolitres de vins blancs très recherchés.

La commune abrite également vingt-trois Premiers Crus, dont le plus célèbre porte le joli nom de Les Amoureuses.

FLAGEY-ÉCHEZEAUX

Flagey-Échezeaux, à mi-chemin de Vougeot et Vosne-Romanée, compte trois Premiers Crus et deux Grands Crus, Grands-Échezeaux et Échezeaux.

Grands-Échezeaux est peu connu, éclipsé par son illustre voisinage. Pourtant ce cru de 9 hectares peut prétendre à la gloire car il donne de ces vins que l'on dit « en dentelle ». Les Grands-Échezeaux, qui unissent la vigueur des Vougeot à l'élégance des Vosne-Romanée, ont sans conteste leur place parmi les grands.

Le titre de Grand Cru attribué aux 31 hectares des Échezeaux est sujet à controverse. La plus grande partie se trouve en effet du mauvais côté de la route – en plaine, dans une terre trop riche pour donner de grands vins. Aussi les différents vignobles produisent des vins de qualité fort inégale. Les vins des Échezeaux sont ordinairement vendus sous l'appellation Vosne-Romanée.

Les moines de Cîteaux appréciaient la couleur du vin sur la lumière qui traversait les vitraux

DOMAINE
ANNE ET FRANÇOIS GROS
21700 VOSNE-ROMANÉE

En haut, le village de Nuits-Saint-Georges

Au dessus, la cave du domaine de
la Romanée-Conti

PRINCIPAUX CRUS
DE NUITS-SAINT-GEORGES
LES SAINT-GEORGES
LES VAUCRAINS
LES CAILLES
LES PRULIERS
LES PORRETS
LA RICHEMONE
LES PERRIÈRES
CLOS-DE-LA-MARÉCHALE
LES DIDIERS
CLOS-DES-CORVÉES
CLOS-DES-FORÊTS

VOUGEOT

Vougeot abrite plus qu'un vignoble célèbre : un monument national, le Clos de Vougeot.

Il convient néanmoins de saluer son minuscule vignoble communal – il n'atteint pas les 17 hectares ! – car ses vins sont loin d'être ordinaires.

Les rouges, rubis foncé, sont des vins corsés, aux arômes puissants, dotés d'une agréable rondeur.

Les blancs, issus du Premier Cru Clos Blanc de Vougeot, secs et très fruités, ont un léger goût de noisette.

Quatre Premiers Crus se partagent plus de la moitié de cette modeste – en surface s'entend – aire d'appellation.

Clos de Vougeot jouit d'un tel prestige que son nom seul fait figure d'ambassadeur de France.

Néanmoins il est malaisé de décrire de façon précise ses vins fabuleux. La difficulté tient d'abord à l'étendue du vi-

Le Clos Vougeot doit aussi
sa renommée mondiale à la
Confrérie des Chevaliers
du Tastevins

La cour intérieure du Clos Vougeot

DOMAINE DE
L'ARLOT-PREMEAUX
21700 NUITS SAINT-GEORGES

gnoble : un peu plus de 50 hectares courant colline et plaine, sur un terrain aussi complexe que celui de la Côte de Nuits, présentent nécessairement des sols très différents.

Cela est si vrai que les cisterciens qui fondèrent le vignoble au XII[c] siècle classaient leurs vins en cuvée des papes (issus des terres hautes), cuvée des rois (vignes plantées à mi-hauteur) et cuvée des moines (vignes de plaine).

A cette diversité s'ajoute la multiplicité des propriétaires qui, s'ils obéissent aux mêmes règles, n'ont pas tous le même savoir-faire.

Les caractéristiques communes aux Clos de Vougeot sont l'opulence, l'étoffe, le velouté, la longueur en bouche ; plutôt corsés, de couleur soutenue, ils ont un nez puissant et complexe.

Selon le vin et le buveur, on peut y discerner des senteurs de violette, de truffe, de mûre, de cassis, de buisson ou des nuances animales…

NUITS-SAINT-GEORGES

Mystères du classement… A Nuits-Saint-Georges, il n'y a pas de Grand Cru.

La renommée de la ville est pourtant bâtie sur ses vins.

Habillés de rubis, généreux, bien charpentés, corsés, puissamment bouquetés, les Nuits sont des vins superbes dont les arômes évoquent les fruits rouges, la terre, voire le gibier.

Longs à s'épanouir, ils vieillissent avec beaucoup de bonheur. Le vignoble communal couvre environ 300 hectares, sur lesquels on ne compte pas moins de vingt-neuf Premiers Crus.

Viennent s'y ajouter douze Premiers Crus situés sur le territoire de Premeaux-Pressigny. Pas de Grand Cru, donc, mais un fameux palmarès !

Citons enfin les appellations communales Côtes-de-Nuits-Villages, plus accessibles au commun des mortels : Fixin, Brochon, Comblanchien et Corgoloin.

NUITS-EN-LUNE
DANS « VOYAGE AUTOUR DE LA LUNE », JULES VERNE VERSE DU NUITS-SAINT-GEORGES DANS LE VERRE DE SES PERSONNAGES. EN DOUBLE HOMMAGE AU ROMANCIER ET AU FAMEUX ÉLIXIR, L'ÉQUIPAGE D'APOLLO XV BAPTISA UN CRATÈRE NUITS-SAINT-GEORGES LORS D'UN VOYAGE SUR LA LUNE. C'EST AINSI QUE LA GLOIRE D'UNE VILLE DE BOURGOGNE BRILLE JUSQUE DANS LES ASTRES.

LA BOURGOGNE

VOSNE-ROMANÉE

A Vosne-Romanée, on quitte les terres seigneuriales pour entrer dans un pays de fées. Velouté, finesse, délicatesse, arômes conquérants, équilibre, art de vieillir en beauté, les Vosne-Romanée ont mérité l'éloge suprême : vins complets. Le territoire de Vosne-Romanée qui s'étend modestement sur un peu plus de 200 hectares, compte une belle suite de treize Premiers Crus, et… les plus grands vins de Bourgogne. C'est en France un vignoble aussi jalousement préservé que convoité depuis des siècles, et si précieux que l'on indique sa surface au mètre carré près.

Voici la Romanée-Conti, qui porta le nom de Romanée jusqu'en 1760, date à laquelle le prince de Conti acheta le domaine pour une somme fabuleuse, au vif dépit de La Pompadour qui ne lui pardonna jamais. Nul château somptueux, moins encore de panneau tapageur pour signaler la Romanée-Conti ; le légendaire vignoble se contente d'une pierre gravée que l'on remarque à peine car elle est encastrée dans un mur. Un vin qui allie la distinction, l'extrême finesse et le corsé en un équilibre parfait n'affiche pas sa gloire. L'afficherait-il qu'aucun miracle ne se produirait : les quelque 5 400 bouteilles de ce vin mythique n'abreuveront jamais le commun des mortels. Seul un sentier sépare la Romanée de la Romanée-Conti. Aux dires des connaisseurs, cela suffit à donner des vins qui perdent en finesse, et gagnent en corps. Il n'y

a cependant pas à s'y méprendre, les vins de ce terroir de poche sont de la race des seigneurs de Bourgogne. Quant à la Romanée-Saint-Vivant (9,5 hectares), contiguë à la Romanée-Conti, un mot – mais quel mot ! – l'en sépare : perfection. Autre voisin de la Romanée-Conti, autre différence : les vins de Richebourg (8 hectares) offrent plus de charpente et un velouté plus sensible. Ces rouges opulents veillissent admirablement en développant un parfum remarquable. Si le nom de La Tâche n'est pas auréolé de merveilleux, c'est que la légende ne se partage pas. Pourtant ses vins, fins, ronds, pleins, distingués, étonnamment longs en bouche, ne le cèdent en rien aux Romanée-Conti. D'aucuns les jugent même supérieurs. La Tâche, qui regroupe La Tâche

(1,5 hectare), Les Gaudichots et La Grande Rue (6 hectares), est un peu plus prolixe que sa rivale, néanmoins ses vins ne coulent pas en cascade : 20 400 bouteilles par an en moyenne ont droit à l'appellation !

Le clos de la Romanée-Conti, le plus prestigieux des domaines viticoles de Bourgogne. Avec moins d'un hectare de superficie, il représente la plus petite appellation de France

PRINCIPAUX CRUS DE VOSNE-ROMANÉE
ROMANÉE-CONTI
ROMANÉE
RICHEBOURG
LA TÂCHE
ROMANÉE-SAINT-VIVANT
GRANDS-ÉCHEZEAUX
ÉCHEZEAUX
AUX MALCONSORTS
LES GAUDICHOTS
LA GRAND-RUE
LES BEAUX-MONTS
LES SUCHOTS
LE CLOS-DES-RÉAS
AUX BRÛLÉES
LES PETITS-MONTS
LES REIGNOTS
LES CHAUMES

LA BOURGOGNE

Ci-dessus, le Château Corton-André
Ci-dessous, le Clos des Langres

CORTON

Une colline de vignobles culminant à seulement 400 mètres d'altitude, couronnée par un petit bois, ouvre la route. C'est la prestigieuse colline de Corton, partagée entre Ladoix-Serrigny, Aloxe-Corton et Pernand-Vergelesses qui produit trois Grands Crus : Corton, Corton-Charlemagne et pour les vins blancs, Charlemagne.

Ces vignobles relèvent de l'appellation Corton qui compte également quatorze Premiers Crus.

A flanc de colline, où l'érosion est plus faible, le pinot noir puise ses qualités dans un sol complexe où marnes, calcaire et oxydes de fer se combinent pour donner les meilleurs vins rouges de la côte de Beaune, les Corton.

Généreux, vigoureux, charpentés, ces vins racés dotés d'un nez puissant demandent à prendre de l'âge pour s'assouplir, car ils ont la jeunesse un peu dure. Ils sont d'ailleurs bâtis pour la longue garde, et vingt ans de bouteille, voire trente, ne les effrayent nullement.

Les Corton blancs, vifs et parfumés, sont eux aussi des vins de bonne race. Corton s'étend sur 90 hectares divisés en climats dont le nom peut suivre Corton sur les étiquettes.

En haut de coteau, où le sol est très calcaire, le chardonnay fait merveille : le Corton-Charlemagne à la robe dorée figure parmi les plus grands vins blancs du monde. D'une fermeté remarquable, long en bouche, séveux, riche d'effluves où affleure la cannelle, ce vin magnifique fait l'objet d'une telle demande que les 40 hectares du vignoble n'y suffisent pas.

On raconte en Bourgogne que Charlemagne, l'empereur tantôt béni tantôt honni des écoliers, fut propriétaire du vignoble de quelque 33 hectares qui porte son nom et qu'il offrit en 775 à la collégiale de Saulieu

Cela n'a pas suffi pour autant à donner à ce Grand Cru la gloire qu'il mérite. C'est pourquoi, au risque d'offusquer les mânes de l'illustre barbu, ses vins sont commercialisés sous l'appellation Corton-Charlemagne, ainsi que la loi l'autorise puisque les aires d'appellation sont confondues.

Hormis les parcelles incluses dans les Grands Crus, Ladoix-Serrigny présente des particularités, quelque peu déroutantes pour les profanes, en matière d'appellation.

En effet, les vins issus de deux climats contigus au territoire d'Aloxe-Corton, Les Vergennes et Le Rognet, ont droit aux appellations Corton et Corton-Charlemagne. De plus, les meilleurs vins de la commune bénéficient de l'appellation Aloxe-Corton.

Ces privilèges concernent bien entendu des vins qui ressemblent comme des frères à ceux dont ils portent le nom. Jamais deux complications sans trois : l'AOC communale officielle de Ladoix-Serrigny est Ladoix.

Cette AOC est d'ailleurs fort peu usitée, les Ladoix – vins tanniques au bouquet charmeur qui se conservent bien, vins légers et vite épanouis – étant généralement commercialisés sous les noms de Côte-de-Beaune ou Côte-de-Beaune-Villages.

ALOXE-CORTON

L'appellation Aloxe-Corton, s'étend sur 116 hectares englobant des parcelles de Ladoix-Serrigny et Pernand-Vergelesses, le reste revient aux huit Premiers Crus.

Les Aloxe-Corton sont en général des vins puissants et capiteux qu'il est bon de laisser mûrir, car ils ont tendance à la dureté dans leur jeunesse.

Les principaux crus sont : Les Chaillots, Les Meix, Basses-Mourettes, Les Petites Lolières, Les Fournières.

CHÂTEAU CORTON-ANDRÉ
PIERRE ANDRÉ
21240 SAVIGNY-LÈS-BEAUNE

Ci-dessus, le toit du Château Corton-André à Aloxe-Corton
Ci-dessous, la cave du Château Corton-André

PERNAND-VERGELESSES

Le vignoble de l'AOC communale Pernand-Vergelesses compte 116 hectares,
dont la moitié revient aux cinq Premiers
Crus. Elle concerne des vins rouges légers,
charmeurs, souvent fruités, offrant parfois
un bouquet remarquable, ainsi que des
blancs fruités et de bonne tenue.

L'origine du nom de Vergelesses est
attribuée à Henri IV, dégustateur émérite
des vins de Bourgogne. Après avoir goûté
son verre de vin, il aurait eu ce mot : « Vin
je bois, verre je laisse… ». D'où le nom de
l'appellation.

SAVIGNY-LÈS-BEAUNE

Dans la maison Henri de Vilamont, au
cœur de Savigny-lès-Beaune, on affirme
que les vins de Savigny sont « nourrissants,
théologiques et morbifuges ». En tout état
de cause, ce sont de fort bons vins. Les
Savigny rouges sont élégants, parfumés, et

DOMAINE SEGUIN

SAVIGNY GODEAUX
APPELLATION SAVIGNY-LES-BEAUNE CONTRÔLÉE

12,5% Vol   Mis en bouteille par   75 cl
Pierre SEGUIN, Propriétaire à Savigny-les Beaune (Côte d'Or)

DOMAINE SEGUIN
PIERRE SEGUIN
21240 SAVIGNY-LÈS-BEAUNE

d'une grande finesse ; plutôt légers, ils se
boivent assez jeunes. Les rares Savigny
blancs (climats Vergelesses et Hauts-Jarrons) sont des vins délicats pourvus d'un
joli bouquet floral. Notons que les meilleurs climats du village, sis sur les coteaux
de la vallée du Rhône, occupent 140 hectares, soit un peu plus du tiers du vignoble
communal. Les principaux Premiers Crus
– vingt-deux en tout – sont Vergelesses,
Marconnets, Dominode, Lavières, Serpentières, Peuillets et Aux Guettes.

**PRINCIPAUX CRUS
DE SAVIGNY-LÈS-BEAUNE**
AUX CLOUS
AUX FOURNEAUX
AUX GRAVAINS
AUX GRANDS-LIARDS
AUX GUETTES
AUX PETITS-LIARDS
AUX SERPENTIÈRES
AUX VERGELESSES
AUX VERGELESSES DIT
BATAILLÈRE
BASSES-VERGELESSES
LA DOMINODE
LES CHARNIÈRES
LES JARRONS
LES HAUTS-JARRONS
LES HAUTS-MARCONNETS
LES LAVIÈRES
LES MARCONNETS
LES NARBANTONS
LES PEUILLETS
LES ROUVRETTES
LES TALMETTES
PETITS-GODEAUX
REDESCRUTS

En haut, le Domaine de Vilamont

Le village de Savigny-lès-Beaune

169

En haut et en bas, l'hôtel-Dieu de Beaune
A droite, cave de la Reine Pédauque à Beaune

Un fût sculpté au Château de Pommard

BEAUNE

A Beaune, capitale des vins de Bourgogne, maisons anciennes, tableaux, édifices religieux, tapisseries et musée du Vin rivalisent d'intérêt. Le joyau de Beaune est le célèbre hôtel-Dieu au toit multicolore. Il fut fondé en 1443 par le chancelier Nicolas Rolin, désireux de soulager la misère en offrant asile et soins aux plus pauvres de la ville. Sans doute faut-il voir là, plus de réalisme que de bonté d'âme, le chancelier ayant moult raisons de s'alarmer puisqu'il levait l'impôts. Mais rien n'interdit de penser qu'il fût inspiré par Belenos,

le dieu gaulois qui présidait aux destinées de la médecine, et qui a donné son nom à la ville.

L'œuvre charitable s'est maintenue jusqu'à nos jours et perdure grâce au vin et à la célèbre vente aux enchères des Hospices de Beaune. Le troisième dimanche de novembre, l'hôtel-Dieu et l'hôpital de la Charité, réunis sous le nom d'Hospices de Beaune, vendent aux enchères les vins des vignobles qui leur ont été donnés. La vente se tient « à la chandelle » : les enchères commencent quand on allume la première bougie et se terminent quand la troisième s'éteint.

Les vins provenant de crus prestigieux (Corton-Charlemagne, Mazis-Chambertin...), négociants, restaurateurs, amateurs et collectionneurs du monde entier se les

En haut, le village de Pommard
En bas, la cave du Château de Pommard

disputent à des prix étourdissants. Cette spectaculaire vente de charité sert par ailleurs d'indicateur des cours pour la profession vinicole.

En digne capitale vineuse, Beaune récolte ses propres vins.

L'on y fait des rouges délicats et tendres au bouquet expressif, vins assez légers qui arrivent à maturité au bout de deux ans et ne se gardent guère au-delà de cinq ans.

Quelques parcelles, encépagées en chardonnay et pinot blanc, donnent les Beaune blancs, délicats et parfumés.

Les plus remarquables des quarante-deux Premiers Crus du vignoble sont : Les Grèves, le Clos des Mouches, Les Fèves, Les Bressandes, Les Marconnets, Aux Cras, Champimonts. L'aire d'AOC Beaune est incluse dans l'aire d'appellation Côte de Beaune. Cette dénomination, sous laquelle on trouve des vins fréquemment bien réussis, concerne des rouges et des blancs produits sur le territoire de Beaune.

POMMARD

Quand il s'agit de Pommard, la *vox populi* ne s'accorde pas à la *vox expertisi*.

En France, et plus encore à l'étranger, Pommard signifie grand rouge, tandis que les experts le situent plutôt dans les très bons vins.

Notons que ce désaccord ne porte nul ombrage à la renommée de Pommard, qui s'honore d'un vignoble encépagé en pinot noir sur la quasi-totalité de ses 337 hectares (125 hectares pour les Premiers Crus).

Les Pommard sont des vins de couleur soutenue, robustes et chaleureux, volontiers corpulents, qui développent un bouquet intense et emplissent bien la bouche. Ce sont des rouges de bonne garde. Ils varient naturellement d'un climat à l'autre – les vins provenant du nord de la commune sont souvent plus tendres que les vins récoltés au sud –, néanmoins ils conservent toujours leur forte personnalité.

Les Chaponnières se placent en tête des vingt-huit Premiers Crus ; citons également les Grands-Épenots et les Petits-Épenots pour la souplesse et la rondeur de leurs vins, Les Rugiens-Bas et les Rugiens-Hauts pour la fermeté, et le climat En Argillières, qui fait les plus légers des Pommard.

CHÂTEAU DE POMMARD
JEAN-LOUIS LAPLANCHE
21630 POMMARD

VOLNAY

« Entre Pommard et Meursault c'est toujours Volnay le plus haut », telle est la devise de Volnay. Et nul n'y peut trouver à redire : du point de vue de l'altitude, la chose est rigoureusement exacte.

Les vins rouges du pays ne déméritent d'ailleurs nullement de la Bourgogne ainsi que le sous-entend cette malicieuse sentence. Élégants, souples et ronds sous leur robe claire, ils offrent un bouquet particulièrement fin et une grande délicatesse. Les Volnay s'épanouissent rapidement et ils évoluent très en beauté, sans pourtant être à proprement parler des vins de garde. L'appellation Volnay s'étend sur environ 213 hectares, la moitié revenant à ses trente-quatre Premiers Crus. Après Les Caillerets, chef de file incontesté, citons Les Aussy, Carelles dessus, La Gigotte, Lassolle, Les Lurets, Piture dessus, Robardelle, Ronceret, Taillepieds, Clos du Verseuil, Village.

Le village de Volnay

Le Bacchus bourguignon se plaisant aux singularités, il existe une AOC Volnay-Santenots réservée aux vins rouges récoltés sur les climats Les Santenots-Blancs, Les Santenots du milieu et Les Santenots, situés sur le territoire de Meursault. Ces vins qui ont toutes les caractéristiques des Volnay s'en distinguent par un bouquet plus intense et une vie plus longue. Signalons par ailleurs que les vins blancs produits à Volnay sont commercialisés sous le nom de Meursault.

LES CHAMPS FULLIOTS
XAVIER BOUZERAND
21190 MOUTHÉLIE

MONTHÉLIE

Les vins de Monthélie ont un air de famille avec ceux de Volnay dans la couleur, plutôt claire, et dans l'arôme de fruits rouges, dans l'élégance aussi, mais ils sont plus fermes et moins fins.

Ce joli village s'honore néanmoins de onze Premiers Crus. Citons les meilleurs : Champs-Fulliot, Cas-Rougeot, La Taupine, Le Clos Gauthey, Le Château-Gaillard, Le Meix-Bataille, Les Riottes.

AUXEY-DURESSES

Auxey-Duresses n'est pas si bien lotie que ses voisins. Si ses vins blancs sont excellents – ils rappellent les Meursault par leur bouquet et leur vivacité –, ses vins rouges doivent se contenter d'être bons, bien équilibrés et de bonne évolution.

L'aire d'appellation compte neuf Premiers Crus occupant le quart du vignoble communal. Citons : Les Duresses, Clos-du-Val, Les Breterins, Les Bas-des-Duresses.

A droite, les caves du Château Meursault

Le village de Meursault

SAINT-AUBIN

« En lieu bas plante le froment, en lieu haut plante le sarment », affirme un vieux dicton. Mais à Saint-Aubin, justement, les vignes sont juste un peu trop haut pour donner des vins de première classe. Le vignoble, dont plus des trois quarts reviennent aux Premiers Crus - dix-neuf, tout de même ! - donne toutefois des vins qui ne manquent pas de charme. Les blancs, notamment, sont excellents.

Vue aérienne du village de Meursault

MEURSAULT

A Meursault, le chardonnay et le pinot puisent dans un sol riche en calcaire magnésien et ferrugineux. Une association qui nous vaut ce prodige : des vins blancs limpides tout à la fois secs et moelleux, exubérants et raffinés. Riches en alcool, d'une belle teinte dorée, ils développent des arômes de fruits mûrs

Les Meursault ne doivent pas tardé à être consommés. Une fois parvenus à maturité, ils sont dans l'excellence de leur forme.

Dans les très bonnes années cependant, les vins récoltés sur les meilleures parcelles peuvent atteindre vingt ans de garde.

L'aire d'appellation s'étend sur environ 430 hectares de vignobles répartis entre Meursault, Blagny et Volnay.

Elle compte une vingtaine de Premiers Crus, dont Les Perrières et le Clos des Perrières constituent le fleuron. Les Charmes, les Genevrières et la Goutte d'Or font également de grands Meursault.

Meursault récolte en outre des vins rouges fins et légers, au bouquet de framboise, vigoureux et un peu lents à s'exprimer, mais qui parlent fort bien aux amateurs doués de patience.

Les rouges issus des climats Santenots ont droit à l'appellation Volnay.

PRINCIPAUX CRUS DE MEURSAULT
AUX PERRIÈRES
LA GOUTTE-D'OR
LE PORUZOT
LE PORUZOT-DESSUS
LES BOUCHÈRES
LES CAILLERETS
LES CHARMES-DESSOUS
LES CHARMES-DESSUS
LES CRAS-DESSUS
LES GENEVRIÈRES-DESSOUS
LES GENEVRIÈRES-DESSUS
LES PERRIÈRES-DESSOUS
LES PERRIÈRES-DESSUS
LES PETURES
LES SANTENOTS-BLANCS
LES SANTENOTS-DU-MILIEU

Le Château de Meursault

La mairie de Meursault

175

PULIGNY-MONTRACHET

Les sols ingrats de Puligny-Montrachet et Chassagne-Montrachet sont pain bénit pour le chardonnay.

C'est ici qu'il donne les plus grands vins blancs secs de France, dominés par le roi Montrachet, dont l'auteur des *Trois Mousquetaires* disait qu'il fallait le boire « à genoux et tête découverte ».

Les Puligny-Montrachet, sujets de Sa Majesté, sont des vins de race, fermes sans être durs, remarquablement secs, au nez mariant le miel et de subtils arômes de fleurs.

Mais que le profane ne s'y trompe pas ! Superbement habillés d'or vert, ils sont doués d'une vigueur qui les range sans conteste dans les vins que l'on dit « virils ».

Les Grands Crus sont Montrachet et Bâtard-Montrachet (Puligny et Chassagne), Chevalier-Montrachet, Bienvenue-Bâtard-Montrachet (Puligny), Criots-Bâtard-Montrachet (Chassagne). Le Montrachet fait

rêver les simples mortels, car il est inaccessible, et soupirer les mortels puissants car tout l'or du monde n'agrandirait pas les 7,5 à 8 hectares du vignoble.

Ce blanc incomparable qui développe sous sa robe pâle et brillante un merveilleux parfum enveloppant de miel, de noisette et d'amande a l'élégance suprême d'unir la force et la finesse et d'être rond sans douceur.

De l'avis unanime, il est indétrônable. Néanmoins les dauphins ne sont pas loin de la couronne.

Bâtard-Montrachet produit un vin peut-être un peu plus robuste, un peu moins fin que le Montrachet.

Mais la principale différence réside dans l'étendue du vignoble, qui compte ici 12 à 14,5 hectares. En dépit de son nom, Bâtard-Montrachet n'est pas le demi-frère du roi !

Chevalier-Montrachet, mitoyen de Montrachet, récolte lui aussi des prétendants au trône.

Le caveau de Chassagne

**PRINCIPAUX CRUS
DE PULIGNY-MONTRACHET**
CHEVALIER-MONTRACHET
BÂTARD-MONTRACHET
BIENVENUES-
BÂTARD-MONTRACHET
MONTRACHET

Le village de Chassagne

**PRINCIPAUX CRUS DE
CHASSAGNE-MONTRACHET**
MONTRACHET
BÂTARD-MONTRACHET
CRIOTS-BÂTARD-MONTRACHET

Son vignoble couvre 6 à 7,15 hectares et donne des vins un peu plus légers, un peu moins puissants que son royal voisin mais d'une exquise finesse.

Contigu à Bâtard-Montrachet, le Bienvenue-Bâtard-Montrachet (3,5 ha) fait honneur à la famille : mêmes caractéristiques, mêmes qualités. Enfin, voici le petit dernier, Criots-Bâtard-Montrachet, dont le minuscule vignoble de 1, 5 à 2 hectares donne des vins légèrement moins secs.

Puligny s'enorgueillit encore de dix-sept Premiers Crus, dont les meilleurs sont Les Pucelles, Le Cailleret, Les Combettes, Les Chalumeaux. L'appellation Puligny-Montrachet s'applique également à une modeste récolte de vins rouges bien charpentés au nez très personnel.

CHASSAGNE-MONTRACHET

Chassagne-Montrachet produit des rouges et des blancs (issus du chardonnay) en quantité équivalente.

L'aire d'appellation, qui concerne Chassagne et Rémigny, compte dix-neuf Premiers Crus occupant à peu près la moitié du vignoble. Secs, fermes et sans dureté, richement bouquetés, longs en bouche, les Chassagne blancs sont proches des Puligny. Citons parmi les meilleurs crus : Morgeot, Grandes Ruchottes et Cailleret.

Les Chassagne rouges sont des vins francs et ronds, avec un nez puissant développant des arômes de fruits mûrs.

SANTENAY

Santenay ferme la côte de Beaune avec de fort bons rouges légers, très fruités, d'évolution rapide, qui le disputent en qualité aux vins de Volnay dans les bonnes années.

L'appellation Santenay compte douze Premiers Crus, parmi lesquels Gravières, Clos de Tavannes, la Comme, Beauregard, La Maladière et Clos Rousseau méritent une mention spéciale.

Le village de Mercurey

DOMAINE RAGOT
71640 GIVRY-PONCEY

CÔTE CHALONNAISE

La côte chalonnaise est le prolongement naturel de la côte de Beaune. On y cultive les mêmes cépages – pinot noir et chardonnay, celui-ci étant associé au pinot blanc à Givry –, les méthodes de vinification sont identiques, mais… les sols sont moins bons. Aussi, pour excellents que soient certains crus, ils n'ont pas le panache de leurs illustres voisins.

La route des vins nous offre une jolie balade pour muser de collines en vallées entre Chagny et Saint-Boil. En voici les étapes les plus savoureuses.

Niché à flanc de colline à trois kilomètres de Chagny, Bouzeron s'enorgueillit d'être un village unique en son genre : on y fait le Bourgogne Aligoté Bouzeron, l'Aligoté le plus fin de Bourgogne qui bénéficie d'une appellation particulière.

RULLY

Une montée plutôt raide suivie d'une descente qui l'est tout autant mène ensuite à Rully et à son sympathique château trapu orné de quatre tours rondes.

La commune est connue surtout pour ses vins blancs secs nerveux, au bouquet affirmé, non dépourvus de finesse. Les Rully rouges, d'un beau rubis, ont un léger goût de framboise. L'aire d'appellation, qui comprend des parcelles de Rully et de Chagny, compte dix-neuf Premiers Crus.

MERCUREY

Les Mercurey ont des arômes de cassis et de framboise. Élégants, souples et ronds, riches quoique plus légers que les vins de la côte de Beaune, ils sont bons à boire après deux ans de bouteille.

Ils ont la réputation d'être d'assez bonne garde, mais certains œnologues ne leur accordent pas plus de cinq ans. Signalons à l'intention des amateurs de vins quasi introuvables que l'appellation concerne chaque année quelque 3 000 bouteilles du distingué Mercurey blanc.

Les meilleurs Mercurey proviennent des Premiers Crus Clos du Roi, Les Voyens, Clos Marcilly, Clos des Fourneaux et Clos des Montaigus.

En haut, le village de Rully
En bas, le vignoble de Mercurey
A droite, le château de Rully

PRINCIPALES PROPRIÉTÉS
CHATEAU DE CHAMILLY
DOMAINE ÉMILE JUILLOT
DOMAINE MELLENOTTE-
DRILLIEN
DOMAINE DU MEIX-FOULOT
DOMAINE DE LA MARCHE
CLOS DU PARADIS

LA BOURGOGNE

A droite le village de Buxy
En bas, l'église de Givry

**PRINCIPALES PROPRIÉTÉS
DE GIVRY**
RENÉ BOURGEON
CLOS DU CELLIER AUX MOINES
VEUVE STEINMAIER ET FILS
DOMAINE THÉNARD
CHARLES VIÉNOT
MAISON PIERRE MISSEREY

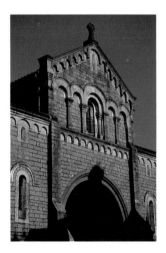

PRINCIPAUX VIGNOBLES
CLOS SAINT-PIERRE
CLOS SAINT-PAUL
CLOS SALOMON
CELLIER AUX MOINES

GIVRY

La tradition – parfois aussi les étiquettes – affirme qu'Henri IV préférait le vin de Givry à tout autre. De fait, il est avéré que Givry compta le Vert Galant parmi ses bons clients. Mieux : le bon roi exempta sa production de droits d'entrée dans Paris. Néanmoins il paraît un brin hasardeux d'en déduire que les Givry étaient les vins favoris du souverain. En effet, le roi de France et de Navarre aimait à croquer la pie, ainsi

Le vignoble à Rully

que l'on disait en son temps – « pie » désignait le vin –, et tout laisse à penser que ses caves abritaient des tonneaux venus d'horizons divers. Givry produit d'excellents vins rouges connus pour offrir à la fois substance et légèreté, ainsi que des vins blancs frais dotés d'un bouquet charmeur.

MONTAGNY

Si Buxy charme le promeneur d'aujourd'hui, c'était Montagny qui enchantait les moines de Cluny... avec ses vins. Un péché de gourmandise bien compréhensible eu égard aux gracieux vins blancs que l'on récolte dans ces parages. Fins, frais, distingués, développant un subtil arôme de noisette, les Montagny se boivent jeunes. L'aire d'appellation s'étend sur Montagny-lès-Buxy, Buxy, Saint-Vallerin et Jully-lès-Buxy, et compte une soixantaine de Premiers Crus. A côté des appellations communales, il existe une AOC sous-régionale Bourgogne Côte chalonnaise, qui concerne des vignobles répartis sur une quarantaine de communes dans les cantons de Chagny, Givry et Buxy. Les vins rouges, plaisamment bouquetés, ressemblent à leurs voisins de la côte de Beaune, mais ils sont plus légers et vieillissent plus vite. Sont également commercialisés sous cette appellation des vins blancs agréables et sans façon.

Une maison ancienne à Givry

PRINCIPALES PROPRIÉTÉS DE MONTAGNY
CAVE DES VIGNERONS DE BUXY
MAISON PIERRE PONNELLE
ANTONIN RODET
MAISON THOMAS-BASSOT

Une hotte de vendangeur

Clocher de Buxy

LA BOURGOGNE

En haut, une maison ancienne à Mâcon.
En bas, la statue des vendangeurs à Mâcon

LE MÂCONNAIS

Le vignoble mâconnais, large d'environ quinze kilomètres, s'étend sur plus d'une cinquantaine de kilomètres à l'ouest de la Saône. Au nord, il commence à Senneceyle-Grand, et pousse des prolongements jusqu'à Romanèche-Thorins, en Beaujolais. Ce vaste territoire présente des sols variés, où interviennent en se combinant diversement le calcaire, l'argile, la craie, l'ardoise, le silice et le sable. L'encépagement est fonction de la nature du sol, chaque terroir « signant » le vin à sa façon. La Bourgogne en général et le Mâconnais en particulier doivent beaucoup aux bénédictins de l'abbaye de Cluny. Fondée en 910, cette communauté religieuse connut une expansion considérable grâce à son rayonnement spirituel et culturel, mais aussi à une exploitation avisée de ses terres. Viticulteurs émérites et négociants habiles autant que religieux érudits, les moines encouragèrent le développement de la vigne et

La Saône à Mâcon

diffusèrent les techniques de culture et de vinification. C'est ainsi que le vignoble mâconnais reçut l'élan pour prospérer en étendue et en renommée.

Au milieu du XVIIᵉ siècle, Claude Brosse, vigneron de son état, résolut de pallier cette lacune. Il attela ses bœufs, chargea deux tonneaux sur son char, et partit pour la capitale. Quatre cents kilomètres, à l'époque, cela signifiait plusieurs semaines de voyage sur de mauvais chemins infestés de brigands. Le sieur Brosse risqua l'aventure ; un homme qui domine ses contemporains d'une bonne tête et qui peut soulever un tonneau a les moyens d'en imposer aux malandrins. Le colosse et son char arrivèrent sans encombre à Versailles, où ils firent une telle impression que le roi – Louis XIV en personne – voulut goûter au contenu des tonneaux. Le vin ayant plu au roi, la cour s'empressa de le juger exquis. L'exportation des vins du Mâconnais avait commencé. Mis à part les vins d'appellations communales prove-nant d'un secteur limité dans les environs de la roche de Solutré, les meilleurs vins du Mâconnais sont les Mâcon-Villages, des blancs isssus du chardonnay qui doivent titrer au moins 11°. Frais, vifs et gracieux, ces vins au bouquet floral développé supportent bien trois ou quatre ans de bouteille.

La dénomination Mâcon-Villages, qui concerne quarante-trois communes de l'aire mâconnaise, présente un excellent rapport qualité/prix.

Au registre des autres appellations sous-régionales figurent Mâcon (ou Pinot-Chardonnay-Mâcon pour les blancs) et Mâcon Supérieur. Les blancs, élaborés avec du chardonnay et du pinot blanc, sont souples et fruités, parfois excellents, parfois aussi rustiques mais pleins de charme. Les rouges, issus des cépages gamay noir à jus blanc, pinot noir et pinot gris, sont des vins sympathiques, fruités, assez corsés. Rouges et blancs se boivent jeunes.

LA BOURGOGNE

SAINT-VÉRAN

A la limite entre la côte chalonnaise et le Beaujolais, Saint-Vérand, Chânes, Chasselas, Solutré, Davayé, Prissé, Leynes et Saint-Amour-Bellevue récoltent le Saint-Véran. L'appellation est récente, puisqu'elle date de 1971. C'est un vin blanc sec né du chardonnay.

POUILLY-FUISSÉ

Sur une zone de 700 hectares de vignobles exposés est sud-est, seulement quatre communes profitent de cette magnifique appellation : Vergisson, Solutré, Fuissé et Chaintré.

Grand Mâcon blanc à la robe légèrement vert pâle, il exhale des parfums puissants rappelant la noisette et les amandes grillées. Léger mais charnu, toujours délicat, il se boit jeune.

Quand il est corsé, il peut se laisser consommer après quelques années.

PRINCIPALES PROPRIÉTÉS DU MÂCONNAIS
DOMAINE DE LA COMBE
CLOS DES TOURNONS
GROUPEMENT DE PRODUCTEURS DE PRISSÉ
CAVE COOPÉRATIVE DE CHARNAY
CAVE DES VIGNERONS DE MANCEY
DOMAINE DES CHAZELLES

DOMAINE MATHIAS
71570 CHAINTRÉ

L'église de Fuissé

POUILLY-LOCHÉ – POUILLY-VINZELLES

Pouilly-Loché et Pouilly-Vinzelles, sont deux appellations voisines de Fuissé.

Elles donnent des vins assez semblables, avec toutefois des personnalités suffisement marquées.

Pouilly-Vinzelles développe un bouquet de senteurs florales d'acacia et de pivoine avec une pointe de miel. Souple en bouche, délicat et élégant. Pouilly-Loché s'apprécie plus jeune.

La Roche de Solutré

**PRINCIPALES PROPRIÉTÉS
DE SAINT-VÉRAN**
DOMAINE DES CRAIS
DOMAINE DES VALANGES
JACQUES SAUMAIZE
CELLIER DES SAMSONS
CHÂTEAU DE LEYNES

**PRINCIPALES PROPRIÉTÉS
DE POUILLY**
DOMAINE BRESSANT
ETS GEORGES BURRIER
DOMAINE CORSIN
DOMAINE MICHEL DELORME
DOMAINE GUERRIN
DOMAINE DES MAILLETTES
DOMAINE RENÉ PERRATON

Le Château de Chasselas et ses tours médiéviales

Le vignoble de Saint-Véran

Le caveau de Saint-Amour

**PRINCIPALES PROPRIÉTÉS
DE SAINT-AMOUR**
DOMAINE DES PIERRES
DOMAINE DE LA CISERAIE
DOMAINE DU CLOS
DES CARRIÈRES
DOMAINE DE
LA CAVE LAMARTINE
DOMAINE DES BILLARDS
DOMAINE DES DUCS

SAINT-AMOUR

A Saint-Amour-Bellevue, les sols calcaires du Mâconnais font doucement place aux terrains granitiques caractéristiques du haut Beaujolais, qui se mêlent ici de schistes et de grès.

Chardonnay et gamay cohabitent sur le territoire de la commune.

Cependant, quoique le premier donne l'excellent Saint-Véran, le second tient le haut du pavé avec le brillant Saint-Amour.

C'est ce village qui fournissait en vin de messe les chanoines de Mâcon.

Les dignitaires du chapitre de la cathédrale Saint-Vincent usaient du Saint-Amour dans la maison de Dieu, certes, mais ne dédaignaient pas pour autant les dégustations sur place, loin de là.

On peut voir encore aujourd'hui le logis spécialement aménagé pour ces augustes visiteurs à la maison vigneronne du chapitre de Saint-Vincent.

Le bien nommé Saint-Amour est l'un des crus les plus aimables du Beaujolais. Souple et fruité, d'une belle couleur rubis, délicatement bouqueté, il offre un plaisant équilibre entre finesse et solidité.

JULIÉNAS

Il est bon à boire au bout d'environ deux ans. Récolté sur l'ancien fief des seigneurs de Beaujeu, le Juliénas est traditionnellement le vin favori des peintres, des chansonniers et des poètes de la Butte Montmartre. Notons cependant que, dans la frivole capitale, le Juliénas est reçu avec les égards dus à son rang : on le savoure comme le veut l'usage de son pays d'origine, sans précipitation.

Le Juliénas provient des communes de Juliénas, Jullié, Émeringes et Pruzilly, où le gamay s'enracine dans un sol granitique et argileux pour donner un vin de couleur pourpre, ferme, fruité et corsé.

Accompli au bout de deux ou trois ans, le Juliénas est l'un des crus du Beaujolais qui vieillit le mieux, puisque certains millésimes ne craignent pas cinq à six ans de bouteille.

Ci-dessus, le caveau de Juliénas

A droite, la statue du légionnaire Saint-Amour converti à la foi chrétienne, il aurait donné son nom au village

**PRINCIPALES PROPRIÉTÉS
DE JULIÉNAS**
DOMAINE DE LA CÔTE
DE CHEVENAL
CHÂTEAU DE JULIÉNAS
DOMAINE JEAN-PIERRE
MARGERAND
CHÂTEAU DE LA PRAT
DOMAINE DES RIZIÈRES
CLOS DU FIEF
DOMAINE DE LA BOTTIÈRE

CHÉNAS

Si le granite mêlé de manganèse plaît aux chênes - ils peuplaient autrefois le pays, Chénas leur doit son nom -, le gamay s'en arrange également fort bien. Il donne ici un vin bouqueté, tendre et chaleureux qui exhale des arômes de pivoine. « Gerbe de fleurs déposée dans une corbeille de velours », dit-on dans la région, le Chénas s'arrondit avec bonheur en prenant de l'âge. L'aire d'appellation concerne des parcelles de Chénas et de La-Chapelle-de-Guinchay.

MOULIN-À-VENT

Ses ailes se sont envolées, mais l'emblème du plus fameux des vins du Beaujolais demeure fidèle au poste, sentinelle paisible au sommet d'une colline de vignes à mi-chemin entre Chénas et Romanèche-Thorins. Le gamay puise ici dans des sols granitiques riches en manganèse, et s'exprime avec force pour donner le Moulin-à-Vent, dont les admirateurs

PRINCIPALES PROPRIÉTÉS DE CHÉNAS
Domaine Santé
Domaine de Côtes Remont
Domaine des Pennelles
Jean Benon
Caves du Château de Chénas
Château Bonnet
Guy Braillon

La statue de Benoît Raclet

aiment à dire qu'il a « la grâce d'un Beaujolais et le prestige d'un Bourgogne ».

De couleur rubis ronds, corsés et charpentés, avec un nez remarquable de fruits rouges, d'iris et de violette, les Moulin-à-Vent sont des vins puissants et racés aptes à vieillir cinq ans, parfois davantage.

Les Moulin-à-Vent proviennent de Chénas et de Romanèche-Thorins. Ce village célèbre chaque année la « fête Raclet » en hommage à Benoît Raclet, vigneron qui résida en ses murs au siècle dernier, et à

Le vignoble de Moulin-à-Vent

**PRINCIPALES PROPRIÉTÉS
DE MOULIN-À-VENT**
HUBERT LAPIERRE
JACKY JANODET
DOMAINE DE LA ROCHELLE
CHÂTEAU DU MOULIN-À-VENT
DOMAINE JEAN MORTET
THORIN
LE PETIT BOUCHON

qui le Beaujolais et la Bourgogne doivent une fière chandelle. Benoît Raclet a en effet découvert un moyen aussi simple qu'économique de combattre la chenille de la pyrale. C'est le hasard qui l'a mis sur la piste. Alors que toutes les vignes alentour subissaient les ravages du « ver coquin », notre vigneron constata que, tout près de sa maison, un cep ne souffrait pas du parasite. Or, ce cep recevait journellement les eaux de vaisselle (le tout-à-l'égoût n'existait pas plus que les insecticides, rappelons-le !). Benoît Raclet procéda à de nombreuses expériences, et conclut que, décidément, la vilaine bestiole n'aimait pas l'eau chaude. Le meilleur moyen de la détruire était donc de l'ébouillanter. Au début, on refusa de le croire ; arroser la vigne d'eau brûlante, on n'avait jamais vu ça... Seulement, la méthode faisait ses preuves. Alors on l'adopta ici, puis là, puis ailleurs encore, et enfin dans l'ensemble du Beaujolais, tant et si bien qu'elle gagna la Bourgogne.

LA BOURGOGNE

**PRINCIPALES PROPRIÉTÉS
DE FLEURIE**
DOMAINE GUIGNIER
DOMAINE DES
DEUX FONTAINES
CLOS DE LA CHAPELLE DU BOIS
JEAN-PAUL CHAMPAGNON
HENRI FESSY
BERNARD LAVIS

L'église de Chiroubles

FLEURIE

Mystère de la vigne : à Fleurie les mots du sol - granite, silice, cailloux, sable - évoquent la rudesse… et l'on récolte le plus fin des crus du Beaujolais : fruité, parfumé, développant des arômes délicats de fleurs printanières et de fruits d'été. Le Fleurie s'accomplit à deux ans, et c'est alors qu'il faut le boire, paré de tous les charmes de la jeunesse. Et si l'on en croit les viticulteurs du cru, le mot « charme » doit s'entendre en son sens premier d'enchantement. Parlant de leur vin, ils disent en effet : « Une tasse, le plaisir ; deux tasses, la joie ; trois tasses, le bonheur ; et au-delà : le rêve »… Rassurons l'amateur qui craint d'être subjugué : il a tout loisir de dissiper les brumes de la magie en grimpant jusqu'à la chapelle de la madone, où il pourra méditer devant la Vierge noire et admirer le magnifique pays qui s'étend à ses pieds. La statue de Victor Puillat qui se dresse en face de l'église de Chiroubles n'est pas monument national.

Elle le devrait, pourtant ! Car M. Puillat fut un précurseur de la lutte contre le phylloxéra. Savant ampélographe dont les travaux ont fait autorité dans le monde entier, il planta en Beaujolais la première vigne greffée sur un plant américain résistant à la « chenille sournoise ». Autant dire qu'il fait partie de ceux qui ont sauvé la vigne – et donc le vin ! Chiroubles, son village natal, fête fidèlement ce héros chaque printemps.

CHIROUBLES

Fier de son fils, Chiroubles est aussi fier de son vin. Le gamay s'en donne à cœur joie sur le sol granitique qu'il escalade hardiment jusqu'à 400 mètres.

Il donne un vin d'un rouge éclatant, presque aérien tant il est léger, à la fois tendre et vif, élégant et joyeux. Ce cru plein de charme, volontiers défini comme « le plus beaujolais des Beaujolais », se boit dans sa prime jeunesse.

Ses fervents admirateurs peuvent même prévoir de prendre des vacances en novembre pour aller le déguster tout frais sorti du tonneau.

Pour les amateurs de sensations enivrantes : Chiroubles offre un haut lieu de dégustation – au sens propre comme au sens figuré – : les Terrasses de Chiroubles, au col du fût d'Avenas, d'où, par temps clair, on peut voir la vallée de Saône, la Bresse, le massif du Mont-Blanc, et jusqu'au Cervin, si on a l'œil perçant.

En haut à gauche, à Fleurie, la chapelle de la Madone domine les vignes

En bas à gauche, près de Fleurie maison vigneronne

En bas à droite, le vignoble de Fleurie

PRINCIPALES PROPRIÉTÉS DE CHIROUBLES
DOMAINE DE LA GROSSE PIERRE
ARMAND CHARVET
ANDRÉ DÉPRÉ
DOMAINE DU CLOS VERDY
GEORGES DUBŒUF
LA MAISON DES VIGNERONS

LA BOURGOGNE

MORGON

A Villié-Morgon, quand on parle de sol « pourri », il faut entendre bénédiction pour la vigne, surtout lorsqu'il s'agit du lieu-dit Le Py. Ce vignoble qui date du Xᵉ siècle s'enracine dans des terrains granitiques combinés de schistes pyriteux et ferrugineux désagrégés.

Le gamay donne ici un vin que l'on dit volontiers « Bourgogne » car il a des affinités avec les grands rouges de la Côte d'Or : plus robuste que les autres crus du Beaujolais, le Morgon a besoin de temps pour s'exprimer. Ce vin généreux, charnu et corsé développe sous sa robe grenat des arômes de framboise, de groseille et de kirsch - son parfum caractéristique.

Mille hectares de vignoble ne sauraient cependant enfanter un vin unique, et cela est si vrai que les viticulteurs du pays ont inventé le verbe « morgonner ». Plus le vin morgonne, meilleur il est !

Les Morgon vieillissent admirablement. Toutefois, mode oblige, certains producteurs ont opté pour des vins plus légers, de moins longue garde. Nouvelle étape sur la route des crus, Régnié a été admis dans l'élite beaujolaise en 1988. Bienvenue au club et longue vie à ses vins fruités aux arômes de fruits rouges, assez consistants et de bonne évolution. Régnié abrite la Grange Charton, propriété des Hospices de Beaujeu fondés en 1240 et qui jouent en Beaujolais le même rôle que les Hospices de Beaune en Bourgogne.

En haut, le vignoble de Brouilly
Ci-dessous, le vignoble de Morgon

PRINCIPALES PROPRIÉTÉS
JEAN-PAUL CHARVET
DOMAINE DE COLONAT
DOMAINE DU COTEAU DES LYS
DOMAINE DU CRET GONIN
DOMAINE DE LA CHANAL
DOMAINE CRET
DES GARANCHES
DOMAINE DES FOURNELLES
DOMAINE
DES GRANDES VIGNES
PAVILLON DE CHAVANNES
DOMAINE DE LA VOUTE
DES CROZES

BROUILLY

Du haut de la montagne de Brouilly, Notre-Dame-du-Raisin veille sur les crus les plus méridionaux du Beaujolais.

Cette petite chapelle fut édifiée en 1856 pour protéger la vigne des ravages de l'oïdium. On s'y rendait en pélerinage au mois de septembre, avant les ven-

danges, et l'on priait le Seigneur d'assurer belle et bonne récolte. La cérémonie religieuse était bien entendu suivie de joyeuses libations. Autre temps autres mœurs : la chimie a désormais remplacé les prières et, si l'on continue à faire la fête en ces lieux, on ne demande plus au ciel d'agir à la place des hommes.

Les vignes entourent la colline et montent presque jusqu'à son sommet, puisant dans un sol de granite et de schistes durs vert bleu appelés « cornes vertes ».

Elles couvrent environ 1 500 hectares ; les quatre cinquièmes donnent le Brouilly tandis que le cœur du vignoble, sur les pentes de la montagne, est dévolu au Côte-de-Brouilly.

Les Brouilly offrent une large gamme de nuances dans un registre commun de fermeté, de fruité, de tendresse, avec des arômes de myrtille et de mûre. Ils se boivent jeunes.

On récolte des Brouilly à Cercié, producteur du célèbre Pisse-Vieille, à Saint-Lager, à Charentay (où le château d'Arginy recèlerait en sa tour des Sept Béatitudes le légendaire trésor des Templiers), à Quincié-en-Beaujolais, à Odénas (le château de La Chaize y abrite la plus grande cave du Beaujolais - 108 mètres de fûts grands et petits dans un alignement impeccable) et à Saint-Étienne-la-Varenne.

CÔTES-DE-BROUILLY

Récoltés sur des sols exceptionnels, les Côte-de-Brouilly sont des vins exceptionnels. Charnus sous leur robe pourpre foncé, plus riches en alcool que les autres crus du Beaujolais mais délicieusement fruités et bouquetés, ces vins parfois un peu fermes en primeur ont l'art de vieillir en acquérant souplesse et finesse.

L'église de Régnié

MARQUISE DE ROUSSY DE SALES
69460 ODENAS

**APPELLATIONS LOCALES
DE LA SAÔNE**
Chânes
La-Chapelle-de-Guinchay
Leynes
Pruzilly
Romanèche-Thorins
Saint-Amour-Bellevue
Saint-Symphorien-d'Ancelles
Saint-Vérand

BEAUJOLAIS-VILLAGES

Le gouleyant Beaujolais offre fleur, fruit, légèreté, fraîcheur... et n'intimide pas les porte-monnaie. Le Beaujolais est unique au même titre que la tour Eiffel ou la baguette de pain. Cela n'empêche qu'il existe DES Beaujolais – sans compter les crus qui occupent une place à part. Les communes qui produisent les meilleurs vins ont droit à l'appellation Beaujolais-Villages. En partant dès potron-minet car les monts du Beaujolais ne sont pas chiches en virages, il est possible de boucler le circuit en une journée. Chaque village est en effet l'occasion de faire étape : pour déguster le vin ou s'émerveiller d'un panorama splendide en haut d'un col, ou simplement flâner en se laissant bercer par la beauté du site.

BEAUJOLAIS NOUVEAU

Le Beaujolais nouveau est arrivé ! Vers le 15 novembre, le mot d'ordre apparaît aux devantures des cafés, bars, bouchons, troquets, bistrots, restaurants et autres tavernes, donnant le départ de la « course au Beaujolais » qui durera jusqu'au printemps.

Les bouteilles disparaissent alors à une allure vertigineuse, la moitié franchissant les frontières pour abreuver les fans aux quatre coins du monde. Les vins du Beaujolais, familiers aux Lyonnais depuis des lustres, connurent une notoriété nationale à partir des années 30.

En 1956, des vignerons du haut Beaujolais lancèrent le Beaujolais nouveau sur le marché : 1,7 million de bouteilles. Ce fut un triomphe. D'année en année, le succès de ce vin de primeur crût de façon spectaculaire, d'autant qu'il fut largement mis à l'honneur par des écrivains populaires, notamment par le père de l'illustre San Antonio. Trente ans après l'apparition du Beaujolais nouveau, il s'en est vendu 65 millions de bouteilles. Entre-temps, l'aire de production s'était étendue à l'ensemble du Beaujolais.

PRINCIPALES PROPRIÉTÉS
Domaine de Milhomme
Domaine de la Grand Fond
Vignoble des Coteaux
de Saint Abram
Domaine de Blaceret-Roy
Domaine du Buis-Rond
Domaine Hubert Ceillier
Domaine Dalicieux
Domaine
des Grandes Bruyères
Domaine du Granit Bleu

*En haut, le village de
Saint-Joseph*

*Ci-contre, le temple de Bacchus
à Beaujeu*

*Effigie en cire d'Anne
de Beaujeu*

**APPELLATIONS LOCALES
DU RHÔNE**
BEAUJEU
BLACÉ
CERCIÉ
CHARENTAY
CHÉNAS
CHIROUBLES
DENICÉ
EMERINGES
FLEURIE
JULIÉNAS

JULLIÉ
LANCIÉ
LANTIGNIÉ
LE PERRÉON
LES ARDILLATS
MARCHAMPT
MONTMELAS
ODENAS
QUINCIÉ
RÉGNIÉ-DURETTE
RIVOLET
SAINT-ÉTIENNE-DES-OULLIÈRES
SAINT-ÉTIENNE-LA-VARENNE
SAINT-JULIEN
SAINT-LAGER
SALLES-ARBUISSONAS
VAUX
VAUXRENARD
VILLIÉ-MORGON

*S*ur cette côte crayeuse formant
un vaste point d'interrogation,
poussent les vignobles les plus réputés
du monde. En effet, dans tous
les pays, le vin de Champagne est
synonyme de fête, de célébration,
d'événements heureux ou de
victoires. Une bien belle renommée
qui s'est construite au fil des siècles
par les grands hommes qui l'ont
apprécié, mais avant tout, par
les qualités propres au Champagne.

Les caves Mercier à Épernay

LA CHAMPAGNE

Vesle

REIMS

Taissy

Ville-Dommange

Sacy
Écueil

Puisieux
Sillery

Villers-
Allerand

Beaumont-s-Vesle

Verzenay

Ludes

Verzy

Ardre

MONTAGNE DE REIMS

Villers-Marmery

VALLÉE DE LA MARNE

Vandières

Trépail

Billy-le-Grand

Verneuil

Châtillon-s-Marne

Champillon

Tauxières-Mutry

Vaudemanges

Vincelles

Hautvillers

Bouzy

Mézy-
Moulins

Dormans

Cumières

Dizy

Ambonnay

Chateau-
Thierry

Boursault

Aÿ

ÉPERNAY

Connigis

Monthurel

Mareuil-s-Ay

Chouilly

Oiry

Azy-s-Marne

AISNE

Cuis

Débrus

Morangis

Cramant

Marne

Avize

Oger

Saacy-
s-Marne

Le Mesnil-s-Oger

CÔTE DES BLANCS

Somme-Soude

Marne

Villeneuve-Renneville

MARNE

Vertus

Beaunay

Etréchy

Férébrianges

Bergères-lès-Vertus

Congy

Talus-St-Prix

Villevenard

Broyes

Allemant

CÔTE DE SÉZANNE

Vindey

Barbonne-Fayel

Fontaine-Denis-Nuisy

Chantemerle

Villenauxe-la-Grande

LES APPELLATIONS

LES GRANDS CRUS

En fonction de la qualité des raisins, mais aussi des terroirs, une échelle a été créée qui va de 80 à 100%. Cette échelle détermine également le prix d'achat du raisin. Classés dans l'échelle 100%, les Grands Crus sont au nombre de dix-sept. Ils sont répartis dans le département de la Marne, dans les régions de la Grande Montagne de Reims et de la Côte des Blancs.

PREMIERS CRUS

Allant de 90 à 99%, les Premiers Crus sont au nombre de quarante et se situent entre la Petite Montagne de Reims, la vallée de la Marne autour d'Ay et au sud de la Côte des Blancs.

CHAMPAGNE BLANC DE BLANCS

C'est un vin monocépagé, très fin et fruité, à base de Chardonnay uniquement. A noter qu'il existe un Champagne Blanc de Noirs à partir de raisins noirs à jus blanc (pinot noir et pinot meunier).

CHAMPAGNE ROSÉ

Champagne coloré par l'addition d'un peu de vin rouge issu des coteaux champenois.

COTEAUX CHAMPENOIS

Ce sont des vins tranquilles, simples et fruités. Le meilleur est incontestablement le Bouzy rouge.

ROSÉ DES RICEYS

Cette appellation confidentielle est produite à la limite de la Bourgogne. Du Champagne elle a pris le nez, et du Bourgogne, la robe.

LES CÉPAGES
CHARDONNAY, PINOT MEUNIER, PINOT NOIR.

LA GASTRONOMIE
ANDOUILLETTE DE TROYES
PATÉ DE POIREAUX
PIEDS DE PORC
À LA SAINTE-MÉNEHOULD
SABAYON AU CHAMPAGNE
BISCUITS DE REIMS

À SERVIR
CHAMPAGNE : 7° À 10°C
MILLÉSIMÉ : 10° À 12°C
ROSÉ : 12° À 14°C

Le vignoble champenois s'étend sur plusieurs départements : la Marne, l'Aube, l'Aisne, la Haute-Marne, la Seine-et-Marne. Il se répartit en quatre zones principales : la montagne de Reims, la vallée de la Marne, la Côte des Blancs et les vignobles de l'Aube. Ces 35 000 hectares sont plantés en pinot meunier pour (45%), en pinot noir pour (30%), et en chardonnay pour (25%).

C'est la craie qui offre aux vins champenois finesse et légèreté. Absorbant les excès d'eau, elle sait conserver et restituer humidité et chaleur solaire.

La vinification fait l'objet d'un traitement particulier, connu sous le nom de « méthode champenoise ». Plusieurs découvertes géologiques ont fait remonter l'apparition des premiers ceps de vigne dans cette région à l'ère tertiaire.

La civilisation gallo-romaine développe la culture de la vigne. Les ordres de l'empereur Domotien d'arracher tous les ceps dans la Gaule auraient dû sonner le glas des vignobles. Pourtant la vigne subsiste grâce à Probus, qui deux siècles plus tard relance la viticulture.

L'arc de triomphe de la porte Mars, à Reims, serait un hommage des vignerons champenois à cet empereur avisé.

Grâce à la chrétienté qui s'implante, on assiste au développement du vignoble. Clovis, en devenant chrétien par le baptême, goûte à la production locale et se voit promettre une victoire sur les Wisigoths « tant qu'il resterait un goutte dans le ton-

neau ». Au Ve siècle, saint Rémi possède de vastes domaines vinicoles à Sparnacus, autrement dit Épernay, et son successeur, l'évêque Nivard, poursuit son œuvre.

Il crée ainsi l'abbaye d'Hautvillers en 660, monastère où les moines poursuivent cultures et recherches. Dom Pérignon sera l'un des leurs.

Au Moyen-Age, les vins de Champagne sont des vins rouges tranquilles, dont la réputation est déjà bien faite.

Assimilés tout d'abord aux vins de l'Ile-de-France, ils sont considérés comme des « vins français » ou « vins de France ».

Le changement d'appellation viendra d'une modification de la vinification, qui transformera les vins de la Champagne en gris, puis en blancs.

Les dignitaires de l'Ordre des Coteaux devant le foudre géant de chez Mercier

LE REMUAGE DES BOUTEILLES

POUR RASSEMBLER LES DÉPÔTS RÉSULTANT DE LA SECONDE FERMENTATION, LE REMUAGE SE FAIT SUR DES PUPITRES. CHAQUE BOUTEILLE PASSE ENTRE LES MAINS D'UN REMUEUR PENDANT SIX SEMAINES À RAISON D'$\frac{1}{4}$ OU D'$\frac{1}{3}$ DE TOUR PAR JOUR. UN REMUEUR EXPÉRIMENTÉ PEUT AINSI REMUER JUSQU'À 5 000 BOUTEILLES PAR JOUR.

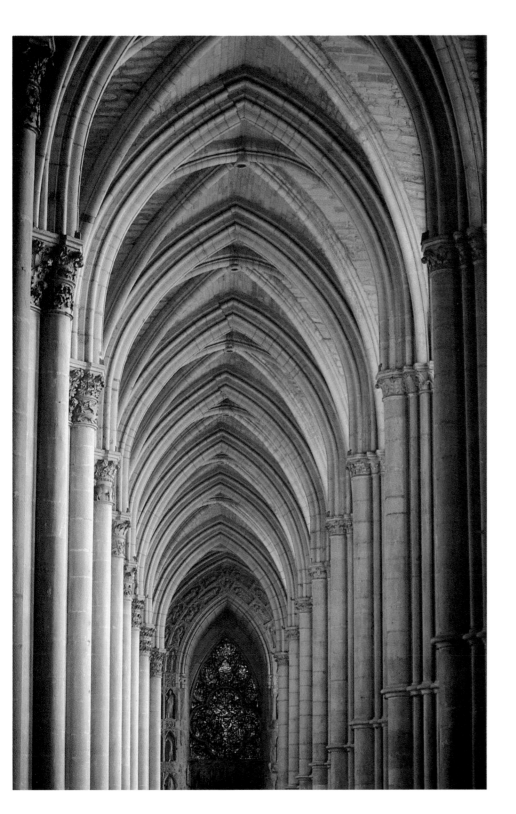

*Une enseigne en fer forgé
dans une rue de Hautvillers*

LA CATHÉDRALE DE REIMS
COMMANDÉE EN 1211,
ELLE SUCCÈDE À DES BÂTIMENTS
PLUS MODESTES, MAIS
PRESTIGIEUX PAR LE SOUVENIR
DU SACRE DE CLOVIS EN 498
PAR SAINT RÉMI.
ELLE INAUGURE UNE LONGUE
PÉRIODE DE SACRES ROYAUX,
DONT LE PLUS FAMEUX EST
CELUI DE CHARLES VII QUE
JEANNE D'ARC AMÈNE À REIMS
EN ÉVITANT LES TROUPES
ANGLAISES.

LA CHAMPAGNE

En haut, le village de Cumières sur les coteaux de la Marne
En Bas, les vendanges près de Vertus
Une maison de vigneron près d'Épernay

Sans être recommandés par la faculté de médecine, ils ont déjà leurs adeptes comme le docteur Paulmier, un Normand, qui raconte dans son *Traité du vin* que « les vins d'Ay en Champagne tiennent le premier rang en bonté et perfection sur tous les vins. Ils sont clairets et fauvelets, subtils et délicats et d'un goût fort agréable au palais, souhaités pour la bouche des rois, princes et grands seigneurs.

Vin des sacres, puisque c'est à Reims que se déroule la cérémonie, il apparaît sur la table des rois Charles IV (1321), Philippe VI (1328), puis Charles VI le Bien-Aimé qui en fait largement profiter le souverain allemand, en 1398.

En 1652, une querelle oppose les vins champenois à ceux de Bourgogne. Cette guerre de papier se déroule sur près d'un siècle à coups de thèses et d'antithèses. Il s'agit de démontrer lequel est le meilleur pour la santé. Fagon, le médecin de Louis XIV soutient que le vin de Champagne est responsable de la fistule royale et choisit clairement le Bourgogne. Mais la cause est loin d'être entendue. L'arrivée de troupes fraîches – poètes, rimailleurs et chansonniers – relance l'intérêt du combat. Enfin, en 1778, la Faculté de médecine de Paris décrète « vainqueur » le Champagne en raison de ses qualités diurétiques !

Entre-temps, les vignerons, qui ont procédé à une modification de leur vinification en « gris », constatent effervescence et fermentation dès le retour du printemps. On a vite fait de baptiser le produit « vin du diable » ou encore « saute-bouchon ». C'est alors qu'intervient Dom Pérignon. Nommé cellérier de l'abbaye de Hautvillers, il va faire profiter les vignobles des moines de ses connaissances œnologiques, pour transformer ce qui était un accident naturel en une véritable technique : la méthode champenoise. On lui doit également le collage qui permit d'obtenir un vin clair sans résidus, l'ajout de sucre dosé (la liqueur d'aujourd'hui), des principes du soutirage et bien des codifications sur la plantation des vignes, l'encépagement, la taille et surtout l'assemblage de terroirs et de cuvées. Il est également à l'origine des caves creusées dans le sous-sol crayeux permettant la conservation du vin. Enfin, on le cite comme promoteur du bouchon de liège, mais il ne serait pas le seul, Dom Oudart de l'abbaye de Saint-Pierre-aux-Monts à Pierry prônait aussi cette technique.

Au XVIIIᵉ siècle, se développe la commercialisation en bouteilles, mais ces dernières restent fragiles et la casse est souvent importante, ce qui en augmente la rareté et le coût. Le XIXᵉ poursuit l'amélioration des techniques, qu'il s'agisse du pressurage, du dégorgement et de l'usage des pupitres. Notons également le travail du pharmacien François de Châlons-sur-Marne, qui détermine le dosage exact en sucre. A partir des années 1900, des textes vont réglementer aussi bien l'aire que les conditions de production. En 1936, le Champagne devient appellation contrôlée.

Les champagnes sont classés selon différents types liés à la cuvée ou au dosage. Ils peuvent ainsi être traditionnels, c'est-à-dire constitués d'un mélange de cuvées de différentes années ; millésimés (de la même année) ; blanc de blanc (uniquement faits avec des raisins blancs) ; « cuvée spéciale » (chaque grande maison fait la sienne) ou enfin rosés (colorés au vin rouge de Champagne). L'importance de la liqueur de dosage les classifie en brut, extra-dry, sec, demi-sec et doux. Autre appellation : les crémants à mousse plus légère.

Les Coteaux champenois (AOC 1974) sont des vins tranquilles, blancs, rouges ou rosés, récoltés et vinifiés dans la région. Les rouges comme le Bouzy au goût de framboise et à l'agréable bouquet de violette, sont des vins souples, peu colorés, qui se montrent parfois – les grandes an-

PIERRE MIGNON
51210 LE BREUIL
APPELLATION BRUT PRESTIGE

En haut, un vignoble près d'Épernay
En bas, le village de Sacy

LES SOCIÉTÉS VINEUSES
ORDRE DES COTEAUX
DE CHAMPAGNE
ÉCHEVINAGE DE BOUZY
COMMANDERIE
DE SAINT-BOUCHON DE
CHAMPAGNE

AUTRÉAU DE CHAMPILLON
51160 CHAMPILLON
APPELLATION CHAMPAGNE 1ᴱᴿ CRU

nées – charpentés et de garde. Enfin les rosés de Riceys, à base de pinot noir, possèdent d'étonnantes qualités tenant à la fois du Bourgogne et du Champagne. Seul problème : ils sont rarissimes.

Une partie seulement des vignerons assure la vinification, ce sont des récoltants manipulants (RM). Les autres produisent du raisin et le vendent soit aux coopératives, soit aux grandes maisons de négoces, dont certaines ne sont aucunement propriétaires de vignobles.

En haut, le moulin de Verzenay
Ci-dessus, le vignoble et l'abbaye d'Hautvillers

VALLÉE DE LA MARNE

Château-Thierry est la ville natale de Jean de la Fontaine. Cette ancienne place forte des comtes de Champagne a gardé encore de très nombreuses traces de sa position stratégique.

Fère-en-Tardenois garde les ruines d'une impressionnante forteresse au cœur de la forêt de Nesles.

Dormans, qui paresse le long de la Marne, est un lieu agréable de villégiature. A voir : le château et la chapelle commémorative des batailles de la Marne.

Châtillon-sur-Marne honore la mémoire d'Urbain II, le premier pape des croisades, avec une statue gigantesque en granit qui surplombe le cours d'eau.

Boursault évoque les « folies » de la Belle Époque, avec le superbe château de madame Cliquot construit en 1848 pour sa fille et son gendre Louis de Chevigné.

Hautvillers, siège de l'abbaye qui porte son nom, aujourd'hui propriété de la maison Moët et Chandon, rend un fervent hommage à « l'inventeur du champagne », Dom Pérignon, moine qui sut donner ses lettres de noblesse à un vin qui fermentait naturellement. Le village a gardé son ravissant cachet et tout son charme ancien, avec ses rues étroites et pentues, ses superbes fontaines et ses enseignes.

PRINCIPALES MAISONS DE CHAMPAGNE
HENRI ABELÉ, REIMS
AYALA, REIMS
BILLECART-SALMON, MAREUIL-SUR-AŸ
BOLLINGER, AŸ
CANARD-DUCHÊNE, LUDES-LE-COQUET
DE CASTELLANE, ÉPERNAY
DEUTZ, AŸ
GOSSET, AŸ
HEIDSIECK & C° MONOPOLE, REIMS
CHARLES HEIDSIECK, REIMS
HENRIOT, REIMS
KRUG, REIMS
LANSON, REIMS
LAURENT-PERRIER, TOURS-SUR-MARNE
MERCIER, ÉPERNAY
MÖET & CHANDON, ÉPERNAY
MUMM, REIMS
PERRIER-JOUËT, ÉPERNAY
JOSEPH PERRIER, CHÂLON-SUR-MARNE
PIPER-HEIDSIECK, REIMS
POL ROGER, ÉPERNAY
POMMERY, REIMS
LOUIS ROEDERER, REIMS
RUINART, REIMS
SALON, LE MESNIL-SUR-OGER
TAITTINGER, REIMS
DE VENOGE, ÉPERNAY
VEUVE CLICQUOT, REIMS

Le village de Verzenay

Sur la montagne de Reims

LA CHAMPAGNE

COOPÉRATIVE VINICOLE
51530 MARDEUIL
APPELLATION CHAMPAGNE
BEAUMONT DES CRAYÈRES

En Haut, les vendanges dans la Montagne de Reims

En bas, près d'Aÿ, le vignoble repose sur une épaisse assise crayeuse

Le vignoble près d'Aÿ

MONTAGNE DE REIMS

Reims, citée royale, choisie par Clovis pour y être baptisé, elle est devenue le lieu de sacre des rois de France jusqu'à Charles X, en 1825. C'est la ville du Champagne, avec le siège de multiples grandes maisons. Ses anciennes crayères romaines, longtemps exploitées, furent transformées en caves. Elles servirent de refuges aux habitants pendant les bombardements.

Il faut visiter, entre autres, les caves Pommery, dont les souterrains s'étendent sur 18 kilomètres et sur lesquels ont été construits des bâtiments de style élisabéthain (1878). On peut y voir des sculptures en bas-relief, signées Navlet (1888) et un foudre de 700 hectolitres, dont les fonds ont été sculptés par Émile Gallé.

Verzenay est dominée par la haute silhouette d'un moulin à vent, construit en 1823, sur le Mont-Bœuf. Il servit de poste d'observation pendant la guerre.

Dans la forêt de Verzy poussent des hêtres centenaires, appelés « Faux de Verzy », dont certains ont plus de 500 ans. Leur caractéristique : une cime en parasol et de curieux noms comme Tête de bœuf, Faux de la Mariée, etc.

Bouzy est d'abord un Premier Cru de Champagne avant d'être le lieu privilégié des grands vins rouges de Champagne.

Il n'est pas le seul. Les communes d'Ambonnay, Aÿ, Mareuil, Tours-sur-Marne, Chigny-les Roses, Rilly-la-Montagne, Jouy-lès-Reims, Cumières et Vertus en produisent également.

Louvois du nom du ministre de Louis XIV, abrite son domaine construit à l'image de Versailles, mais en plus modeste. Le château appartient à Laurent-Perrier depuis 1989.

Mareuil-sur-Aÿ. Construit en 1765, le château a été préservé intact.

Aÿ est le siège de très grandes marques comme Alaya, Bollinger, Deutz, Gosset.

CÔTES DES BLANCS

Épernay, capitale du vin de Champagne, est le siège de la plupart des grandes maisons productrices.

Son sous-sol est parcouru de centaines de kilomètres de caves et souterrains où dorment des millions de bouteilles. C'est l'occasion d'y découvrir les techniques de vinification et d'y déguster millésimes et marques diverses.

Le musée du vin de Champagne complète utilement cette visite, puisque l'on peut y voir des collections de bouteilles, étiquettes et matériels de vinification. Intéressante également, la tour des Champagne de Castellane, typique de l'architecture industrielle de la fin du XIXᵉ, qui contient un musée et offre une jolie vue du haut de ses 237 marches.

Autre curiosité : le foudre Mercier, représentant 215 000 bouteilles, construit en près de 30 ans, clou de l'Exposition universelle de 1889.

Cramant, village viticole où l'on produit un cru réputé.

Vertus. Cette petite ville moyenâgeuse, bordée de remparts, est aussi un centre viticole important.

L'AUBE

Bar-sur-Aube, ancienne ville de foire, a conservé ses quartiers anciens à proximité des églises de Saint-Pierre (XIIᵉ-XIIIᵉ), de style gothique, et Saint-Maclou (XIIᵉ-XIVᵉ).

A proximité : Bayel, haut lieu de la verrerie avec les Cristalleries de Champagne et l'abbaye de Clairveaux.

LES RICEYS

Dans cette région, à la limite de la Bourgogne, on fait un très bon rosé sec, dont la production ne dépasse jamais les 600 hectolitres.

GONET SULCOVA
51200 ÉPERNAY
APPELLATION BRUT
« BLANC DE BLANC »

LILBERT-FILS
51530 CRAMANT
APPELLATION GRAND CRU
« BLANC DE BLANC »

En haut, la basilique Saint-Rémi à Reims
En bas, les caves de Moët et Chandon à Épernay

*Vaste domaine que celui de
l'appellation Côtes du Rhône.
Il commence au sud de Lyon, suit
la vallée du Rhône, étroite bande
coincée entre fleuve et Massif
central, puis peu à peu s'élargit,
s'offre une escapade dans la vallée
de la Drôme, disparaît un moment,
puis s'étale largement, profitant du
moindre relief, de la plus modeste
vallée, grimpant jusqu'aux premiers
contreforts du massif des Alpes. C'est
la Durance qui arrête sa course
et fixe les limites avec la Provence
viticole.*

LA VALLÉE DU RHONE

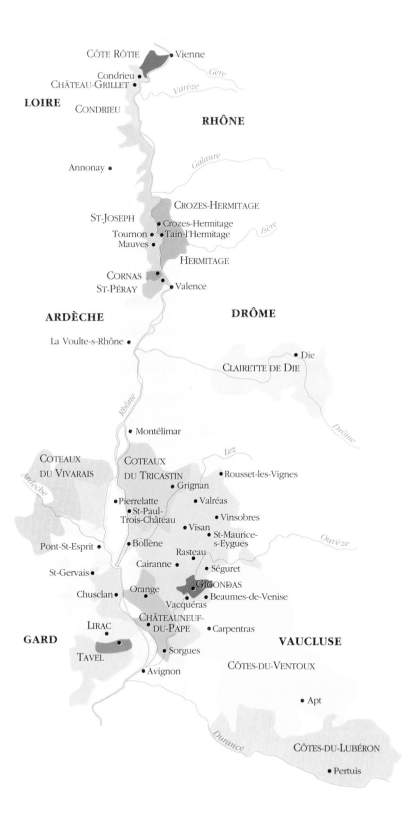

CÔTE RÔTIE • Vienne

Condrieu •
CHÂTEAU-GRILLET •

LOIRE   CONDRIEU

RHÔNE

Gère

Varèze

Annonay •

Galaure

CROZES-HERMITAGE

ST-JOSEPH   • Crozes-Hermitage
Tournon • • Tain-l'Hermitage
Mauves •   *Isère*

HERMITAGE

CORNAS •
ST-PÉRAY   • Valence

ARDÈCHE   DRÔME

La Voulte-s-Rhône •

• Die

CLAIRETTE DE DIE

Rhône   *Drôme*

• Montélimar

Lez

COTEAUX
DU VIVARAIS   COTEAUX
DU TRICASTIN   • Rousset-les-Vignes

Ardèche   • Grignan

Pierrelatte •   • Valréas
• St-Paul-
Trois-Château   • Vinsobres
• Visan
• St-Maurice-   *Ouvèze*
s-Eygues

Pont-St-Esprit •   • Bollène   Rasteau

St-Gervais •   Cairanne •   • Séguret

Chusclan •   Orange •   GIGONDAS
Beaumes-de-Venise
Vacquéras •

LIRAC   CHÂTEAUNEUF-
DU-PAPE   • Carpentras   VAUCLUSE
GARD
TAVEL   • Sorgues
CÔTES-DU-VENTOUX
• Avignon

• Apt

Durance

CÔTES-DU-LUBÉRON

• Pertuis

LES APPELLATIONS

L'appellation Côtes du Rhône est divisée en deux entités géographiques bien distinctes : les Côtes du Rhône septentrionales qui s'arrêtent à Valence et les Côtes du Rhône méridionales qui reprennent après le défilé de Donzère et s'ouvrent sur les départements du Gard, de la Drôme et du Vaucluse.

LES COTES DU RHONE SEPTENTRIONALES
Cette région utilise bien souvent un cépage unique comme le syrah pour les rouges, et le viognier, la roussanne et la marsanne pour les blancs. Cela donne des appellations confidentielles comme Château-Grillet (3 hectares) ou nettement plus vastes comme Crozes-Hermitage (plus d'un millier d'hectares), toutes ont un caractère très marqué, et donnent des vins riches et charnus.
LES GRANDES APPELLATIONS
Côte Rôtie, Condrieu, Château-Grillet, Saint-Joseph, Hermitage, Crozes-Hermitage, Cornas, Saint-Péray, Châtillon-en-Diois, Clairette de Die.

LES COTES DU RHONE MÉRIDIONALES
Elles multiplient à plaisir la diversité, jouant sur une vingtaine de cépages. C'est la grande région des Côtes du Rhône, des Côtes du Rhône-Villages, des Côtes du Tricastin, du Ventoux, du Lubéron.
LES GRANDES APPELLATIONS
Lirac, Tavel, Châteauneuf-du-Pape, Gigondas, Vacqueyras, Rasteau, Muscat de Beaumes-de-Venise, Côtes du Ventoux, Côtes du Lubéron, Côtes du Vivarais, Coteaux du Tricastin, Coteaux de Pierrevert.

En haut, le Rhône à Véneray
En bas, la Côte Rôtie et ses murs de pierres sèches appelés cheys

CÔTE RÔTIE

S'étendant sur les communes de Saint-Cyr-sur-le-Rhône et Tupin-et-Semons, le vignoble de la Côte Rôtie s'étend sur trois kilomètres de long sur la rive droite du Rhône. C'est la zone la plus septentrionale des Côtes du Rhône.

Le vignoble, tellement pentu que la vigne pousse sur des terrasses soutenues par des murets de pierre, se répartit en deux zones selon le sol : la côte blonde et la côte brune. Selon la légende, le seigneur Maugiron d'Ampuis aurait cédé un vignoble à chacune de ses filles, blonde et brune. C'est leur caractère qui aurait continué à se refléter sur les vins.

La première, sur un sol de type marno-crayeux, produit des vins souples, dynamiques dans leur jeunesse.

La seconde, dont le sol est plus glaiseux, avec une pointe d'oxyde de fer, donne des vins plus robustes et vieillissant mieux. Cependant, on a tendance à assembler les deux côtes pour obtenir à partir du syrah (ou sérine), que vient adoucir un peu de viognier (20% maximum), un beau rouge, assez alcoolique, charnu, très capiteux et très riche, avec un beau bouquet où la framboise et la violette s'unissent. La production de ce vignoble de 140 hectares est d'environ 6 000 hectolitres. Ampuis, au cœur de la Côte Rôtie, offre un château du XVIᶜ et de bonnes caves de producteurs.

PRINCIPALES PROPRIÉTÉS DE LA CÔTE RÔTIE
DE BOISSEYT
DOMAINE DE BONSERIE
PIERRE BARGE
E. GUIGAL
J. VIDAL-FLEURY
DOMAINE DE VALLOUIT
RENÉ ROSTAING

Condrieu sur les berges du Rhône

CONDRIEU

Appellation contrôlée depuis 1940, son vignoble, surnommé la « côte chérie », s'étend sur 40 hectares et trois départements. Située à une dizaine de kilomètres au sud de Vienne, sur la rive droite du Rhône, l'aire d'appellation, outre la commune de Condrieu (Rhône), concerne Limony (Ardèche), Chanay, Malleval, Saint-Michel, Saint-Pierre-de-Bœuf et Vérin (Loire).

On raconte que ce sont les bateliers du Rhône qui auraient amené les premiers cépages viognier ou viognier doré. Le viognier nécessite un bon ensoleillement et des pentes bien orientées.

Sur un sol granitique, cette région donne un vin blanc très parfumé, au goût de terroir marqué.

Vendangé tard, mis en bouteilles après l'hiver, il donne alors un vin moelleux.

Laissé en fûts pendant un an et demi environ, il poursuivra sa fermentation.

Cela donnera un vin « sec », doux et souple, racé et bouqueté, développant des arômes de fruits à maturité. Il se boit jeune et frais. La production est modeste, elle n'atteint pas les 2 000 hectolitres.

CHÂTEAU-GRILLET

Au cœur de Condrieu, sur des sols granitiques, s'élèvent les vignes de Château-Grillet. Son AOC date de 1936. Cette minuscule appellation, dont l'aire de production ne dépasse pas les 3 hectares, offre une production confidentielle d'une centaine d'hectolitres. Les heureux et rares dégustateurs de ce vin blanc issu du viognier découvriront un vin exceptionnel, proche du Condrieu, mais d'une finesse étonnante. Vieilli dans de superbes caves médiévales restaurées à la Renaissance, le Château-Grillet est un vin qui se garde fort bien et qui fait merveille aussi bien avec le foie gras que le caviar.

PHILIPPE FAURY
42410 CHAVANAY
CONDRIEU APPELLATION
CONTRÔLÉE

HERMITAGE

C'est un seigneur, devenu ermite, qui a laissé ce nom à ce cru des Côtes du Rhône. En effet, le chevalier Gaspard de Sterimberg, au retour de la croisade contre les Albigeois (1202-1213), décide de se retirer dans ce lieu isolé, histoire de méditer sur ses fautes et autres méfaits commis durant sa vie guerrière. Quittant l'épée pour la charrue et la houe, il cultive ce coteau escarpé développant la vigne de chiraz, tout juste arrivée du Proche-Orient. Les vallées des Bessards et Greffieux sont plutôt orientées vers le rouge et la vallée des Murets, vers le blanc.

On cultive le cépage syrah auquel on peut adjoindre, dans la limite de 15%, les cépages blancs de roussanne et de marsanne. Les autres lieux-dits les plus connus sont notamment Méal, Rocoule, Beaume et Maison-Blanche.

La tendance à consommer jeunes les vins de l'Hermitage a modifié les métho-

La cave de Tain l'Hermitage

des de vinification. Traditionnellement, après la fermentation, le vin reste plusieurs semaines en cuve afin d'augmenter ses tanins, puis vieillit trois ou quatre ans en fût de chêne avant d'être mis en bouteilles. Le vin rouge y gagne en rondeur, mais le vin blanc y perd sa fraîcheur (acidité).

Sa robe est sombre, rouge violacé. Son nez est très expressif, dégageant des notes de fruits rouges (cassis, mûre) avec des nuances de violette et de tabac. Velouté, généreux, riche au palais, c'est un vin de

grande classe qui vieillit lentement. Il donne sa plénitude au bout de dix ans de cave environ. Les vins blancs dégagent un bouquet floral et végétal avec quelques nuances de fruits secs.

CROZES-HERMITAGE

Bénéficiant de la renommée de son grand voisin, l'appellation s'est considérablement étendue depuis 1952 (AOC en 1937) et atteint un millier d'hectares, sur des terrains granitiques et caillouteux répartis sur les communes de Serves, Érôme, Gervans, Larnage, Crozes-Hermitage, Mercurol, Chanos-Curson, Beaumont-Monteux, La Roche-de-Glun, Pont de l'Isère. Sa production globale atteint les 50 000 hectolitres dont 10% en vins blancs.

Produit avec du syrah pour les rouges, de la roussane et de la marsanne pour les blancs, les Crozes-Hermitage gardent un peu le même caractère que leur grand frère, sans avoir les mêmes capacités.

Les rouges sont solides et harmonieux. Ils exhalent des parfums fruités (fruits rouges – cerise, mûre) avec une bouche riche et de bonne longueur. Les Crozes-Hermitage se boivent dans les cinq ans.

Les blancs sont secs et frais. Leur nez est fruité avec quelques notes florales. C'est un vin typé, plaisant, équilibré, agréable à consommer immédiatemment.

DOMAINE DES ENTREFAUX
26600 TAIN L'HERMITAGE

A gauche, Tain l'Hermitage

215

LES CÔTES DU RHÔNE

*Le vignoble de Cornas et
le village de Saint-Péray*

PIERRE COURSODON
07300 MAUVES

**PRINCIPALES PROPRIÉTÉS
DE SAINT-JOSEPH**
PIERRE GONON
PHILIPPE FAURY
DOMAINE DE MONTEILLET
CAVE DE SAINT-DÉSIRAT
DOMAINE BERNARD GRIPA
GUY VEYRIER

SAINT-JOSEPH

S'étalant tout le long de la rive droite de la vallée du Rhône, depuis le département de la Loire jusqu'à quelques kilomètres de Valence, l'appellation Saint-Joseph (A0C 1956) couvre 500 hectares et le territoire de vingt-deux communes ardéchoises. Les terroirs sont variés avec des microclimats qui influencent les productions locales.

Les vins rouges (syrah) sont relativement corsés, colorés et surtout fruités avec des arômes de fruits rouges, framboise et cassis. Le nez est fin avec parfois des nuances boisées.

Agréables durant leur jeunesse, ils acquièrent une intéressante plénitude quelques années plus tard.

Les blancs, faits avec des raisins cueillis précocement (roussanne, marsanne), sont nerveux et très frais.

Les robes sont jaune clair avec des nuances de vert. La bouche est fine et complexe, offrant des notes de fruits secs, amandes et noisettes.

Serrières, qui ouvre l'appellation Saint-Joseph, évoque non pas les vins, mais l'eau, avec son intéressant musée des mariniers du Rhône.

L'appellation commence à partir du village de Limony et se poursuit sur la rive gauche du Rhône, au-delà de Tournon, jusqu'à Châteaubourg.

CORNAS

Cornas est un tout petit vignoble de 75 hectares qui produit environ 3 000 hectolitres par an (AOC 1938).

Ce vin à la robe très sombre, apprécié de Charlemagne et qualifié par Louis XV de « très beau vin noir », est issu du syrah.

Très tannique, dur à la naissance, il devient plus souple en vieillissant. Il recèle une tendresse insoupçonnée accompagnée d'une belle puissance qu'il développe en vieillissant.

SAINT-PÉRAY

Une cinquantaine d'hectares pour cette appellation qui remonte à 1936. Ce petit vignoble produit des vins blancs secs à partir de cépages roussanne et marsanne, sur des sols marno-calcaires. Il donne des vins fins, légers, délicats, exhalant un bon bouquet avec un agréable arôme de violette.

Depuis un siècle déjà on a mis en application la méthode champenoise. Cela donne d'excellents Saint-Péray mousseux, corsés et dorés, que certains n'hésitent pas à placer juste derrière le Champagne.

Ci-dessus, le vignoble de Cornas

*A droite, la statue de Saint-Joseph
qui domine Tournon*

**PRINCIPALES PROPRIÉTÉS
DE CORNAS**
AUGUSTE CLAP
ROBERT MICHEL
MARCEL JUGE

**PRINCIPALES PROPRIÉTÉS
DE SAINT-PÉRAY**
CAVES CHABOUD
EARL DU BIGUET-CAVE THIERS
DARONA PÈRE ET FILS
G.A.E.C. DU BIGUET

217

LES CÔTES DU RHÔNE

CHÂTEAU REDORTIER
84190 BEAUMES-DE-VENISE

En haut et ci-dessous, le vignoble de Rasteau
En bas, le vignoble de Beaumes-de-Venise

RASTEAU

Situé au cœur du Vaucluse, cet AOC, dont l'origine remonte à 1944, s'étend sur moins de 200 hectares parmis les terrasses alluviales de l'Aigues et l'Ouvèze et la terrasse d'argile rouge de Rasteau, riche en galets roulés de quartz et de calcaire. Produit également sur les communes de Sablet et Cairanne, le Rasteau est fait presque uniquement avec un cépage grenache (minimum 90%), noir, gris ou blanc. C'est un vin doux naturel, ou vin viné. Pour arrêter la fermentation on utilise le principe du mutage, c'est-à-dire que l'on ajoute de l'alcool au moment de la fermentation, ce qui a pour résultat de la stopper. Il restera donc une importante partie de sucre non transformée en alcool.

Ces vins sont forts en alcool et doux au palais. Titrant 21,5°, ces vins d'apéritifs, de dessert ou choisis pour accompagner le foie gras, peuvent être rouges ou ambrés. Ils s'améliorent encore en vieillissant, c'est pourquoi on garde le Rasteau doré de trois à huit ans, et le Rasteau rouge plus de dix ans. Par ailleurs la commune produit des Côtes du Rhône et des Côtes du Rhône-Villages (portant la mention Rasteau) en rouge, rosé et blancs.

BEAUMES-DE-VENISE

Même principe pour la région de Beaumes qui a repris depuis une quinzaine d'années la production de vins doux naturels et d'un vin de liqueur à partir du cépage muscat à petits grains ou muscat de Frontignan. Robe dorée, finesse, suavité et bouquet bien marqué sont les caractéristiques de ce vin d'apéritif très apprécié des papes autrefois. Les vignerons produisent également des Côtes du Rhône portant la mention Beaumes-de-Venise, servis dans une bouteille dite vénitienne, spécialement créée à cet effet.

VACQUEYRAS

Cette appellation est toute jeune puisqu'elle ne date que de 1990. Le cépage grenache est ici dominant et il entre au minimum pour moitié dans la composition de rouges généreux, accompagné principalement par le syrah et le mourvèdre et complété par les autres cépages des Côtes du Rhône.

Il s'en produit environ 28 000 hectolitres par an. Les blancs, élégants, sont principalement issus de cépages clairette, grenache blanc, bourboulenc, avec un peu de marsanne, viognier et roussanne. Leur production est très modeste. Puissants, bien bouquetés, les Vacqueyras ont une teneur alcoolique d'au minimum 12°5 pour les rouges, et 12° pour les blancs et rosés.

GIGONDAS

Entouré au nord par la région de production du Rasteau, au sud par celle de Beaumes-de-Venise, à l'est du Vacqueyras, le vignoble de Gigondas accroche ses pieds sur les flancs escarpés des célèbres Dentelles de Montmirail (barres de calcaires jurassiques verticales).

C'est une région productrice très ancienne, déjà citée par le naturaliste Pline l'Ancien. Elle connut d'autres bonnes fortunes avec les moines vignerons puis la protection des évêques d'Orange.

Aujourd'hui, elle produit à peu près 40 000 hectolitres d'un vin rouge et un peu de rosé issu essentiellement de grenache noir (65%), syrah, mourvèdre et cinsault (25%), complétés par des cépages Côtes du Rhône.

Puissants, bien charpentés, corsés, ces vins à l'élégante robe pourpre savent donner le meilleur d'eux-mêmes en vieillissant quelques années en fûts de chêne, à tel point que l'on n'hésite pas à les comparer aux vins de Châteauneuf-du-Pape.

PRINCIPALES PROPRIÉTÉS DE GIGONDAS
DOMAINE DES BOSQUETS
CHÂTEAU DE MONTMIRAIL
CHÂTEAU DU TRIGNON
DOMAINE LES TOURELLES
DOMAINE RASPAIL-AŸ

PRINCIPALES PROPRIÉTÉS DE VACQUEYRAS
DOMAINE LA FOURMONE
DOMAINE DES AMOURIERS
DOMAINE DE MONTVAC

En haut, le village de Gigondas
En bas, le vignoble de Vacqueyras

SÉGURET

Accroché au flanc d'une colline dominée par la tour de l'ancien château, le village médiéval de Séguret est entouré d'un vignoble couvrant 800 hectares. La tradition vinicole est ancienne, sans doute romaine. Mais la période la plus riche fut celle du Comtat venaissin, au XIIᵉ siècle, où le comte de Toulouse exploitait des vignes sur le territoire de la commune.

Plantés sur les coteaux et terrasses dominant la vallée de l'Ouvèze, les cépages traditionnels des Côtes du Rhône fournissent des vins capiteux et parfumés.

Classé comme l'un des plus beaux villages de France, Séguret a gardé son charme moyenâgeux avec ses portes fortifiées, ses étroites ruelles pavées et ses maisons anciennes. Il accueille aujourd'hui des ateliers artisanaux et un centre d'art plastique.

La cité est le siège de la Confrérie des Chevaliers du Gouste Séguret qui tient deux chapitres d'intronisation par an, en janvier et juillet.

PRINCIPALES PROPRIÉTÉS DE SÈGURET
DOMAINE DU PETIT QUINQUIN
DOMAINE DE SOMMIER
DOMAINE DE L'AMANDINE
DOMAINE DE JEAN DAVID

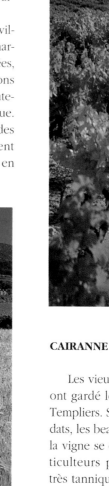

CAIRANNE

Les vieux villages de Cairanne et Roaix ont gardé le souvenir de la présence des Templiers. Sous l'influence des moines soldats, les beaux coteaux de Cairanne ont vu la vigne se développer. Aujourd'hui les viticulteurs produisent toujours des vins très tanniques, vigoureux, qui demandent souvent un certain vieillissement. Chargés de promesses, équilibrés, les Cairanne offrent des sensations de fruit et des arômes de poire et d'épices.

**Principales propriétés
de Cairanne**
Domaine de l'Ameillaud
Domaine Rabasse Chavarin
Castel Mireio
Domaine de la présidente
Domaine du Grand Chêne
Domaine Richaud
Domaine Brusset

*A gauche et ci-dessus, le vignoble et le village
de Séguret*

En haut et ci-dessus, le vignoble de Cairanne

CHÂTEAU DE BEAUCASTEL
84350 COUTHEZON

**PRINCIPALES PROPRIÉTÉS
DE CHÂTEAUNEUF-DU-PAPE**
DOMAINE PAUL AUTARD
DOMAINE BOSQUETS DES PAPES
DOMAINE CLOS DU CAILLOU
DOMAINE DURIEU

CHÂTEAUNEUF-DU-PAPE

Ce vignoble s'étend sur plus de 3 000 hectares, entre Orange et Avignon, sur le territoire de cinq communes : Orange, Bédarrides, Courthézon Sorgues et Châteauneuf-du-Pape. Il doit son nom aux papes français qui ont fait de cette dernière ville leur résidence principale, puis leur capitale.

On raconte que Jean XXII était un amateur de Beaune et qu'il fut le premier à planter de la vigne dans ce bourg qui s'appelait alors Châteauneuf-Calcernier. Né à Cahors, ce second pape avignonnais voulut doter cette résidence secondaire d'un vignoble bien à elle où il faisait, récolte d'excellents vins.

Les grandes familles suivirent peu à peu cet exemple. Au XVIIIᵉ siècle, le vignoble connaissait sa plus grande extension, l'appellation devenant célèbre. Au XIXᵉ siècle les grands propriétaires décidèrent de codifier les conditions de production pour améliorer la qualité.

De ce très riche passé, la cité a gardé les vestiges de l'ancienne résidence des papes, un majestueux château de solide allure bâti au XIVᵉ siècle, et de nombreuses demeures construites par les familles nobles.

Le sol est un terrain alluvial d'argile rouge avec un cailloutis roulé par le Rhône au quaternaire. Ces galets captent la chaleur le jour et la restituent la nuit.

La richesse des cépages laisse à chaque vigneron la possibilité d'adapter ses assemblages en fonction des terroirs. Le grenache, dominant autrefois, s'est fait supplanter par des cépages plus « riches » comme le syrah, le mourvèdre ou le muscadin.

Les vendanges sont faites avec un soin particulier, puisque après la cueillette on trie et on élimine les raisins abîmés ou pas assez mûrs, le « râpé ». Quant à la vinification, elle fait l'objet d'une attention particulière (longue cuvaison et un vieillissement en fûts).

La production atteint les 100 000 hectolitres dont 90% en rouge.

Capiteux, puissants, légèrement épicés, les Châteauneuf-du-Pape sont dotés d'une belle robe rouge sombre mais éclatante.

Leur nez est puissant, riche et complexe, on y trouve des notes fruitées, boisées et poivrées. Leur bouche est concentrée, aromatique, assez longue, avec des tanins puissants en finale. Bien alcoolisés, ils vieillissent avec beaucoup d'art.

Les blancs, peu nombreux, offrent un beau bouquet aromatique et floral, accentué par une richesse alcoolique peu courante. La production pour ces vins blancs atteint les 6 500 hectolitres.

En haut, le Château des Fines Roches
Vues du vignoble de Châteauneuf-du-Pape

CLOS DES PAPES PAUL AVRIL
84230 CHÂTEAUNEUF-DU-PAPE

DOMAINE DE BEAURENARD
PAUL COULON ET FILS
84230 CHÂTEAUNEUF-DU-PAPE

TAVEL

Ce célèbre rosé qui s'exporte dans tous les continents est souvent considéré comme le meilleur du monde. Le roi Philippe-Auguste était déjà un grand amateur, François Ier en avait fait l'un de ses vins favoris et Ronsard le célébrait dans ses écrits.

Implanté sur la rive droite du Rhône, à quelques kilomètres de Châteauneuf-du-Pape et d'Avignon, le vignoble de Tavel atteint les 880 hectares et produit plus de 40 000 hectolitres de vin.

Dans sa composition entrent principalement le cépage grenache (60% maximum), le cinsault (15% minimum), le syrah (pour la couleur) et du mourvèdre (pour le corps). On peut également y trouver picpoul, clairette blanche et clairette rouge, bourboulenc, ainsi que du carignan. C'est un vin fruité, très corsé, gouleyant, titrant au-delà de 12°.

PRINCIPALES PROPRIÉTÉS DE TAVEL
DOMAINE MABY
DOMAINE DU DEVOY
DOMAINE DE LA GENESTIÈRE
LES VIGNERONS DE TAVEL
DOMAINE DE LA MORDORÉE
CHÂTEAU D'AQUÉRIA

Ci-contre et ci-dessus, le vignoble de Tavel

LIRAC

Situé au nord de Tavel, les coteaux secs et cailouteux accueillent l'appellation Lirac (AOC 1947). Sont inclus dans l'appellation les communes de Saint-Laurent-des-Arbres, Saint-Géniès-de-Comolas et Roquemaure. On retrouve les mêmes cépages que pour le rosé voisin, avec en plus l'ugni blanc et le maccabéo. Les Lirac rosés développent leur propre caractère. Les vins rouges sont parfumés, puissants et harmonieux.

**PRINCIPALES PROPRIÉTÉS
DE LIRAC**
DOMAINE DES CARABINIERS
DOMAINE DUSEIGNEUR
CHÂTEAU DE BOUCHASSY
CHÂTEAU DE SÉGRIÈS

DOMAINE DE CASTEL-OUALOU
30150 ROQUEMAURE

Ci-dessus, le vignoble de Lirac

Ci-dessus, une maison vigneronne de Lirac

225

LES CÔTES DU RHÔNE

CÔTES DU RHÔNE

L'appellation Côtes du Rhône (1937) représente environ 40 000 hectares, couvre 163 communes dans six départements : Ardèche, Drôme, Gard, Loire, Rhône et Vaucluse. Elle n'utilise pas moins de vingt-trois cépages dont les principaux sont : syrah, clairette, cinsault, mourdrève, roussette, picpoul, roussanne, marsanne, terret noir, picardan, viognier, bourboulenc, etc.

Bien que l'on puisse assembler les vins issus des deux régions, c'est la région méridionale qui est la grande productrice de Côtes du Rhône simple. L'ensemble de cette appellation produit plus de deux millions d'hectolitres de vin par an. Ce sont des vins rouges assez corsés, fruités et agréables à boire durant leur jeunesse.

Les Côtes du Rhône primeurs qui sortent des chais à la mi-novembre connaissent un bel engouement dans le public et figurent au deuxième rang de ce type d'appellation derrière le Beaujolais.

PRINCIPALES PROPRIÉTÉS DES CÔTES DU RHÔNE
DOMAINE DES GRANDS DEVERS
DOMAINE
MARTIN DE GRANGENEUVE
DOMAINE DU GROS-PATA
DOMAINE LA CHARADE
DOMAINE LA SOUMADE
CAVE DES VIGNERONS
DE RASTEAU
DOMAINE RIGOT
DOMAINE BEAU MISTRAL
DOMAINE BOISSON
DOMAINE DE DEURRE
DOMAINE DE FENOUILLET

En haut, l'arc de triomphe d'Orange
En bas, un village des Côtes du Rhône

RENÉ SINARD
84600 LES RENÉ VALRÉAS

CÔTES DU RHÔNE-VILLAGES

Certaines entités géographiques qui offrent de meilleures possibilités en qualité de production ont obtenu une appellation particulière. C'est ainsi qu'entre 1953 et 1979, on dénombra vingt-six communes qui obtinrent l'autorisation de s'appeler Côtes du Rhône-Villages.

Ce sont, dans le département de la Drôme, les communes de Rochegude, Saint-Maurice-sur Eygues, Vinsobres, Rousset-les-Vignes, Saint-Pantaléon-les-Vignes ; dans le département du Vaucluse, Valréas, Visan, Roaix, Rasteau, Cairanne, Séguret, Sablet, Vacqueyras, Beaumes-de-Venise ; enfin, dans le Gard, Saint-Gervais, Chusclan, Laudun.

Depuis 1984, cinquante-quatre autres communes ont pu bénéficier de l'appellation « Villages » sur leur territoire, moyennant l'emploi de cépages nobles. Suivant leur zones de production les Villages se caractérisent différemment.

En général, on estime que la Drôme offre des vins fruités, souples, riches en arômes, destinés à être bus jeunes avec une exception comme le Vinsobres, plus charnu et qui ne demande qu'à vieillir.

Dans le Vaucluse, ce sont des vins tanniques, puissants, corsés, qui acceptent d'attendre quelques années pour offrir une palette plus riche.

Sur l'autre rive du Rhône, dans le Gard, Chusclan regroupe le territoire de cinq communes qui offrent un rosé très fruité, riche en alcool et en parfum avec des effluves d'acacia et de prune, déjà présent sur la table de Louis XIV.

La ville de Laudun, située quelques kilomètres plus au sud, était connue des rois. Henri IV en appréciait son vin blanc, issu principalement de la clairette et du bourboulenc.

L'appellation Laudun représente trois communes qui produisent également des rosés fruités et des rouges (grenache, mourvèdre, syrah,) fins et charnus.

**PRINCIPALES PROPRIÉTÉS
DES CÔTES DU VIVARAIS
ET DES COTEAUX
DU TRICASTIN**
DOMAINE GALLETY
UNION DES PRODUCTEURS
LES CHAIS DU VIVARAIS
CHÂTEAU LA DÉCELLE
DOMAINE DE MONTINE
DOMAINE SAINT-LUC

Ci-dessus, le village de La Garde-Adhémar

*Ci-dessus et ci-contre, vues des vignobles nichés
au fond des gorges de l'Ardèche*

228

En haut, les coteaux du Tricastin

LES CÔTES DU VIVARAIS

Faisant une transition avec les Côtes du Rhône méridionales, les Côtes du Vivarais (VDQS 1962) s'étendent sur les plateaux calcaires de l'Ardèche, sur la rive droite du Rhône.

Le vignoble est planté de cépages classiques des Côtes du Rhône (grenache, cinsault, mourvèdre, picpoul, syrah, bourboulenc, clairette, ugni blanc...).

Seuls les cépages accessoires aubun et carignan sont limités à un maximum de 40%. Ils donnent des vins rouges, rosés et blancs, frais et fruités, titrant 10,5° minimum. En raison d'un encépagement plus rigoureux et d'un degré alcoolique plus élevé (11°), certaines communes bénéficient de la mention de leur cru sous l'appellation Côtes du Vivarais : Orgnac, Saint-Montant et Saint-Remèze.

LES COTEAUX DU TRICASTIN

Au sud de Montélimar, couvrant plus de 2 000 hectares, les coteaux du Tricastin furent tout d'abord classés VDQS en 1964 puis AOC en 1973.

Leur origine est ancienne et d'après l'historien Gérard Debuigne, ce sont les Phéniciens qui implantèrent les premiers pieds de vigne. Ils furent suivis par les Romains qui colonisèrent la tribu gauloise des Tricastini.

Ces derniers implantèrent un lieu de culte dédié à Bacchus sur la montagne de Donzère et longtemps les vins s'appellèrent vins de Donzère. Abandonnés après les ravages du phylloxéra, ils reprirent vie avec des viticulteurs rapatriés d'Algérie.

Sur un sol fait d'argile rouge parsemé de calcaire et de cailloutis, ils élèvent les cépages traditionnels des Côtes du Rhône qui donnent des rouges fruités, bien séveux et assez fins. Les blancs, plus rares, sont secs et agréablement parfumés.

CAVE VERGOBBI
26290 LES GRANGES GONTARDES

LES CÔTES DU RHÔNE

Le village de Gordes

JACQUES FAURE
26340 VERCHENY

CLAIRETTE DE DIE

Dans la Drôme, le long de l'affluent du Rhône, s'étend la région du Diois où l'on produit du vin depuis l'Antiquité. Pline, dans son *Histoire naturelle,* raconte qu'il préfère ce « vin doux vraiment naturel » aux vins adoucis au miel et parfumés aux baies. Et d'expliquer que les Gallo-Romains de Dea Augusta (la ville de Die), qui aiment ce vin mousseux, ont découvert le moyen de limiter la fermentation en refroidissant les moûts dans des fûts plongés au fond de la rivière et ce, jusqu'au gel.

Sur des terrains issus des marnes jurassiques, terres noires et lourdes, le cépage muscat se sent à l'aise. Il est lié au cépage clairette qui apporte sa grande légèreté et sa fraîcheur.

Pour produire le vin effervescent, on emploie aussi bien la méthode champenoise avec addition de liqueur de tirage et prise de mousse pendant neuf mois, que la méthode dioise traditionnelle avec fermentation à base de sucre naturel et prise de mousse pendant quatre mois.

Le goût du muscat est ainsi plus marqué. Cette Clairette porte alors la mention « Tradition ».

Les mousseux réalisés avec 100% de raisin clairette (méthode champenoise) prennent l'appellation « Brut ». Il existe également des vins tranquilles, moelleux, au goût de muscat assez marqué.

CÔTES DU VENTOUX

Les vignobles du mont Ventoux dominent tout le paysage de la région du Vaucluse allant de la limite des Barronies au pays d'Apt. Sur près de 7 000 hectares, les vignerons ont développé des vins qui se sont bien améliorés, passant du classement VDQS à celui de l'AOC en 1973.

On retrouve, là encore, les habituels cépages des Côtes du Rhône, dont certains sont limités en proportion (carignan, moins de 30%). Les vins rouges peuvent être tanniques et charpentés, quand les vignes sont bien exposées, ou commercialisés sous forme de primeur ou vins de carafe quand ils sont trop légers.

CÔTES DU LUBERON

Entre le Calavon et la Durance s'élève la montagne du Lubéron. Accroché à ses flancs les vignobles des Côtes du Lubéron ont gagné régulièrement en qualité : VDQS en 1951, ils sont désormais AOC depuis 1988. Les cépages principaux sont pour les rouges, le grenache et le syrah (50% maximum ensemble), le cinsault et le carignan. Pour les blancs, l'ugni blanc (moins de 80%), le grenache blanc, la clairette, le bourboulenc, le vermentino.

Les vins rouges, à la robe rubis, sont agréables, légers et se boivent jeunes. Les blancs sont plus recherchés pour leur finesse, leur fraîcheur.

COTEAUX DE PIERREVERT

L'aire d'appellation de ces vins régionaux est vaste, mais le climat montagneux nuit à un développement du vignoble. En fait celui-ci s'est regroupé sur la rive droite de la Durance, autour de Manosque et Pierrevert. VDQS depuis 1959, les Coteaux de Pierrevert, rosés, rouges ou blancs, sont des vins légers, tendres, vifs et agréables.

Vignes du Lubéron

**PRINCIPALES PROPRIÉTÉS
DES CÔTES DU VENTOUX**
DOMAINE DES ANGES
DOMAINE TROUSSEL
DOMAINE TENON
DOMAINE DE LA VERRIÈRE
CAVE DE LUMIÈRES

**PRINCIPALES PROPRIÉTÉS
DES CÔTES DU LUBÉRON**
CHÂTEAU DE L'ISOLETTE
CHÂTEAU DE MILLE
DOMAINE DE FONTENILLE
DOMAINE MAYOL
CHÂTEAU LA CANORGUE

*L*e Languedoc-Roussillon, par sa
superficie et sa production, est
la seconde région de France en vin
d'AOC, la première en vin de pays
avec 70% de la production
nationale. Il s'étend sur quatre
départements, de la Camargue à
la frontière espagnole, et autour
du golfe du Lion : les Pyrénées-
Orientales (l'ancienne province
du Roussillon), l'Aude, l'Hérault
et le Gard. Cette vaste entité,
avec 380 000 hectares de vignes,
représente, à elle seule, 38%
du vignoble français.

*Devant la cité de Carcassonne s'étend le vignoble
des Corbières*

GARD

Hérault

Vidourle

Gard

Vistre

Rhône

● Claret

● Pic-St-Loup

Nîmes ●

Beaucaire ●

St-Christol ●

COSTIÈRES
De
NÎMES

CLAIRETTE
DE BELLEGARDE

● Montpeyroux

● Saint-Saturnin

St-Drézery ●

● Vérargues

Petit Rhône

● St-Gilles

Arles ●

MUSCAT
DE LUNEL

Lergue

HÉRAULT

CLAIRETTE
DU
LANGUEDOC

St-Georges-
D'Orques ●

● Montpellier

Aigues-
Mortes ●

Cabrières ●

Olargues ●

FAUGÈRES

COTEAUX
DU LANGUEDOC

MUSCAT
DE MIREVAL

● Roujan

● Montagnac

MUSCAT DE
FRONTIGNAN

St-Chinian

● St-Chinian

MUSCAT
DE ST-JEAN-
DE-MINERVOIS

PICPOUL DE PINET

Florensac ●

● Sète

Cesse

Mas-Cabardès ●

MINERVOIS

● Olonzac

Conques-
s-Orbiel ●

● Ginestas

Orb

● Béziers

Canal du Midi

Carcassonne ●

Lézignan ●

● Narbonne

LA CLAPE

CÔTES DE
LA MALEPÈRE

Orbieu

CORBIÈRES

Berre

St-Hilaire ●

Limoux ●

● Durban

BLANQUETTE
DE LIMOUX

Monthoumet ●

FITOU

FITOU

AUDE

Verdouble

Tuchan ●

CÔTES DU
ROUSSILLON
VILLAGE

● Leucate

Aude

MAURY

Latour-
de-France ●

● Rivesaltes

CÔTES
DU
ROUSSILLON

Millas ●

Perpignan ●

● Canet-en-
Roussillon

Prades ●

Thuir ●

RIVESALTES

Têt

PYRÉNÉES-
ORIENTALES

● Port-Vendres
COLLIOURE
BANYULS

Tech

● Ceret

LES APPELLATIONS

LANGUEDOC

COTEAUX DU LANGUEDOC

Cette appellation qui s'étend sur près de 6 500 hectares produit environ 300 000 hectolitres de vin rouge et 30 000 hectolitres de vin blanc. Elle concerne 34 communes et 12 terroirs. Ces derniers ont la possibilité d'ajouter leur nom à l'appellation régionale : Saint-Christol, Cabrières, la Méjanelle, Montpeyroux, Pic Saint-Loup, Saint-Drézery, Vérargues, Saint-Georges d'Orques, Saint-Saturnin, Quatourze, La Clape et Picpoul-de-Pinet.

LES AUTRES APPELLATIONS

Clairette du Languedoc, Faugères, Costières de Nîmes, Clairette de Bellegarde, Muscat de Lunel, Muscat de Mireval, Frontignan, Saint-Chinian, Muscat de Saint-Jean-de-Minervois, Minervois, Blanquette de Limoux, Crémant de Limoux, Corbières, Côtes du Cabardès et de l'Orbiel (VDQS), Côtes de la Malepère (VDQS), Fitou (AOC).

ROUSSILLON

Huit appellations se partagent le département des Pyrénées-Orientales : Côtes du Roussillon, Côtes du Roussillon-Villages, Collioure, Rivesaltes, Muscat de Rivesaltes, Maury, Banyuls et Banyuls Grand Cru.

RANCIO

Certains vins doux naturels vieillis en fûts de chêne peuvent porter le qualificatif de « Rancio ».

Ils possèdent une belle couleur ambrée et offrent des arômes très fins.

LES CÉPAGES

CARIGNAN, CINSAULT, CLAIRETTE, GRENACHE, LLADONER PELUT, MACCABÉO, MAUZAC, MOURVÈDRE, MUSCAT, PICPOUL, SYRAH, TERRET.

LA GASTRONOMIE

CAILLES VIGNERONNES AU BANYULS
MOULES FARCIES SÉTOISES
BOURRIDE
BRANDADE DE NÎMES
AÏGO BOUÏDO
PERDREAU À LA CATALANE
CARGOLADE

À SERVIR

VINS DOUX NATURELS : 8° À 10°C
VINS DE PRIMEUR : 10° À 12°C
BLANQUETTE : 6° À 8°C
ROUGES : 14° À 16°C
BLANCS : 8° À 10°C

Ce très vieux vignoble qui couvre le Gard, l'Hérault et l'Aude fut implanté par les Grecs dans la région d'Agde, au IVe siècle avant J.-C. Essentiellement localisée en Narbonnaise, son expansion, comme celle de l'olivier, est due à la colonisation romaine. A la chute de l'Empire ce furent les moines de l'abbaye de Saint-Chinian qui, dès le Haut Moyen-Age, prirent le relais. L'histoire du vignoble languedocien fut alors marquée par deux événements :

– Au XVIIe siècle eut lieu l'ouverture du canal du Midi qui reliait la Méditerranée à l'Atlantique, provoquant ainsi la confrontation des vins languedociens avec le bastion bordelais.

– En 1868, l'invasion du phylloxéra détruisit la quasi-totalité du vignoble. Il fut replanté en carignan, cépage très productif mais de piètre qualité. L'arrivée du chemin de fer allait transformer cette région en énorme réservoir de vin de table français,

Ci-contre, la chapelle Saint-Aubin-du-Pla, datant du XIe siècle, à Fitou

situation qui dura jusqu'à la fin des années soixante-dix lorsque les vignerons languedociens accomplirent une véritable révolution copernicienne. Nouvel encépagement qui, tout en conservant les traditionnels grenache et carignan, s'orienta vers la qualité : syrah, mourvèdre, pour les rouges, roussanne, marsanne et rolle pour les blancs ; nouvelles méthodes de vinification avec des macérations carbonique et pelliculaire et, surtout, diminution des rendements limités à 50 hl/ha.

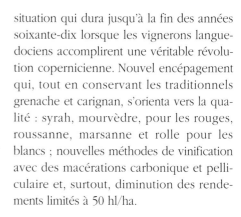

En haut, les parcs à huîtres du bassin de Thau
Ci-dessus, les terres arides du lac Saligou

Ci-desssus, le terroir fertile des Coteaux
du Languedoc

LE LANGUEDOC-ROUSSILLON

**PRINCIPALES PROPRIÉTÉS
DES COSTIÈRES DE NÎMES**
CHÂTEAU FONTEUIL
CAVE DE GALLICIAN
CHÂTEAU DE ROZIER
DOMAINE DE L'AMARINE
CHÂTEAU LAMARGUE
CHÂTEAU DE VALCOMBE
DOMAINE DU VIEUX RELAIS
CHÂTEAU DE CAMPUGET
CHÂTEAU ROUBAUD
CHÂTEAU DE BELLE COSTE
CHÂTEAU BEAUBOIS

Saint-Gilles

Le vignoble de Pinet

COSTIÈRES DE NÎMES

Dans l'ouest du Languedoc, les Costières de Nîmes rappelleraient davantage les Côtes du Rhône ! N'est-on pas à 60 km d'Avignon, sur un vignoble limitrophe de Tavel et de Lirac ? La majorité des vignes se regroupant autour de Nîmes, leur ancienne dénomination de Costières du Gard a été abandonnée en 1986. Avec un potentiel de 28 000 hectares, seuls, 4 000 offrent la garantie de l'AOC.

Ils produisent des blancs, des rosés et surtout des rouges (80 % de la production) à partir du grenache et du syrah, auxquels s'ajoutent le carignan, le mourvèdre et le cinsault.

COTEAUX DU LANGUEDOC

Cette appellation régionale recoupe en réalité une dizaine de terroirs répartis sur 120 communes, essentiellement dans l'Hérault, mais également dans l'Aude et le Gard. Cet immense secteur de 50 000 hectares ne classe que 16 000 hectares en vignobles d'appellation, eux-mêmes divisés en une constellation d'appellations locales. La plupart des communes n'ont pourtant droit qu'à la simple appellation Coteaux du Languedoc. Les vins sont obligatoirement des rouges à la robe soutenue, assez légers, fruités et vineux, et des rosés ocre doré plein de fraîcheur.

Ils se déclinent en Coteaux du Languedoc, Corbières, Saint-Christol, Vérargues, Méjanelle, Montpeyroux, Pic-Saint-Loup, Saint Drézéry, Saint-Saturnin, Picpoul-de-Pinet, Saint-Georges-d'Orgues, La Clape, Quatourze. Deux autres AOC, Faugères et Saint-Chinian, font partie de cette entité, quoique leur promotion en AOC, soit bien antérieure à celle des Coteaux du Languedoc.

**PRINCIPALES PROPRIÉTÉS
DES COTEAUX
DU LANGUEDOC**
MAS JULLIEN
BERGERIE DE L'ARBOUS
CAVE DE ST-FÉLIX-DE-LODEZ
DOMAINE DE VIRES
ABBAYE DE VALMAGNE
DOMAINE DE LANGLADE
DOMAINE DE LAMAGUIERE
DOMAINE D'ESPAGNAC

L'église Saint-Gilles

Ci-contre, le vignoble d'Aigues-Mortes
Ci-dessus, le pont du Gard

En haut et à gauche, le vignoble de Cucugnan

Ci-dessus, la forteresse cathare de Quéribus, située entre les villages de Cucugnan et de Maury. Construite aux XIIIe et XIVe siècles, sur un piton rocheux, elle contrôlait les voies de passage du sud des Corbières vers les Pyrénées. Epousant les formes du promontoire, les murs de la citadelle entourent l'imposant donjon.

Ci-dessus, les caves Rocbère

LES CORBIÈRES

Pas de doute, avec des rouges savoureux, tanniques, longs, aromatiques et des blancs qui s'annoncent année après année plus exceptionnels, le massif des Corbières mérite amplement le titre d'AOC auquel il accéda en 1985.

La vigne occupe, du sud-est de Carcassonne jusqu'à la Méditerranée, 42 000 hectares de montagnes arides et de garrigues inondées de soleil, battues par le mistral et le Cers. Au total, 25 000 hectares sont classés en appellation, plantés en syrah, grenache et mourvèdre auxquels se joignent le picpoul noir et le terret noir.

Pour les blancs, aux bourboulenc et maccabéo s'ajoutent maintenant la roussanne, la marsanne et le rolle. La production des Corbières s'élève à plus de 700 000 hectolitres dont plus de la moitié est vinifiée par quelque 57 caves coopératives regroupant environ 9 000 viticulteurs.

Pourquoi alors ne pas emprunter la route du vin des Corbières, en commençant au nord par les marches de l'Alaric ? Elles s'élèvent comme un immense belvédère, montagne mystérieuse dominant la vallée de l'Aude veillant sur ses villages entourés de vignes : Monze, Roquenrégade, Montlaur, Ribaute, Fabrezan, Fontcouverte et tant d'autres encore.

Le vignoble sauvage et accidenté des Corbières

Dans les caves Rochère, un musée expose le matériel viticole utilisé au début du siècle

241

DOMAINE DES JOUGLA
A. JOUGLA
34360 SAINT-CHINIAN

A Camplong d'Aude, petit bourg à la belle pierre ocre bâti sur le piémont est de l'Alaric, la cave coopérative des vignerons de Camplong se distingue par une production de grande qualité, obtenue grâce à une récolte volontairement limitée, une vinification soignée et un vieillissement prolongé en tonneau.

Autre itinéraire, la route des abbayes et des chapelles qui traverse le terroir de Fontfroide, cachant au fond d'un vallon une ancienne abbaye cistercienne de grès rose et ocre reposant dans un havre de grâce et de silence. En parcourant les chemins de garrigue qui sillonnent le massif de Fontfroide, vous êtes au cœur des Corbières centrales, au climat sec, propice aux vins très aromatiques, distingués et longs en bouche.

Il faudrait aussi passer par l'abbaye de Lagrane et suivre la route des Etangs, celle qui traverse Gruissan, Bages, Peyriac-de-Mer, Portel, Sigean, Leucate, offrant ses Corbières maritimes, vins tendres, veloutés et faciles à boire.

Enfin, une dernière route, celle des Citadelles du Vertige, vous fera pénétrer dans le haut pays des Corbières : Durban, Cascastel, Albas, Montgaillard, et Cucugnan immortalisé par le conte d'Alphonse Daudet. Les châteaux de Peyrepertuse, de San Jordy et la forteresse cathare de Quéribus sont des haltes obligées pour déguster des vins bouquetés, tanniques et puissants. Les blancs sont vifs et pleins.

SAINT-CHINIAN — FAUGÈRES

Ces deux appellations, AOC depuis 1982, font partie de la grande famille des Coteaux du Languedoc. Elles couvrent les pentes schisteuses et très caillouteuses du nord-ouest de l'Hérault, sur les hauteurs de Saint-Chinian et de Faugères.

Les vins rouges ou rosés proviennent d'un assemblage de grenache, lladoner pelut, mourvèdre, syrah, avec un carignan omniprésent puisque sa proportion est encore de 50%.

Les rouges originaires des coteaux sont des vins très colorés, amples, puissants, à l'arôme de fruits rouges prononcé. Les rosés sont élaborés par saignée, égouttage ou pressage direct.

Vues du vignoble de Saint-Chinian

**PRINCIPALES PROPRIÉTÉS
DE FAUGÈRES**
DOMAINE DU FRAISSE
CHÂTEAU DE GREZAN
CHÂTEAU DE LA LIQUIÈRE
DOMAINE ROQUE

CHÂTEAU COUJAN
GUY & PEYRE
34490 MURVIEL

*Près de Faugères, le vignoble
s'accroche aux premiers
contreforts des Cévennes*

FITOU

Du Fitou, puissant, charnu, généreux, à la robe rubis foncé, on dit que c'est un vin qui a de l'accent. Ici, dans les Coteaux du Languedoc, il a l'antériorité pour lui. N'a-t-il pas été reconnu AOC en 1948, alors que le reste du vignoble se contentait d'un classement en VDQS ?

Ses 2 000 hectares d'appellation au sud de Narbonne coïncident avec les meilleures communes des Corbières : le secteur des Hautes Corbières au pied du mont Tauch, près de Tuchan, et les Corbières maritimes qui surplombent la Méditerranée et l'étang de Leucate au-dessus du village de Fitou. Les sept caves coopératives qui regroupent la quasi-totalité des vignerons produisent environ 100 000 hectolitres de vins rouges issus des cépages cinsault, mourvèdre, terret noir, maccabéo, syrah et lladoner. A noter également, la production autorisée des vins doux naturels de Rivesaltes.

Le vignoble de Fitou devant l'étang de Leucate

MINERVOIS

Dans l'Aude mais empiétant sur l'Hérault, le vignoble classé AOC du Minervois regroupe une soixantaine de communes sur 4 000 hectares qui s'étendent au pied de la Montagne Noire, dans le nord des Corbières. Pour gagner les premières collines du Minervois, laissez la plaine de Narbonne et, après avoir traversé Aigues-Vives, vous pénétrerez dans un paysage de calcaire jusqu'à Minerve. Ce minuscule village dominant les gorges de la Cesse est en fait la capitale du Minervois où se cachèrent les Cathares. Ses coteaux abritent un très intéressant vignoble exposé plein sud et protégé des vents froids par la Montagne Noire. Ici, l'encépagement est un véritable casse-tête. Pour ces vins rouges à la robe grenat, au bouquet de fruits mûrs et à la saveur si particulière due à la teneur du sol en manganèse (nuance boisée et vanillée), comptez 30% de grenache noir, de lladoner pelut, de syrah, de mourvèdre.

CHÂTEAU DE NOUVELLES
ROBERT DAURAT-FORT
11350 TUCHAN

Dans un site fantastique, le vignoble du Minervois

Le vignoble minervois

CLOS CENTEILLES
P. BOYER-DOMERGUE
34210 SIRAN

CHÂTEAU VILLERAMBERT JULIEN
MARCEL JULIEN
11160 CAUNES MINERVOIS

Le carignan représente encore 60%, et les 10% restants sont un amalgame de cinsault, picpoul noir, terret noir et aspiran noir. Les blancs sont vifs, chaleureux et aromatiques. Ils sont issus du bourboulenc et du maccabéo (50% minimum) avec un complément de grenache blanc, picpoul blanc, clairette, terret blanc, marsanne, roussanne, vermentino.

BLANQUETTE DE LIMOUX

Avec la Blanquette de Limoux, le Languedoc possède son seul vin pétillant provenant du mauzac. Ici, autour de Limoux, de Saint-Hilaire et dans les villages qui jalonnent les petites vallées perpendiculaires à la haute vallée de l'Aude, on l'appelle blanquette à cause du fin duvet blanc couvrant la face inférieure de ses feuilles. C'est au XVIᵉ siècle, à l'abbaye de Saint-Hilaire, que fut utilisé pour la première fois une propriété naturelle du cépage . Les moines avaient constaté que la blanquette mise en cruchon au mois d'avril devenait naturellement pétillante. Il suffisait alors de provoquer un peu la nature du mauzac qui, cultivé en haut des pentes sur des sols cailvouteux où le calcaire domine, donnait des vins de forte acidité, accentuée par une vendange précoce, avant complet mûrissement. On produit ainsi à Limoux, depuis plus de quatre siècles, un vin de blanquette effervescent, la prise de mousse s'opérant par une seconde fermentation en bouteille grâce au sucre naturel demeuré dans le vin après la première fermentation. Cette méthode permet de conserver le fruité de pomme caractéristique du cépage. Aujourd'hui, la Blanquette de Limoux, méthode champenoise, s'obtient avec un minimum de 80% de mauzac soutenu par de la clairette, du chardonnay, voire du chenin pour ses qualités de fraîcheur. La production annuelle s'élève à huit millions de bouteilles par an. Quant au Limoux, c'est un vin tranquille et sec, provenant exclusivement du mauzac.

LE ROUSSILLON

Le Roussillon, qui occupe les limites administratives des Pyrénées-Orientales, est la terre par excellence des Vins Doux Naturels.

Superbe Côte Vermeille qui voit les Pyrénées, après un dernier sursaut au Canigou (2 788 m), s'abîmer en Méditerranée au milieu des vignes de muscat et de grenache.

Au VIIe siècle avant J.-C., les Grecs colonisaient déjà cette terre aride pour y exploiter des mines de fer, celles-là même dont on voit encore les traces sur le Canigou. C'est également eux qui implantèrent la culture de la vigne et de l'olivier.

Quoi de plus naturel pour le Roussillon que d'accorder la couleur de ses vins à celle de ses paysages, avec ces rouges pourpre ou tuile, ces rubis, ces acajous, ces ambres ?

Le sol est si ingrat ici que la vigne semble arrachée au schiste, tandis que lumières, parfums et chaleur se retrouvent dans les

DOMAINE DU MAS CREMAT
JEANNIN-MONGEARD
66600 ESPIRA DE L'AGLY

vins de Collioure, de Banyuls et de Rivesaltes. Voyez la couleur brique des argiles brûlées par le soleil et, dans l'arrière-pays catalan, l'ocre des arènes granitiques. Voyez ce pays de forêts de chênes-lièges, de ce liège qui fait des bouchons capables de durer douze ans.

C'est tout cela le Roussillon, avec en toile de fond le bleu intense de la Méditerranée si souvent célébré dans les splendides tableaux de Matisse, venu passer l'été 1905 à Collioure.

Port-Vendres

**PRINCIPALES PROPRIÉTÉS
DU ROUSSILLON**
CHÂTEAU DE BLANES
DOMAINE CAZES
DOMAINE FERRER
DOMAINE DE LA CASA BLANCA
DOMAINE JAMMES
CHÂTEAU L'ESPARROU
DOMAINE PIQUEMAL
DOMAINE SALVAT
DOMAINE SARDA-MALET

**PRINCIPALES PROPRIÉTÉS
DU ROUSSILLON-VILLAGES**
CHÂTEAU DONA BAISSAS
LES CHAIS DE SAINTE ESTÈLE
JEAN D'ESTAVEL

Ci-dessus, les coteaux de Banyuls

Ci-dessus, les sols arides d'argile rouge

Ci-dessus, les coteaux de Banyuls plongeant dans la Méditerranée

En bas, les caves de Dionysos à Collioure

RIVESALTES

Le vignoble des Vins Doux Naturels couvre 30 000 hectares en Roussillon, sur 115 communes des Pyrénées-Orientales et de l'Aude, dont 18 000 hectares de terres rouges au nord de Perpignan pour le seul Rivesaltes. Sur des collines fort caillouteuses, avec l'un des rendements les plus bas de France (30 hectolitres de moût par hectare), Rivesaltes (hautes rives en catalan) nous offre deux sortes de vins doux.

LE MUSCAT DE RIVESALTES

Ce superbe vin à la belle couleur d'ambre est élaboré uniquement à partir du muscat blanc à petits grains et du muscat d'Alexandrie. Le vignoble couvre 4 500 hectares répartis sur toutes les communes des appellations Rivesaltes, Banyuls et Maury.

L'APPELLATION RIVESALTES

Elle concerne des vins rouges, blancs ou rosés provenant essentiellement du grenache, du muscat, du malvoisie et du maccabéo. Les rouges sont obtenus par macération du moût avec la pulpe pendant la fermentation. Quant aux blancs ou rosés, ils se font par fermentation des moûts séparés de la pulpe. A noter également le fameux Rivesaltes Rancio, un Rivesaltes qui a pris le goût Rancio après un long vieillissement en fûts exposés au soleil.

BANYULS

Cette appellation s'étend sur quatre communes : Collioure, Port-Vendres, Cerbère, et Banyuls. Son goût très particulier vient du grenache, son cépage de prédilection (50% au minimum). Il faut compter également avec le maccabéo (pour les Banyuls blancs), le muscat, le malvoisie ainsi qu'avec le carignan, le cinsault et le syrah. Dans les Banyuls assurément, les meilleurs sont les Banyuls Grands Crus qui se distinguent par une proportion de grenache plus élevée et une vinification encore plus restrictive (égrappage et macération d'au moins cinq jours, avant le mutage et le vieillissement « sous bois » d'environ trois ans).

LES CÔTES DU ROUSSILLON

Cette AOC depuis 1977 est la plus méridionale de France. Elle couvre une vaste zone du sud des Corbières jusqu'aux monts Albères à la frontière espagnole. Mais les meilleurs secteurs se situent le long de la vallée de l'Agly, au nord de Perpignan, et sur les plateaux arides au pied des monts du Canigou, des Ferrouillèdes et des Corbières.

Le sol est un véritable *melting pot* géologique ; on y trouve de tout, des argiles rouges, des sols granitiques, schisteux, argilo-calcaires, sur lesquels prospère une bonne dizaine de cépages (carignan, limoult, grenache, lladoner pelut, complétés par le mourvèdre, le syrah et le maccabéo pour les blancs).

Ce sont des vins d'un grenat profond, corsés, gras, superbement charpentés, avec un bouquet de fruits mûrs aux notes épicées et vanillées.

Vingt-cinq communes ont droit à l'appellation Côtes du Roussillon-Villages sur 2 500 hectares et, parmi ceux-ci, deux ont l'honneur de faire figurer sur l'étiquette le nom de la commune : Caramany et Latour-de-France, astreintes à une vinification par macération carbonique.

La plupart sont élevés en fûts de chêne (trois ans au minimum), donnant alors des vins mieux charpentés, plus harmonieux, longs en bouche et bien encadrés par des tanins fermes.

En raison des orages violents, les exploitations sont équipées de systèmes d'écoulement des eaux à forte capacité

Les coteaux de Banyuls et leurs canaux d'écoulement

Ce vaste territoire qui va de
la Dordogne aux contreforts
des Pyrénées est le lieu de
production de multiples appellations
aussi intéressantes que diversifiées :
somptueux Monbazillac, capiteux
Cahors, virils Madiran, étonnants
Irouléguy ou encore riches
Jurançon, si chers à Henri IV.

LE SUD-OUEST

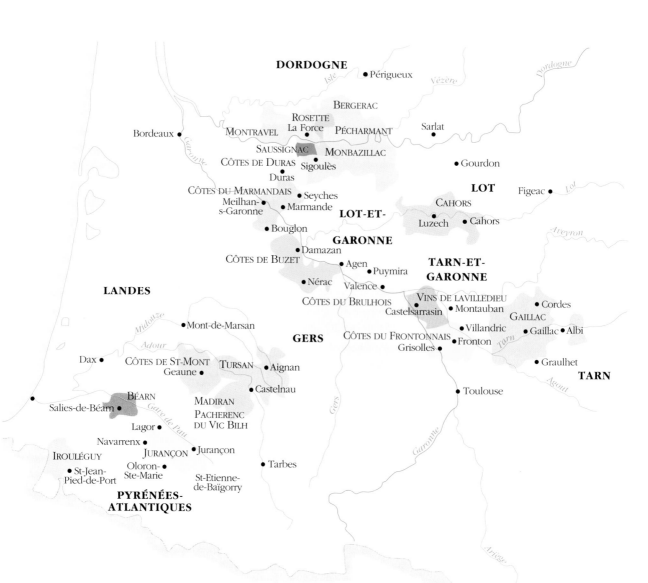

DORDOGNE

• Périgueux

Isle

Vézère

Dordogne

BERGERAC

ROSETTE

La Force

Sarlat

•

Bordeaux • MONTRAVEL PÉCHARMANT

SAUSSIGNAC • MONBAZILLAC

CÔTES DE DURAS Sigoulès •

• Gourdon

Duras •

Garonne

LOT

Figeac • • *Lot*

CÔTES DU MARMANDAIS

Meilhan- • Seyches

s-Garonne • Marmande

CAHORS

Luzech • • Cahors

LOT-ET-

• Bouglon

GARONNE

• Damazan

CÔTES DE BUZET • Agen

TARN-ET-

GARONNE

• Puymira

LANDES

• Nérac

Valence •

VINS DE LAVILLEDIEU

CÔTES DU BRULHOIS

Castelsarrasin • Montauban

• Cordes

GAILLAC

Midouze

• Mont-de-Marsan

GERS

CÔTES DU FRONTONNAIS

Grisolles • • Fronton

• Gaillac • Albi

Tarn

Adour

Dax • CÔTES DE ST-MONT TURSAN

Geaune • • Aignan

• Graulhet

TARN

Aveyron

BÉARN

Salies-de-Béarn • • Castelnau

MADIRAN

PACHERENC

DU VIC BILH

Lagor •

• Toulouse

Gave de Pau

Navarrenx •

IROULÉGUY JURANÇON • Jurançon

• St-Jean- Oloron-

Pied-de-Port Ste-Marie

St-Etienne-

de-Baïgorry

• Tarbes

Gers

Garonne

Agout

Ariège

PYRÉNÉES-

ATLANTIQUES

LES APPELLATIONS

L'ensemble de cette vaste région comprend une vingtaine d'AOC et trois VDQS.

BERGERACOIS

Le vignoble de Guyenne possède neuf appellations :
Bergerac, Côtes de Bergerac, Montravel, Haut-Montravel, Côtes de Montravel, Montbazillac, Pécharmant, Saussignac, Rosette.

AGENAIS

Trois AOC : Côtes de Duras, Buzet, Côtes du Marmandais, et un VDQS, les Côtes du Bruhlois.

PÉRIGORD - QUERCY

L'ensemble de la production de ces deux régions est classé en Cahors.

ROUERGUE

Cette région produit un AOC et deux VDQS : Vins de Marcillac, Vins d'Entraygues et du Fel, Vin d'Estaing.

ALBIGEOIS ET TARN

Gaillac regroupe quatre appellations : Gaillac, Gaillac doux, Gaillac-Premières Côtes, Gaillac mousseux. En outre, la région produit les Côtes du Frontonnais (Fronton ou Villauric selon le terrain) et le Vin de Lavilledieu (VDQS).

GASCOGNE ET PYRÉNÉES

Sept appellations se partagent le territoire : Madiran, Pacherenc du Vic Bilh, Béarn, Jurançon, Jurançon sec, Irouléguy, Côtes du Bruhlois.
S'y ajoutent deux VDQS : Tursan et Côtes de Saint-Mont.

LES CÉPAGES

ARRUFIAC, CABERNET FRANC, CABERNET SAUVIGNON, COURBU, FER SERVADOU, GAMAY, JURANÇON, LEN DE L'ELH, MALBEC, MANSENG, MAUZAC, MERLOT, MUSCADELLE, NÉGRETTE, TANNAT, UGNI BLANC.

LA GASTRONOMIE

CASSOULET
CONFIT D'OIE
POMMES SARLADAISES
CHARBONNÉE
OIE AUX PRUNEAUX
CROUSTADE AUX TRUFFES ET AU FOIE GRAS

À SERVIR

ROUGES : 15° À 18°C
BLANC SEC : 8° À 10°C
BLANC MŒELLEUX : 5° À 8°C

BERGERAC

Avec son impressionnant voisin le Bordelais, les relations ne furent pas toujours fameuses. Pourtant les affinités sont multiples, aussi bien pour les encépagements que pour les techniques viticoles.

Mais les mesures protectionnistes prises pour le Bordeaux et la place commerciale qu'il occupait ne jouèrent guère en faveur du Bergeracois.

Cependant, en 1511, une « lettre de bourgeoisie » émanant du parlement de Guyenne offrit à certains d'entre eux l'accès à la mer pour leurs vins.

Le véritable développement vint au XVIII⁰ siècle, avec des exportations de vins liquoreux vers la Hollande.

Le Bergerac est appellation contrôlée depuis 1936. Ce sont des vins légers, souples, assez fruités, secs, vinifiés à partir de cépages traditionnels en rouges et rosés (cabernet franc, cabernet sauvignon, merlot, malbec et accessoirement fer servadou et mérille), ainsi qu'en blancs (sauvignon, sémillon, muscadelle auxquels on ajoute de l'ondenc, chenin blanc ou encore ugni blanc, sans dépasser les 25% maximum pour ce dernier).

Les rouges sont agréables et se boivent jeunes et frais. Les blancs sont secs et fins.

L'appellation Côtes de Bergerac, qui couvre une région moins importante, concerne des vins titrant entre 11° et 13° pour les rouges et 12 à 15° pour les blancs moelleux.

Les rouges sont nettement plus corsés que ceux d'appellation simple, leur robe est foncée et ils sont aptes au vieillissement. Vinifiés essentiellement à partir du sémillon, les vins moelleux présentent une teneur en sucre résiduel qui se situe entre 18 et 54 grammes par litre. A Bergerac, le Conseil interprofessionnel des vins a choisi l'élégant cloître des Récollets pour y implanter son siège.

Le quartier du vieux port a conservé quelques charmantes ruelles avec quelques belles maisons.

Il faut aussi visiter le musée du Tabac dans la maison Peyrarède, appelée aussi Château Henri IV, et découvrir la fabrication des tonneaux et la navigation d'autrefois dans le musée de la Tonnellerie et de la Batellerie.

Au sud de Bergerac, à partir de Sigoulès, on peut suivre une « Route des vins » qui traverse les vignobles du Bergeracois.

CHATEAU
COURT-LES-MUTS

1990

BERGERAC
APPELLATION BERGERAC CONTROLÉE

G.A.E.C. P. Sadoux et Fils
Propriétaire œnologue
à Razac de Saussignac 24240 France

12 % vol.   PRODUCE OF FRANCE   75 cl e

MIS EN BOUTEILLE AU CHATEAU

CHÂTEAU COURT-LES-MUTS
SADOUX ET FILS
24240 RAZAC-DE-SAUSSIGNAC

**PRINCIPALES PROPRIÉTÉS
DE BERGERAC**
CHÂTEAU GRINOU
CHÂTEAU LA RESSAUDIE
CHÂTEAU DU PRIORAT
CHÂTEAU TOURMENTINE
CHÂTEAU BILLOT
CHÂTEAU LES MIAUDOUX
CHÂTEAU CALABRE
CHÂTEAU DE SANXET

**PRINCIPALES PROPRIÉTÉS
DES CÔTES DE BERGERAC**
CHÂTEAU COMBRILLAC
CHÂTEAU TOUR DES GENDRES
CHÂTEAU LE MAYNE
CHÂTEAU BÉLINGARD-CHAYNE
DOMAINE DU GRAND BOIS

La statue de Cyrano de Bergerac

Ci-dessus, maisons vigneronnes à Bergerac

La ville de Bergerac

LE SUD-OUEST

*Le vignoble aux pieds
du Château de Monbazillac*

**PRINCIPALES PROPRIÉTÉS
DE PÉCHARMANT**
CHÂTEAU CHAMPAREL
CHÂTEAU DE TIREGAND
CLOS LES CÔTES
DOMAINE DES BERTRANOUX
DOMAINE BRISSEAU BELLOC

*Le Château Sigala
à Monbazillac*

**PRINCIPALES PROPRIÉTÉS
DE MONBAZILLAC**
CHÂTEAU MONBAZILLAC
CHÂTEAU LA BORDERIE
CHÂTEAU LE RAZ
CHÂTEAU SEPTY

PÉCHARMANT

L'origine du nom de cette AOC (1946)
vient du mot pech qui signifie sommet. Certains utilisent d'ailleurs la dénomination de
« Pech-Charmant ».

Il s'agit d'un vin rouge utilisant les
cépages merlot, cabernet et malbec, sur des
terrains silico-argileux. Ce vin est tannique,
puissant et capiteux, titrant au minimum
11°. Il a l'avantage de développer de nombreuses qualités dès sa jeunesse et n'a pas

*L'allée qui conduit au Château de Malbernat
à Pécharmant*

256

le Monbazillac, malgré ses qualités, ne cherche pas à se comparer au prestigieux Sauternes, même si dans la région on aime à rappeler le prestigieux passé et à vanter que la pourriture noble trouva sa source ici. Très riche et gras, le Monbazillac offre une belle ampleur dans le palais et dégage de beaux arômes floraux et de miel.

ROSETTE

Cette appellation, qui date de 1949, regroupe les productions de six communes de la rive droite de la Dordogne.

Il s'agit de blancs doux ou demi-doux, dont la production devient de plus en plus confidentielle (650 hectolitres).

SAUSSIGNAC

Très proche des Bergerac, cette appellation peut s'adjoindre à celle des Côtes de Bergerac. Elle ne concerne que des vins blancs, recueillis sur les communes de Saussignac, Gageac-et-Rouillac, Monestier et Razac-de-Saussignac. Outre les habituels cépages, le Saussignac a acquis sa personnalité avec l'adjonction de chenin blanc. Ce semi-doux se boit jeune mais peut se garder une dizaine d'années.

MONTRAVEL

Il provient des cépages muscadelle, sauvignon, sémillon, odenc, chenin blanc, avec un peu d'ugni blanc éventuellement. Cette appellation regroupe des vins blancs secs et fruités produits sur la rive droite de la Dordogne, autour de la commune de Vélines. Les appellations Côtes-de-Montravel et Haut-Montravel ne sont produites que dans certaines communes, avec seulement les cépages sauvignon, sévignon et muscadelle, et doivent titrer entre 12° et 15°. Moelleux ou liquoreux, ils sont appréciés pour leur équilibre et leur bouquet particulier.

besoin d'attendre un long vieillissement. Parmi les crus les plus réputés, on cite souvent celui du Château de Tiregand.

MONBAZILLAC

Très connu dès la Renaissance, ce vin est exporté au nord de l'Europe, en particulier vers la Hollande, où se sont réfugiés de nombreux protestants français originaires de la région. L'apogée commerciale est atteinte au XVIIIᵉ siècle. AOC en 1936, le

PRINCIPALES PROPRIÉTÉS DE SAUSSIGNAC
CHÂTEAU RICHARD
CLOS D'YVIGNE
CHÂTEAU MIAUDOUX

DOMAINE
DU HAUT-PÉCHARMANT
FAMILLE ROCHES
24100 BERGERAC

PRINCIPALES PROPRIÉTÉS DE MONTRAVEL
CHÂTEAU MOULIN CARESSE
CHÂTEAU LE BONDIEU
K DE KREVEL
DOMAINE DU GOUYAT

DOMAINE DU VIEUX BOURG
BERNARD BIREAUD
47120 PARDAILLAN

Le château de Duras
Ci-dessous, le vignoble de Marmandais

CÔTES DE DURAS

A la limite du Bordelais, sur la rive droite du Dropt et dans la vallée de la Dourdèze, s'étendent 1 500 hectares de vignobles, plantés sur les terrasses et coteaux calcaires d'une quinzaine de communes.

Autrefois le vin produit dans cette région était vendu comme Bordeaux.

Le découpage administratif lui a permis de créer sa propre appellation en 1937. On retrouve donc les cépages habituels du Bordelais : sémillon, sauvignon, muscadelle et mauzac pour les vins blancs ; cabernet sauvignon, cabernet franc, malbec et merlot pour les vins rouges.

Les rouges sont assez légers, fruités et délicats, se dégustant les premières années. Suivant la vinification adoptée, on peut obtenir des rouges plus tanniques et corsés qui acceptent le vieillissement.

Les blancs secs (leur production dépasse celle des moelleux) sont frais et fruités ; ils évoquent les vins blancs de Bergerac.

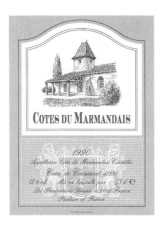

CÔTES DU MARMANDAIS
CAVE DE COCUMONT
47250 COCUMONT

CÔTES DU MARMANDAIS

Entre le Dropt et la Garonne, sur un millier d'hectares de coteaux molassiques et de plateaux de cailloutis garonnais, se récoltent les Côtes du Marmandais. Classés VDQS en 1956, ils ont obtenu l'appellation d'origine contrôlée en 1990. Vingt-sept communes au nord de Marmande produisent essentiellement des vins rouges, à partir des cépages habituels du Bordelais, mais dans la limite de 75% du total, car on emploie dans la région des cépages de complément comme l'abourion, le fer servadou, le cot, le gamay noir et le syrah (50% maximum).

Pour les blancs, ce sont les classiques sauvignon (70% minimum) et ugni blanc, muscadelle et sémillon.

L'essentiel de la production concerne les rouges, vins de bonne tenue, bien charpentés, solides, dégageant des parfums de fruits et supportant un vieillissement en caves. La production des vins blancs ne dépasse pas les 1 700 hectolitres.

BUZET

Sur la rive gauche de la Garonne, un peu au sud de Marmande et jusqu'à la ville d'Agen, des vignobles en ordre dispersé offrent une production classée AOC depuis 1973. L'ancienne appellation Côtes de Buzet, bâtie autour d'un vinification réalisée, dès 1955, par la coopérative de Buzet-sur-Baïse, a fait place à l'appellation Buzet tout simplement. Ces coopérateurs ont limité leur production pour obtenir la qualité.

Cela donne essentiellement des vins rouges (à 95%), souples et agréables dans leur jeunesse, mais qui prennent beaucoup de corps et de « cœur » après quelques années de bouteille. Il existe une petite production de vins rosés et blancs, ces derniers étant issus des classiques cépages sémillon, sauvignon et muscadelle.

Une propriété près de Duras

CÔTES DU BRUHLOIS

Entre Agen et Valence, en grande partie sur la rive gauche de la Garonne, on trouve un vignoble éparpillé sur une très importante surface, mais qui ne représente en fait que 200 hectares cultivés.

Avec les cépages caractéristiques de la région (malbec, fer servadou, tannat) et plus traditionnels (cabernet, merlot), on fait près de 10 000 hectolitres d'un vin rouge aux parfums de fruits et d'épices, léger et d'assez bonne garde.

Deux coopératives, Dunes-Donzac et Goulens, vinifient une bonne partie de la production.

CAVE BERTICOT
DUC DE BERTICOT
47120 DURAS

CHÂTEAU BALESTÉ
G. BERNEDE
47130 MONTESQUIEU

Château la Coustarelle
Michel et Nadine Cassot
46220 Prayssac

CAHORS

Sa réputation est ancienne, puisque les Romains exploitaient déjà la région, dont le développement se poursuivit au Moyen Age, grâce aux évêques !

Un événement comme le mariage d'Aliénor d'Aquitaine avec Henri II d'Angleterre lui offrit une occasion exceptionnelle d'exporter sa production.

On estime que vers 1310, pas loin de 40 000 tonneaux de vins de cette région prirent le chemin de la mer. Clément Marot, François Ier et Henri IV furent parmi les plus nobles amateurs des vins de cette région.

Las ! une fois de plus, les Bordelais, jaloux d'un tel succès, limitèrent les ambitions des Cadurciens grâce à leur monopole maritime. Il faudra la nouvelle politique de Turgot, plus libérale, et un édit de Louis XVI, en 1776, pour supprimer cet embargo. De toute façon la réputation du Cahors était déjà faite.

On l'appréciait un peu partout dans le monde, en particulier en Russie, où l'on produisit un « Cahors » issu sans doute de cépages importés du Quercy. Il servira longtemps dans la religion orthodoxe où il était utilisé dans la liturgie.

Le phylloxéra détruira une grande partie du vignoble qui, toutefois, a peu à peu repris son volume d'antan. Ce n'est qu'en 1971 que le Cahors retrouvera ses lettres de noblesse en devenant AOC.

Quarante-cinq communes réparties de part et d'autre de la vallée du Lot, sur une région située entre les villes de Cahors et de Fumel, constituent le vignoble de Cahors, d'une superficie de 3 500 hectares.

Le sol est diversement constitué de calcaire kimmeridgien (comme au nord de la Bourgogne), d'alluvions du Lot et de sables et argiles avec quelques traces de fer. Cette diversité ne semble pas nuire à un vin remarquablement homogène. L'encépagement est constitué à 70% au minimum de cot

(ou auxerrois) et, en complément, de merlot, tanat et jurançon noir. L'ensemble donne un vin extrêmement « noir », puissant et corsé mais un peu rude. Il ne perdra cette rudesse qu'après un long vieillissement en fût, ne développant le meilleur de lui-même qu'au bout d'une dizaine d'années. Malheureusement, cette façon de faire tend à disparaître, car de nouvelles vinifications permettent de mettre sur le marché des vins de dix-huit à vingt-quatre mois. Il y perd en harmonie et en velouté.

CHÂTEAU EUGÉNIE
JEAN ET CLAUDE COUTURE
46140 ALBAS

*Le vignoble sur les berges du Lot,
près d'Albas*

*La vue sur le vieux quartier de Cahors depuis
le mont Saint-Cyr*

CHÂTEAU DE TRIGUEDINA
BALDES ET FILS
46700 PUY-L'EVÊQUE

MARCILLAC

Ce vin du Rouergue occupe une superficie de 1700 hectares, sur une dizaine de communes, au nord-ouest de Rodez.

Les vins de Marcillac ont obtenu leur AOC en 1990. Ils sont essentiellement produits avec un cépage régional, le fer servadou, dit mansois, à raison de 90% pour les rouges et de 30% pour les rosés.

Ce sont des rosés sympathiques, colorés et assez marqués, exhalant un agréable parfum de framboise.

VINS D'ESTAING

Trois communes, Estaing, Coubisou et Sébrazac, donnent ces VDQS (1965) rouges, rosés ou blancs, dont la production est très modeste : moins de 300 hectolitres.

Ce sont des cépages gamay (principalement), fer servadou, jurançon noir, merlot, mouyssagès, négrette, duras, pinot noir et castel, pour les rouges et rosés, chenin blanc, mauzac, rousselou, pour les blancs. Ces derniers doivent titrer 10° au minimum et 9° pour les rouges.

VINS D'ENTRAYGUES ET DU FEL

Ces vignobles implantés le long de la vallée du Lot (à proximité des gorges) et de la vallée de la Truyère (entraygues signifie « entre les eaux »), concernent quelques parcelles des communes de Florentin-la-Chapelle, Enguiales, Entraygues-sur-Truyère, Campouriez et Saint-Hippolyte dans l'Aveyron, ainsi que les villages de Cassaniouse et Vieillevie dans le Cantal.

Ils sont issus quasiment des mêmes cépages – hormis duras et castel – que les vins d'Estaing.

Les rouges, assez tanniques et fermes, doivent titrer au minimum 9° et les blancs, secs et parfumés, 10° au minimum.

La vallée du Lot présente des étapes touristiques intéressantes et offre, entre Espalion et Entraygues, un parcours accidenté au fond de gorges profondes.

Espalion possède un pont du XIIIᵉ siècle, un château Renaissance et de belles maisons anciennes bordant la rivière.

Estaing forme un ensemble harmonieux dans une boucle du Lot, avec un pont gothique.

Vues du vignoble du Rouergue
A droite, le village de Villeneuve-sur-Lot

Un ancien portail à Gaillac
Ci-dessous, la ville de Gaillac construite sur la rive droite du Tarn

PRINCIPALES PROPRIÉTÉS DE GAILLAC
CHÂTEAU CANDASTRE
CHÂTEAU DE LASTOURS
CHÂTEAU DE SALETTES
DOMAINE D'ESCAUSSES
DOMAINE DE LABARTHE
CHÂTEAU RAYNAL

DOMAINE DE LA RAMAY
MAURICE ISSALY ET FILS
81600 SAINTE CÉCILE D'AVÈS

GAILLAC

Sa tradition viticole date d'avant l'ère chrétienne. Les Gallo-Romains développèrent sa culture et son exportation, le Tarn permettant son transport en direction de Bordeaux. Le clergé en assura ensuite la « promotion », et on dit que les Plantagenêts et Henri VIII d'Angleterre en appréciaient fort le goût. Le développement des marchés vers le Massif central et, au XIXᵉ, sur la place parisienne, offrit la possibilité d'une formidable extension de l'aire d'exploitation qui s'étendit sur soixante-treize communes.

Aujourd'hui, AOC depuis 1938, le terroir a beaucoup régressé et elles ne sont plus qu'une vingtaine de communes à poursuivre ce type de production, qui avoisine toutefois 100 000 hectolitres l'an, toutes variétés incluses.

Pour le blanc on utilise six cépages : le mauzac qui correspond à 80% des vignobles, le len de l'el (loin de l'œil), l'ondec, le sémillon, le sauvignon et la muscadelle. Les vins blancs secs, produits sur des sols graniteux, sont vifs, clairs, nerveux et fruités. Le Gaillac « perlé », utilisant le procédé de conservation sur lie, présente une très légère effervescence lorsqu'on le débouche. Cela en fait un vin fruité, léger et frais. La rive droite du Tarn de type calcaire donne un blanc doux, rond et généreux, au bouquet très marqué. Le Gaillac mousseux est réalisé selon la méthode gaillacoise, c'est-à-dire sans adjonction de liqueur.

C'est le sucre résiduel qui provoque une fermentation, directement dans les bouteilles. Cela donne un vin à la personnalité marquée et aux arômes délicats. Le Gaillac mousseux peut également être produit selon la méthode champenoise.

Pour les rouges, ce sont pour au moins 60% les duras, braucol (ou fer servadou), gamay, négrette, syrah, qui entrent dans sa composition et les 40% restants se partagent entre cabernet, jurançon, merlot, etc.

Les vins rouges sont brillants, tanniques, ronds et séveux, ils acquièrent rapidement

CHÂTEAU LA PALME
J. ETHUIN
31340 VILLEMUR SUR TARN

Ci-dessus, le village de l'Isle-sur-le-Tarn et l'église de Fronton

A droite, les maisons anciennes à Gaillac

**PRINCIPALES PROPRIÉTÉS
DES CÔTES DU FRONTONNAIS**
CHÂTEAU JOLIET
CHÂTEAU FERRAN
CHÂTEAU MAJOREL
CHÂTEAU CAHUZAC
CHÂTEAU LE ROC
CHÂTEAU BELLEVUE-LAFORÊT

leur maturité (de un à trois ans de vieillissement). Les rosés sont frais, fruités et vifs.

Il existe enfin des Gaillac Premières Côtes titrant 12° minimum, récoltés sur les communes de Broze, Cahuzac-sur-Vère, Castanet, Cestayrols, Fayssac, Lisle-sur-Tarn, Montels et Senouillac.

CÔTES DU FRONTONNAIS

Au sud de Montauban, sur les hautes terrasses du Tarn au sol limoneux et de cailloutis, se sont regroupées deux anciennes appellations VDQS, Fronton et Villauric. Elles sont devenues AOC en février 1975 sous le nom de Côtes du Frontonnais.

Le terroir concerné dépasse les 1 500 hectares et développe une production de 80 000 hectolitres. A base de négrette (de 50 à 70%), syrah, mérille, fer, malbec, cabernet sauvignon, les vins sont rouge sombre, charpentés, aux arômes de fruits. A noter, le vin particulier du chef André Daguin, réalisé avec 100% de négrette.

VINS DE LAVILLEDIEU

Ce VDQS, produit entre Tarn et Garonne et les villes de Castelsarrasin et Montauban, est une petite appellation d'un vin rouge proche du Frontonnais, avec des cépages négrette (35% minimum), morterille, chalosse, mauzac et bordelais.

Les cépages de complément sont, entre autres, le syrah, le fer servadou, le gamay. La production approche les 800 hectolitres.

265

PRINCIPALES PROPRIÉTÉS
DE TURSAN
LES VIGNERONS DU TURSAN

PRINCIPALES PROPRIÉTÉS
DE PACHERENC DU VIC BILH
CHÂTEAU DE LAFFITE-TESTON
CHÂTEAU MONTUS
CHÂTEAU D'AYDIE

PACHERENC DE LA ST-ALBERT
PRODUCTEURS PLAIMONT
32400 SAINT-MONT

PRINCIPALES PROPRIÉTÉS
DE MADIRAN
DOMAINE DAMIENS
DOMAINE TAILLEURGUET
DOMAINE DES BORIES
CHÂTEAU DE PERRON
DOMAINE DE DIUSSE
CHÂTEAU PICHARD

TURSAN

Planté sur des molasses et des sables fauve, le vignoble suit la boucle de l'Adour d'un côté et longe la Gabas de l'autre. Sur une petite aire de production (une centaine d'hectares), on trouvera des blancs originaux produits à partir d'un cépage local, le barroque ; des rouges et rosés à base de tannat et de carbernet – qui sont corsés, fruités, ronds et généreux. Le Tursan représente environ 20 000 hectolitres par an.

PACHERENC DU VIC BILH

Pays de collines, rattaché au Béarn, le Vic Bilh est à cheval sur trois départements. Cette région de production couvre vingt-huit communes des Pyrénées-Atlantiques, six des Hautes-Pyrénées et trois du Gers. Elle développe deux appellations AOC depuis 1975, un vin rouge, le Madiran, et un vin blanc, le Pacherenc du Vic Bilh.

Pour le premier, la production dépasse les 50 000 hectolitres alors que le second, plus modeste, atteint les 5 000 hectolitres. Le Pacherenc provient en grande partie du cépage arrufiac et des cépages courbu, gros et petit manseng, sauvignon, sémillon. Il titre au minimum 12°. C'est un vin légèrement corsé, plutôt sec et fruité, au bouquet subtil et tendre.

MADIRAN

Robuste, tannique au point d'en être presque noir, c'est un vin « ferme » qui ne prend ses belles qualités qu'après un long vieillissement. Les coopérateurs et autres producteurs ont préféré « l'assouplir » en lui incorporant des cépages cabernet sauvignon, cabernet franc, pinenc (fer), et le tannat ne représente plus que 40 à 60%. Cela donne un vin capiteux à la belle robe d'un rouge profond, long en bouche avec des arômes de cassis et de groseille.

Geaune, capitale du pays de Tursan

Vue du vignoble de Tursan

DOMAINE SERGENT
GILBERT DOUSSEAU
32400 MAUMUSSON

CHÂTEAU BARRÉJAT
MAURICE CAPMARTIN
32400 MAUMUSSON

Maisons anciennes de Geaune

Le vignoble de Madiran

Château de Sabazan
SCEA Plaimont
32400 Château de Sabazan

Maisons anciennes du Gers

CÔTES DE SAINT-MONT

VDQS depuis 1981, cette appellation est le cœur même du vignoble d'Armagnac, dans le département du Gers, et concerne quarante-neuf communes.

Ce sont des vins blancs au goût caractéristique, issus des cépages arrufiac et courbu, des vins rouges et rosés, tanniques, corsés et fruités, originaires des cépages tannat, cabernet franc, cabernet sauvignon et fer servadou.

BÉARN

Cette AOC (1975) se subdivise en trois petits secteurs, le premier au sud de la zone de production du Madiran et du Pacherenc, le second autour de Bellocq et Salies-de-Béarn, entre les gaves d'Oloron et de Pau, et le troisième à la limite nord-est du Jurançonnais, près de Mourenx. Les rouges, issus principalement des cépages tannat (60% maximum), cabernet, fer, courbu noir, sont tanniques et charpentés. Les rosés qui assurent les deux tiers de la production sont aimables, charnus, aromatiques et vifs. Les blancs sont confidentiels.

JURANÇON

Ce vignoble très ancien remontant à l'occupation romaine est surtout devenu célèbre au XVIe siècle, puisqu'il servit de vin de baptême à Henri IV, en 1553.

Cette tradition aurait été perpétuée pour tous les princes de France. Il est produit dans une région particulièrement escarpée, sur le territoire de vingt-cinq communes des Pyrénées-Atlantiques.

Les cépages principaux sont le petit manseng, le gros manseng, et, en complément, le courbu, l'arrufiac et deux cépages locaux, le caramalet et le lauzet, dans la limite de 15% chacun.

Connu pour son blanc moelleux, le Jurançon existe aussi en sec. C'est un vin très frais, vif et généreux, aux arômes d'acacia et de genêts, assez long en bouche. C'est la production dominante de l'appellation.

Une fois vinifié, le Jurançon est gardé en fût pendant quatre ans avant d'être mis en bouteilles ; il titre au minimum 12,5°.

IROULÉGUY

C'est un vin basque, AOC depuis 1970, cultivé dans les vallées des Aldudes et de la Nive, au pied de Saint-Jean-Pied-de-Port, et sur les communes d'Ambraux, Ascarrat, Bidarray, Irouléguy, Ispoure, Jaxau, Ossès, Saint-Étienne-de-Baigorry et Saint-Martin d'Arosse.

Les cépages employés (à 95%) sont le courbu et le manseng en blanc, le cabernet sauvignon, le cabernet franc, le tannat en rouges et rosés. Sa production s'élève à 4 500 hectolitres. Les rouges sont proches du Madiran, assez charnus, aux arômes de fruits rouges.

CHÂTEAU SAINT-GO
PRODUCTEURS PLAIMONT
32400 SAINT-MONT

DOMAINE ILARRIA
PEIO ESPIL
64220 IROULÉGUY

Le vignoble provencal est pratiquement limité au département du Var avec toutefois quelques débordements sur les départements voisins, les Bouches-du-Rhône et les Alpes-Maritimes.

Le vignoble de Palette devant la montagne Sainte-Victoire

LA PROVENCE ET LA CORSE

**LES CÉPAGES
LA PROVENCE :**
CARIGNAN, CINSAULT,
CLAIRETTE, GRENACHE,
MOURVÈDRE, SÉMILLON,
UGNI BLANC.

LES APPELLATIONS

*Sur un territoire de 5 000 hectares, la Pro-
vence vinicole compte six AOC et un VDQS.*

CASSIS

*Il produit environ 6 000 hectolitres de vins
dont les deux tiers d'un blanc réputé.*

BANDOL

*Ce sont des vins originaux, principalement
des rouges vieillis dix-huit mois en fûts.*

BELLET

*Le Bellet a une production modeste : 800 hec-
tolitres environ.*

PALETTE

*Ce minuscule vignoble de 19 hectares produit
essentiellement des rouges puissants.*

CÔTES DE PROVENCE

*On trouve principalement des rosés (60%) et
des vins rouges (35%) : délicats Saint-Tropez,
originaux Vibaudan, élégants Le Luc…*

COTEAUX D'AIX EN PROVENCE

*Les vignobles sont plantés autour d'Aix et sur
le superbe site des Baux-de-Provence.*

COTEAUX VAROIS

*La production se monte à environ 6 000 hec-
tolitres de rouges et rosés frais, à boire jeunes.*

VIN DE CORSE
COTEAUX DU CAP CORSE

• Brando
• Patrimonio
PATRIMONIO • Bastia

Calvi • VIN DE CORSE
CALVI

Galeria •

Calacuccia
• Porto   VIN DE CORSE

• Corté

Aléria •

Ghisoni • Ghisonaccia
AJACCIO
Ajaccio •

• Solenzara

VIN DE CORSE
PORTO VECCHIO

Propriano • Sartène
VIN DE CORSE   • Porto-Vecchio
SARTÈNE   Figari
VIN DE CORSE
FIGARI
• Bonifacio

LES APPELLATIONS

*Les vins corses sont regroupés en 8 AOC,
dont 6 concernent les Vins de Corse.*

VINS DE CORSE
*Ce sont des vins produits sur l'ensemble
de l'île, sauf dans la région de Patrimonio. Il existe cependant 5 appellations
locales qui portent l'appellation Vins de
Corse suivie du nom de la commune ou
de la région : Coteaux du Cap Corse,
Calvi, Sartène, Figari, Porto-Vecchio.*

LES AUTRES APPELLATIONS
*Patrimonio.et Ajaccio (anciennement
dénommés coteaux d'Ajaccio).*

CÔTES DE PROVENCE

On a longtemps raconté que les Phocéens avaient été les premiers importateurs de pieds de vigne en Gaule.

Cette plante poussait probablement déjà sur place à leur arrivée, vers 600 avant J-C, et il est certain que la région de Marseille a bénéficié de leur technique, en particulier pour la taille.

L'occupation romaine apporta énormément au vignoble méditerranéen. Les anecdotes abondent sur les Romains et leur amour du vin. Et les historiens de rappeler, entre autres, que César avait choisi de donner des vins de Provence aux soldats qui avaient conquis la Gaule.

La tradition du rosé remonte au « bon roi René », qui encouragea les producteurs à vinifier de cette manière. Les moines se firent les gardiens d'un savoir-faire perpétué jusqu'à nos jours.

La production se répartit dans trois principaux secteurs : la côte, allant de La Ciotat à Saint-Tropez (sauf la région de Bandol), une partie du massif des Maures, en particulier dans la vallée de l'Arc, et la vallée d'Argens. C'est la diversité des terroirs qui donne la richesse de l'appellation, tout comme la diversité de ses nombreux microclimats, certains plus humides ou plus ventés que d'autres.

Les cépages traditionnels sont pour les rouges et les rosés : cinsault, grenache, mourvèdre, tibouren et carignan. Dans la composition du vin, ils doivent constituer un minimum de 70%, dont 40% maximum pour le carignan. Comme cépages complémentaires, on utilise les barbaroux, pécoitouar, cabernet sauvignon et syrah (30% maximum). Pour les blancs, ce sont clairette, ugni blanc, sémillon et vertimento.

Les vins rosés dominent, ils représentent près des deux tiers de la production. Ils sont très variés, avec une robe qui peut prendre toutes les nuances de rose et des goûts diversifiés.

Les vins blancs n'atteignent guère les 10% de la production globale, alors que les vins rouges (environ 30%) mériteraient d'acquérir un peu plus de renommée. Dans l'ensemble, ce sont des vins frais, assez souples et fruités.

En haut, le village de Grimaud
Ci-dessus, le château de Grand Bovie à Trets
Les caves de l'Abbaye du Thoron
Elles étaient autrefois reliées à l'Abbaye du Thoronet

DOMAINE DE BRIGUE
FERNAND LEBRUN
83340 LE LUC-EN-PROVENCE

PALETTE

A quelques kilomètres au sud d'Aix-en-Provence, on trouve le vin le plus rare de toute la Provence (200 hl/an). Planté sur un éboulis calcaire, un minuscule vignoble de 12 hectares s'étend sur les communes de Tholonet, Meyreuil et Aix-en-Provence. Seuls deux propriétaires se le partagent. Château Simone, sur la rive gauche de l'Arc, est le plus important. Le vin de Palette est AOC depuis 1948. Vingt-cinq variétés de raisins sont autorisées !

Pour les rouges et rosés : grenache, mourvèdre, cinsault (plus de 50%), et environ douze variétés pour compléter.

Pour les blancs : 50% minimum de clairette plus du grenache blanc, du muscat blanc, et divers pour compléter (20% maximum). Les rouges sont colorés, généreux aptes, au vieillissement. Les rosés sont vifs et fruités. Les blancs de blancs, fruités et souples, vifs et gais, sont très réputés.

CASSIS

Tout près de Marseille, sur la côte des calanques, tout autour du petit port de Cassis, les vignerons ont planté 160 hectares de vignes sur des collines calcaires.

Le vin qu'ils produisent a obtenu son appellation dès 1936, mais il existe depuis les premiers siècles de notre ère.

Les cépages blancs sont : ugni blanc, doucillon, sauvignon, clairette, marsanne et pascal blanc. Pour les rosés et rouges, on retrouve les classiques grenache, carignan, mourvèdre, cinsault, barbaroux.

Les vins blancs de Cassis sont assez rares. Capiteux, ils possèdent une teneur en alcool assez élevée.

Ils sont à la fois fruités et onctueux, fins et tout en fraîcheur, développant un parfum soutenu.

La région produit aussi des rouges et des rosés secs, minimum 11°, assez proches de ceux de Bandol.

PRINCIPALES PROPRIÉTÉS DE CASSIS
LA FERME BLANCHE
MAS DE FONBLANCHE
MAS DE BOUDARD`
DOMAINE DU BAGNOL
CLOS SAINTE MAGDELEINE

CHÂTEAU SIMONE
RENÉ ROUGIER
13590 MEYREUIL

Le vignoble de Palette et la montagne Sainte-Victoire

Le vignoble de Cassis

LA LAIDIÈRE
S.C.E.A. ESTIENNE
83330 SAINTE-ANNE-D'EVENOS

CHÂTEAU DE PIBARNON
COMTE DE SAINT VICTOR
83740 LA CADIERE-D'AZUR

**PRINCIPALES PROPRIÉTÉS
DE BANDOL**
DOMAINE DE LA GARENNE
CHÂTEAU SAINTE-ANNE
DOMAINE DE LA TOUR DU BON
DOMAINE DE LA FRÉGATE
DOMAINE DE L'HERMITAGE
DOMAINE DE L'OLIVETTE

BANDOL

L'appellation s'étend sur le territoire de sept communes : Bandol, La Cadière d'Azur, le Castellet, Ollioules, Évenos, Saint-Cyr-sur-Mer et Beausol.
Elle est associée à quatre cépages pour les blancs : clairette, ugni blanc, bourboulenc (à raison de 60% minimum), et sauvignon (maximum 40%). Pour les rouges, 80% de l'encépagement se répartit entre grenache, cinsault et mourvèdre, ce dernier s'imposant à plus de 50%. Les cépages de complément sont les carignan, pécoui-touar, tibouren et syrah.

Les vins de Bandol doivent titrer au minimum 11°.

Le Bandol rouge, un peu dur quand il est jeune, doit attendre au minimum trois ans avant de développer toutes ses qualités. Élégant, charpenté, tannique et généreux, le Bandol rouge dégage un arôme assez complexe de fruits rouges, cannelle, réglisse. Les rosés ont un bouquet épicé et les blancs offrent une légère touche florale.

BELLET

Dans l'arrière-pays niçois, un minuscule terroir caillouteux et riche en silice, le Bellet s'est fait une place, au milieu des cultures de fleurs.

A 300 mètres de haut, les vignes surplombent la vallée du Var, sur les terrains escarpés d'un éboulis calcaire qui excluent la mécanisation des récoltes.

En voie de disparition, cette appellation a été relancée il y a une dizaine d'années par un propriétaire plus dynamique et bien équipé pour la vinification.

D'une belle couleur rubis brillante, le Bellet est un rouge délicat, léger et fin.

Les rosés sont agréables en raison de leur finesse et leur légèreté, alors que les blancs sont délicats et élégants, un peu nerveux et très frais.

LA PROVENCE

COTEAUX D'AIX-EN-PROVENCE

Ville prospère sous les Romains, ancienne capitale du comtat de Provence pendant plusieurs siècles, ville de culture et d'art, Aix-en-Provence a conservé ce cachet ancien qui lui donne charme et élégance. La visite de la ville demanderait à elle seule plusieurs jours si l'on voulait regarder chacun des cent quatre-vingt-dix hôtels particuliers que l'on a dénombré. Aix, c'est aussi Paul Cézanne, le peintre de la montagne Sainte-Victoire, à qui une salle est consacrée au musée Granet.

Tout autour de la ville, s'étendent environ 3 000 hectares de vignobles abrités du mistral, dans un climat idéal, sous l'appellation Coteaux d'Aix-en-Provence. La région concernée est limitée au nord par la vallée de la Durance, à l'ouest par le Rhône.

Au sud, elle englobe l'étang de Berre, longe la montagne Sainte-Victoire et pousse, à l'est, une pointe jusque dans le Var, à la limite d'Artigues.

PRINCIPALES PROPRIÉTÉS DES COTEAUX D'AIX-EN-PROVENCE
CHÂTEAU PIGOUDET
MAS DE LA DAME
CHÂTEAU DE FONSCOLOMBE
DOMAINE DE LAUZIÈRES
CHÂTEAU VIGNELAURE
TERRES BLANCHES

CHÂTEAU LA COSTE
JEAN BORDONADO
13610 LE PUY STE RÉPARADE

Le village de Martigues

Dans la région des Alpilles, où se situent les Baux-de-Provence – magnifique paysage dont les affleurements rocheux se confondent avec les constructions –, l'appellation peut être désignée sous le nom de Côtes des Baux.

Après une grave crise humaine et technique, la région a bénéficié des soins constants et méritoires des vignerons, qui lui ont valu de passer de l'appellation VDQS en AOC depuis 1985.

Les viticulteurs produisent essentielle-

**PRINCIPALES PROPRIÉTÉS
DES COTEAUX
D'AIX-EN-PROVENCE**
CHÂTEAU DE CALAVON
CHÂTEAU LA COSTE
CHÂTEAU DE CALISSANNE
CHÂTEAU DE LA GAUDE

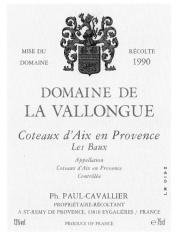

DOMAINE DE LA VALLONGUE
PHILIPPE PAUL-CAVALLIER
13810 EYGALIÈRES

ment des vins rouges, bien équilibrés, fins au bouquet fruité et aromatique, à partir du cépage grenache et, pour 40%, des cépages cinsault, counoise, mourvèdre, carignan, syrah, cabernet sauvignon.

30% de la production est consacrée aux rosés et 5% aux blancs (cépages bourboulenc, clairette, grenache blanc, principalement), vins secs et nerveux proches de leurs voisins varois.

Un des crus les plus remarquables est le Château-Vignelaure.

Ci-dessus le port de Martigues, Venise du sud

COTEAUX VAROIS

Situés au nord des Côtes de-Provence, leur terroir est plutôt fractionné. Le vignoble, qui couvre environ 1 500 hectares, est planté sur un sous-sol calcaire, en cépages grenache, mourvèdre, syrah (minimum 40%), principalement, pour les rouges, les cépages secondaires étant le cabernet et le sauvignon (20% maximum). Quant aux rosés ce sont le grenache et le cinsault qui dominent, complétés de syrah, de mourvèdre, de carignan.

L'appellation, classée en VDQS depuis 1984, est groupée dans les régions de Tavernes, Brignoles, Brue-Auriac, Saint-Maximin. Elle ne concerne que les vins rouges et rosés, qui sont des vins frais et fruités et qui doivent se boire jeunes.

La production atteint environ 65 000 hectolitres par an.

VINS DE PAYS

On ne saurait passer sous silence bon nombre d'excellents vins de pays qui, à l'image des Coteaux Varois devenus VDQS, pourraient un jour bénéficier d'un classement supérieur :
– vins de la Petite Crau,
– vins du mont Caume,
– vins d'Argens,
– vins des Maures,
– vins de la principauté d'Orange (dans quatre cantons du Vaucluse).

**PRINCIPALES PROPRIÉTÉS
DES COTEAUX VAROIS**
DOMAINE DE RAMATUELLE
DOMAINE D'ESCARELLE
DOMAINE DE GARBELLE
DOMAINE DES CHABERTS
DOMAINE DU LOOU
CHÂTEAU LA CURNIÈRE
DOMAINE BRÉMOND

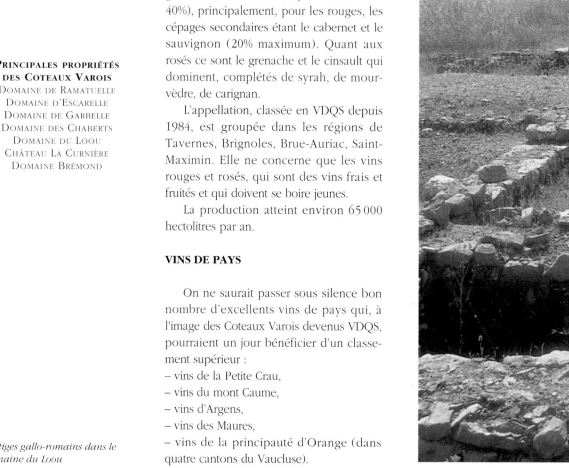

Vestiges gallo-romains dans le domaine du Loou

LA CORSE

TOUSSAINT LUIGI
20247 ROGLIANO

Le Corse a la passion du vin. Dès l'Antiquité, il a cultivé la vigne sur les pentes escarpées de ses montagnes et sur les flancs de ses vallées ensoleillées.

En avril 1976, l'appellation « Vin de Corse » est réorganisée et octroyée à une soixantaine de communes.

Certaines régions peuvent ajouter leur nom à l'appellation « Vin de Corse » : il s'agit de Coteaux du cap Corse, Porto-Vecchio, Figari, Sartène, Ajaccio, Calvi et Patrimonio. Au sein de la production vinicole corse, le secteur AOC correspond à environ 20%, les vins de pays à 30%, les vins de table au restant.

PATRIMONIO

Sur des terrains schisteux et sablo-argileux, le vignoble s'étage sur les coteaux et mamelons de l'éventail de la Conca d'Oro. Un ensemble de petites propriétés donne des rouges colorés, puissants et chaleureux, des rosées « de saignée » frais et enso-

282

original, le vin d'Ajaccio n'en est pas moins apprécié pour ses rouges de garde, fins, équilibrés, ses rosés distingués et ses blancs au bouquet floral éclatant.

SARTÈNE

Cette région au relief tourmenté, au sol granito-argileux, difficile à travailler mais fertile, a toujours donné des vins fortement appréciés des grands de ce monde. Bien charpentés, les rouges sont ronds et longs en bouche. Les rosés sont corsés et bouquetés et les blancs amples et parfumés.

FIGARI

Dans cette zone, les premières plantations ont été remplacées par des petites surfaces en coteaux, avec des cépages corses auxquels les mourvèdre, cinsault et autre syrah ont apporté leurs propres qualités. Résultat, des vins charpentés, typés et très distingués.

PORTO-VECCHIO

On retrouve, comme pour les vignobles voisins, d'heureux mariages entre les « locaux » et les « importés ». Les rouges sont élégants et ronds, les rosés fins et aromatiques, les blancs secs et fruités.

MICHEL RAOUST
20225 MURO

leillés, des blancs secs très fruités. La région produit également des muscats très parfumés.

COTEAUX D'AJACCIO

Les vignobles sont morcelés, dispersés, diversifiés dans leurs sous-sols. Le cépage dominant est le sciacarello, d'un rendement faible, qui est associé avec les nielluccio, vermentino, barbarossa, grenache, cinsault et carignan. D'un caractère très original, le

Le vignoble du domaine Torraccia
à Porto-Vecchio

283

Dans les régions du Jura et de la Savoie, la vigne pousse et pousse bien. Romains, moines et seigneurs de Franche-Comté et de Savoie possédaient du goût pour le vin et entretenaient de solides vignobles capables de résister aux intempéries. La tradition s'est perpétuée de nos jours, chaque région gardant des cépages spécifiques dont certains sont uniques au monde. Il en ressort des vins au caractère marqué, frais, souples et fruités. Encore peu connus il y a quelques dizaines d'années, ils ont acquis depuis, par leur qualité, une belle réputation.

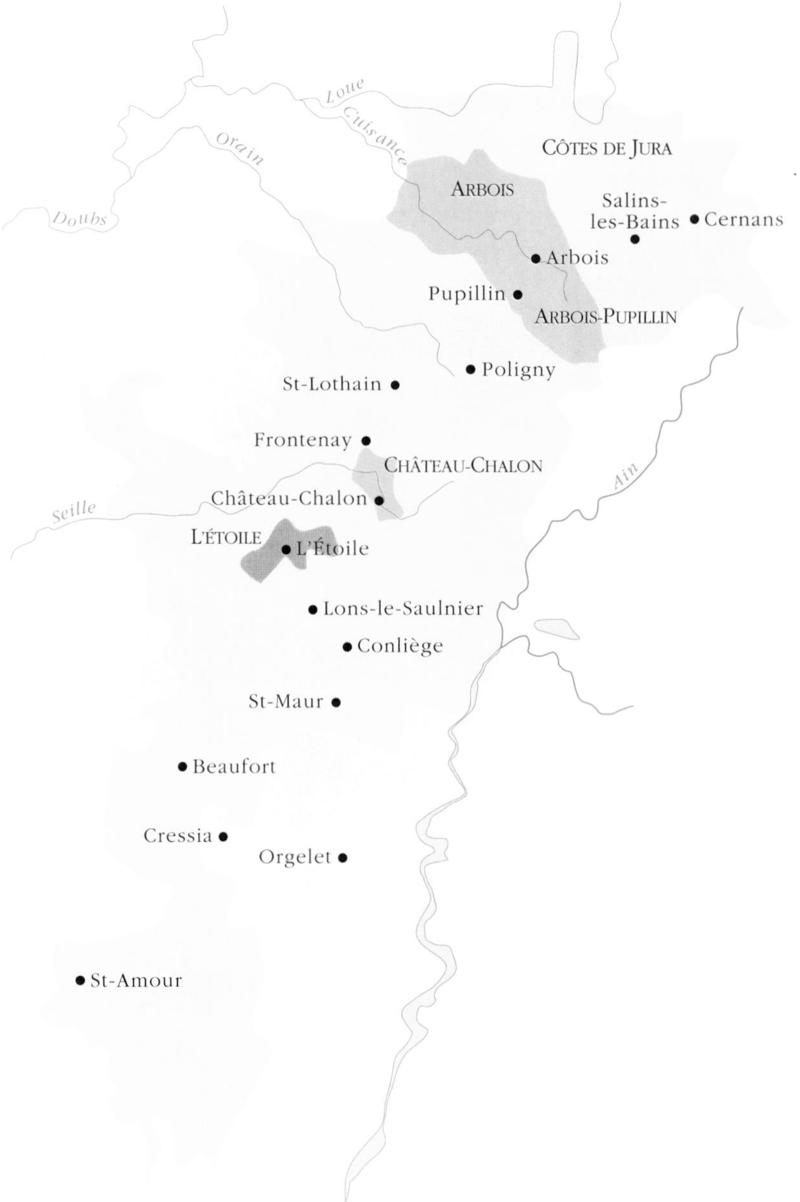

CÔTES DE JURA

ARBOIS

Salins-les-Bains • Cernans

• Arbois

Pupillin • ARBOIS-PUPILLIN

St-Lothain • • Poligny

Frontenay • CHÂTEAU-CHALON

Château-Chalon • L'ÉTOILE

L'ÉTOILE • L'Étoile

• Lons-le-Saulnier

• Conliège

St-Maur •

• Beaufort

Cressia • • Orgelet

• St-Amour

Doubs · *Orain* · *Loue* · *Cuisance* · *Seille* · *Ain*

**LES CÉPAGES
LE JURA :** CHARDONNAY,
POULSARD, SAVAGNIN,
TROUSSEAU.

LES APPELLATIONS DU JURA

*Côtes du Jura, Arbois, Arbois-Pupillin,
Arbois mousseux , Château-Chalon,
L'Etoile, Etoile mousseux, Macvin.
Le Jura compte également deux
appellations curieuses et savoureuses,
le Vin de paille et le Vin jaune.*

PRODUIT DE FRANCE
1987

ARBOIS
Appellation Arbois Contrôlée

13% vol. e 75cl

SAVAGNIN

Mis en bouteille à la Propriété

FRUITIÈRE VINICOLE D'ARBOIS

FONDÉE EN 1906

JURA   FRANCE

Ripaille • — • Évian
Thonon-les-Bains •
• Marignan
• Douvaine
CRÉPY

• Oyonnax

Genève • — • Annemasse

Ceyzeriat •
Nantua •
• Poncin
Bellegarde •
• Ayse
Bonneville •

Pont-d'Ain •
Ambérieu-en-Bugey

VIN DE SAVOIE

AIN

• Frangy

HAUTE-SAVOIE

Champagne-en-Valromey
SEYSSEL • Seyssel
• Chautagne
• Annecy
• Lagnieu
• Rumilly
Virieu-le-Grand •
• Ruffieux

VIN DU BUGEY

• Faverges
• Ugine

• Crémieu
• Marestel
• Belley
• Albertville

Morestel •
• Aix-les-Bains
SAVOIE
Charpignat •

ISÈRE

Chambéry •
Cruet •
• Arbin
Chignin •
• Montmélian
Moutiers •
Apremont •
Abymes •

LES CÉPAGES

LA SAVOIE : ALIGOTÉ, ALTESSE, CHARDONNAY, CHASSELAS, GAMAY, JACQUÈRE, MONDEUSE, PINOT NOIR, POULSARD, ROUSSANNE.

LA GASTRONOMIE

Jura
CÔTE DE VEAU FRANC-COMTOISE
JÉSUS DE MORTEAU
COQ AU CHÂTEAU-CHALON
CROÛTE AUX MORILLES

Savoie
LAVARET GLACÉ
FONDUE SAVOYARDE
GRATIN SAVOYARD
FARÇON
GÂTEAU DE SAVOIE

À SERVIR
BLANC : 8° À 10°C
ROUGES : 14° À 16°C

LES APPELLATIONS DE SAVOIE

VINS DE SAVOIE

Les vins de Savoie portent en général la mention du cépage. Cependant, l'appellation comporte un certain nombre de crus : Ripaille, Marignan, Abymes, Apremont, Saint-Jeoire-Prieuré, Chignin, Chignin-Bergeron , Montmélian, Arbois, Cruet, Saint-Jean-de-la-Porte, Sainte-Marie-d'Allaix, Ayze, Roussette de Savoie, Seyssel, Seyssel mousseux, Crépy.

VINS DU BUGEY

Comme pour les vins de Savoie, les vins du Bugey portent le nom du cépage employé (pinot, gamay…). Cinq d'entre eux comportent en plus l'appellation du cru : Virieu-le-Grand, Maride, Maduraz, Montagnieu, Cerdon.,

ROUSSETTE DU BUGEY

Outre l'appellation régionale, ces vins blancs peuvent provenir de six crus : Lagnieu, Montagnieu, Virieu-le-Grand, Arbignieu, Anglefort et Chanay.

LE JURA

Le clos Bacchus près de Château-Chalon

PRINCIPALES PROPRIÉTÉS DES CÔTES DU JURA
BLONDEAU ET FILS
DOMAINE JACQUES TISSOT
CELLIER DES CHARTREUX
LA CROIX DE MARCHE
GRANDS FRÈRES
DOMAINE DES ROUSSOTS
DOMAINE MOREL-THIBAULT
JEAN TRESY
CHÂTEAU D'ARLAY
DÉSIRÉ PETIT ET FILS

Selon les archéologues, l'origine des vignes remonte à plusieurs millénaires avant notre ère. Au VIᵉ siècle avant J-C, un commerce s'effectue à partir de la Saône, que les Phocéens de Marseille n'hésitent pas à remonter pour acheter les vins de Séquanie (la Franche-Comté). Les Romains, présents partout en Gaule, qu'ils viennent de conquérir, s'emploient à développer cette culture sur les plateaux jurassiens. Le consul Pline le Jeune (62-144 après J-C) trouve les productions de cette région de bonne qualité et aime à les vanter dans ses écrits. Philippe le Bel est le premier roi de France à les découvrir. Henri IV, François Iᵉʳ, suivent ses traces. Ce dernier n'hésite pas à planter de nombreux pieds dans ses terres de Fontainebleau.

A la fin du XIXᵉ siècle, la région a développé toutes ses possibilités. En 1888, on recense 19 348 hectares. Survient le phylloxéra qui met à mal les vignobles. Têtus, les viticulteurs replantent. En 1900, la superficie ne dépasse pas 8 000 hectares, dont 500 en plants greffés. En 1990, on compte un peu plus de 2 000 hectares dont 1 650 en AOC, pour une production moyenne de 80 000 hectolitres et un rendement de 30 à 55 hectolitres par hectare.

Riches en anciens cépages, le Jura qui en comptait, à la fin du XIXᵉ siècle, encore une quarantaine couramment exploités, n'en possède plus que cinq retenus pour le classement en AOC. Côté rouges : le poulsard, plant franc-comtois, qui représente

20% de la surface plantée, doit son nom à la « pelouse », sorte de baie sauvage comestible. Ses raisins à gros grains donnent des vins rouges « clairets » étonnants ; le trousseau, autre cépage comtois rouge, est le plus rare du vignoble jurassien, son implantation occupe 5% du territoire. Ses grains génèrent un vin rouge à la robe intense et offrent beaucoup de corps et de tenue au vieillissement ; le pinot noir est employé pour rehausser couleur et charpente du poulsard.

Côté blancs : le chardonnay, qui prend aussi le nom de melon d'Arbois, est le plus répandu (45%). Il donne un vin sec et fruité. Le savagnin, appelé aussi naturé, proviendrait de vignes sauvages acclimatées par les chanoinesses de Château-Chalon.

On l'assemble généralement avec le

En haut, vue du vignoble près d'Arbois
Ci-dessus, le vignoble de Château-Chalon

**PRINCIPALES PROPRIÉTÉS
D'ARBOIS**
FRUITIÈRE VINICOLE D'ARBOIS
DÉSIRÉ PETIT
ROLET PÈRE ET FILS
DOMAINE JACQUES TISSOT
FRUITIÈRE VINICOLE DE
PUPILLIN
DOMAINE DE LA PINTE
HENRI MAIRE
CAVEAU DE BACCHUS
DANIEL DUGOIS

chardonnay. Vinifié seul, il donne, après vieillissement en fûts, le vin jaune.

Les vins blancs (AOC Côtes du Jura, Arbois et Étoile) sont souvent maintenus en fûts de chêne, deux à trois ans, où ils acquièrent un joli bouquet de fruits secs grillés (noisettes et amandes). Secs, fruités au goût, nez de terroir prononcé et bien charpentés, ils sont de bonne garde.

Les vins rouges et rosés (AOC Côtes du Jura et Arbois), aux arômes de fleurs et de petits fruits, sont issus soit du poulsard, d'une robe proche du rosé tournant en vieillissant au tuilé, soit du trousseau, robe rouge, plus puissant et charpenté.

Les vins les plus typiques restent les vins de paille et les vins jaunes. Le vin de paille est constitué d'un harmonieux mélange de raisins des différents cépages régionaux (sauf pinot). Laissées sur un lit de paille, des claies, ou suspendues pendant deux à trois mois, les grappes subissent une surmaturation. Après pressage,

ARBOIS PUPILLIN
DÉSIRÉ PETIT ET FILS
39600 PUPILLIN

*Le clocher de l'église
Saint-Just à Arbois*

vient alors une longue fermentation qui peut durer d'un à deux ans et permet d'obtenir un vin titrant entre 14,5° et 17°, contenant beaucoup de sucre. Mis en fût, il vieillit pendant trois ans avant d'être embouteillé. Le vin jaune est réalisé uniquement à base de cépage savagnin.

Après une fermentation de plusieurs mois, il est soutiré et placé en fûts de chêne où il vieillit pendant au moins six ans, sans ouillage ni soutirage. Le voile de levures qui se forme à la surface protège le liquide

CÔTES DU JURA
BAUD PÈRE ET FILS
39210 LE VERNOIS

contre une oxydation rapide. Peu à peu le vin change de couleur et prend « le goût de jaune ».

Il est mis dans une bouteille particulière, le clavelin, d'une contenance de 0,62 litre, volume correspondant aux pertes par évaporation d'un litre en six ans.

Le résultat est un vin jaune d'or, très aromatique, long en bouche, avec des nuances de noix vertes, amandes et noisettes grillées. Les viticulteurs jurassiens réalisent également des Crémant, récem-

réalisent également des Crémant, récemment promus AOC (portant leur nombre à quatre cents !), rosés ou blancs, fins et fruités, et le Macvin, vin de liqueur obtenu par mutage (arrêt de la fermentation par ajout d'alcool) à l'aide d'eau-de-vie de marc du Jura. Après deux à trois ans de vieillissement en fût, il titre entre 16° et 22°.

Ce vin d'apéritif, déjà fabriqué au XIVᵉ siècle, était très prisé des dames de la cour, notamment par Marguerite de Flandres qui le surnomma « le galant ».

LA SAVOIE

La Savoie offre encore quantité de cépages très connus comme le chasselas, le gamay, le pinot, et d'autres, beaucoup plus localisés, comme le bergeron implanté à Chignin, la roussette, le gringet, la molette, la douce noire (ou plant de Montmélian), le persan, etc.

Ripaille, où les Romains exploitaient déjà la vigne, fut d'abord un rendez-vous de chasse à la fin du XIIIe. Malgré ses transformations au XIXe, la forteresse reste imposante. Elle est entourée d'un parc de 50 hectares et d'un domaine viticole de 15 hectares (AOC). Marin, à proximité de Thonon, produit sur 25 hectares un blanc AOC frais et fruité.

Ayze, près de Bonneville, au pied de la montagne du Mole, possède son vignoble depuis le XIIIe siècle, vignoble déjà cité dans les écrits de saint François de Sales.

Ses 30 hectares fournissent un vin mousseux (méthode champenoise ou traditionnelle), à partir de roussette d'ayze et de gringet (sorte de traminer).

Ci-dessus, l'église de Jongieux

Ci-dessous et page de droite, le vignoble sur les berges du lac du Bourget

PRINCIPALES PROPRIÉTÉS DE SAVOIE
CAVE DE CHAUTAGNE
LE CELLIER DE SORDAN
COTEAU DE LUTNY
CLAUDE QUÉNARD
LE VIGNERON SAVOYARD
LE CAVEAU BUGISTE
CHARLES GONNET
DOMAINE DE L'IDYLLE
LA CAVE DU PRIEURÉ
ALEXIS GENOUS
PIERRE BONIFACE
CHÂTEAU DE RIPAILLE

Frangy, pittoresque hameau, faisait, au XVIIᵉ siècle, commerce de vin avec la Suisse. Aujourd'hui un syndicat regroupe les producteurs de douze communes et produit des Roussette de Savoie, délicates et distinguées, des Gamay fruités, des Mondeuse fermes mais parfumées et de vifs rosés de Savoie. Le vignoble de Seyssel, AOC depuis 1942, produit sur 70 hectares un vin blanc (altesse et molette) séveux, tendre, souple et corsé, et, sur 10 hectares, un vin rouge issu de gamay et de mondeuse.

Ruffieux est située en plein cœur du vignoble de Chautagne. Elle accueille la production de deux cents exploitants répartis sur les trois communes de Motz, Serrières et Chindrieux. Vin préféré de la cour de Sardaigne au XVIIIᵉ siècle, il est aujourd'hui constitué pour 30% en blanc (20% de jacquère perlant, 10% de roussette perlante et d'aligoté), et pour 70% en rouge (45% de gamay, 12,5% de pinot et autant de mondeuse). Dernière création : le Chautagnard, harmonieux mariage de trois cépages rouges.

VINS DE BUGEY

Moins connus que leurs homologues de Savoie, les vins de Bugey sont tout aussi anciens. Gallo-Romains, puis moines, firent beaucoup pour faire connaître ces vignobles.

Les vins blancs sont issus des mêmes types de cépages altesse, chardonnay, jacquère, aligoté, mondeuse blanche, molette (cette dernière uniquement locale).

Ils se nomment Roussette de Bugey – le plus réputé étant celui de Montagnieu – et Mousseux de Bugey , ils sont très racés et aromatiques.

Quant aux vins rouges de Bugey, ils sont issus de gamay, pinot noir, poulsard, mondeuse. Suivant leurs origines, ils peuvent être corsés (mondeuse), fins et parfumés comme le Manicle (pinot), souples et fruités (gamay).

Enfin le Cerdon est un rosé naturellement effervescent, émanant du poulsard et du gamay.

MARESTEL
ANDRÉ ET MICHEL DUPASQUIER
73170 JONGIEUX

293

*D*u mont Gerbier-des-Joncs
jusqu'à son embouchure en
Pays nantais, la Loire est escortée
d'une multitude de vignobles.
Parmi les nombreux cépages qui
s'acclimatèrent tout au long de ses
méandres, il s'en distingue trois
auxquels sont redevables un
florilège de vins, tranquilles ou
effervescents, moelleux ou secs :
le chenin blanc (ou pineau de la
Loire), le cabernet franc et, enfin,
le muscadet du Pays nantais.

La Loire à Chinon

295

LA VALLÉE DE LA LOIRE

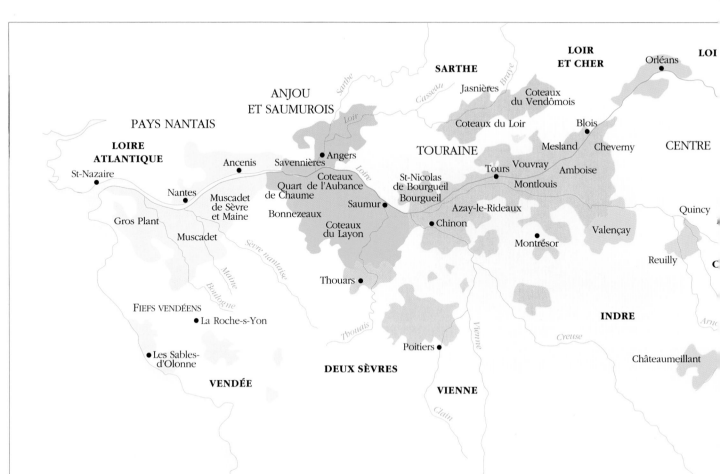

LES APPELLATIONS

Très vaste et très diversifiée, la vallée de la Loire offre une quarantaine d'appellations contrôlées et une quinzaine de VDQS. Traditionnellement, on regroupe les appellations en quatre grandes zones géographiques : Pays nantais, Anjou-Saumur, Touraine (prolongée par les régions du Val du Loir et de l'Orléanais) et Centre.

TOURAINE – VAL DU LOIR – ORLÉANAIS
AOC : Touraine, Bourgueil, Saint-Nicolas-de-Bourgueil, Chinon, Touraine-Azay-le-Rideau, Touraine-Amboise,

Touraine-Mesland, Vouvray, Montlouis, Coteaux du Loir, Jasnières.
VDQS : Coteaux vendômois, Cheverny, Valençay, Châteaumeillant, vins de l'Orléanais, Coteaux du Giennois ou Côtes de Gien.

LE PAYS NANTAIS
AOC : Muscadet, Muscadet de Sèvre-et-Maine, Muscadet des Coteaux de la Loire.
VDQS : Gros Plant du Pays nantais, Coteaux d'Ancenis, Fiefs vendéens.

CENTRE
AOC : Sancerre, Pouilly fumé ou Blanc fumé de Pouilly, Pouilly-sur-Loire,

Menetou-Salon, Quincy, Reuilly.
VDQS : Saint-Pourçain, Côtes d'Auvergne, Côtes Roannaises, Côtes du Forez.

ANJOU-SAUMUR – POITOU
AOC : Anjou, Anjou-Gamay, Cabernet d'anjou, Coteaux de la Loire, Anjou-Villages, Anjou mousseux, Savennières, Coteaux du Layon, Quarts de Chaume, Bonnezeaux, Coteaux de l'Aubance, Saumur d'origine, Saumur, Saumur-Champigny, Coteaux de Saumur, Cabernet de Saumur, Rosé de Loire, Crémant de Loire.
VDQS : Vins de Thouersois, Haut-Poitou.

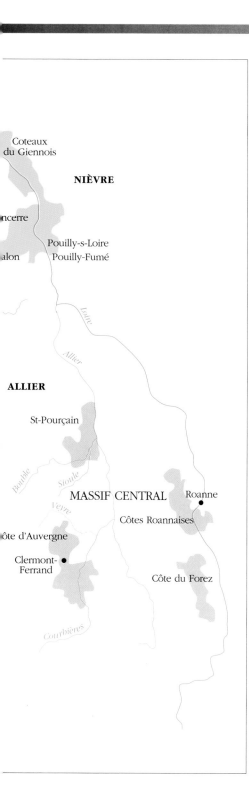

Coteaux
du Giennois

NIÈVRE

ncerre

Pouilly-s-Loire
alon   Pouilly-Fumé

ALLIER

St-Pourçain

MASSIF CENTRAL   Roanne

Côtes Roannaises

ôte d'Auvergne

Clermont-
Ferrand

Côte du Forez

LES CÉPAGES

CABERNET FRANC, CABERNET
SAUVIGNON, CHASSELAS,
CHENIN BLANC (OU PINOT DE
LA LOIRE), FOLLE BLANCHE,
GAMAY, GROLLEAU,
MUSCADET (OU MELON),
SAUVIGNON.

LA GASTRONOMIE

BROCHET AU BEURRE BLANC
CUL DE VEAU ANGEVINE
ANDOUILLETTE AU VOUVRAY
GIGUE DE CHEVREUIL
PERDREAUX À LA COQUE
CHAVIGNOL RÔTI
TARTE TATIN
CRÉMETS D'ANGERS

À SERVIR

BLANC : 8° À 10°C
BLANCS DOUX : 6° À 8°C
MOUSSEUX : 5° À 8°C
ROUGES : 14° À 16°C

Un seul trait d'union, la Loire et ses affluents, Cher et Allier, réunit les vignobles de ce territoire.

CÔTES D'AUVERGNE

Des trois régions qui faisaient autrefois la réputation de ces vins d'Auvergne, connus depuis les Romains, ne subsistent aujourd'hui que Le Grand Vignoble, qui s'étire sur une quinzaine de kilomètres entre Issoire et Clermont, et celui de Riom qui réunit autour de cette ville, sur un sol essentiellement volcanique, quelques-uns des vins les plus réputés : Châteaugay, Chanturgue, Madaigues, etc.

Cette dernière appellation, VDQS depuis 1777, recouvre quelque 600 hectares de vignes plantés à 95% de gamay noir à jus blanc, donnant des vins légers, fruités, marqués par un léger goût de terroir. Ils gagnent à être bus assez frais et dans l'année. Les gris d'Auvergne très pâles et très secs sont de bonne notoriété.

CÔTES DU FOREZ

Les 170 hectares du vignoble occupent une vingtaine de communes autour de Boen-en-Lignon (Loire), au pied des monts du Forez, entre Saint-Étienne et Roanne.

La quasi-totalité de la production de ce VDQS est non seulement vinifiée, mais aussi commercialisée par l'unique cave coopérative de l'appellation.

CÔTES ROANNAISES

Vingt-quatre communes des environs de Roanne occupent l'aire d'appellation sur les deux rives de la Loire.

Le vignoble d'une centaine d'hectares est planté de gamay, vinifié très soigneusement en rouge et en rosé. Il donne des vins agréables, légers, très fruités et dont la qualité semble unanimement reconnue.

DOMAINE DE BELLEVUE
G. PÉTILLAT ET FILS
03500 SAINT-POURÇAIN

DOMAINE DE BELLEVUE
PÉTILLAT PÈRE ET FILS
03500 MEILLARD

**PRINCIPALES PROPRIÉTÉS
DU CENTRE**
LES VIGNERONS DE
SAINT-POURÇAIN
DOMAINE DE BELLEVUE
JOSEPH ET JEAN-PIERRE
LAURENT
POUPAT ET FILS

SAINT-POURÇAIN

Le vignoble couvre 350 hectares, étalés sur 45 kilomètres, donnant traditionnellement une production de vins blancs tranquilles et effervescents produits à partir d'un cépage local, le tressalier, associé avec du chardonnay et renforcé aujourd'hui par le sauvignon. Pourtant, la grande réussite de ce VDQS est sa production de vins rouges légers et fruités, nés d'un assemblage de gamay et de pinot noir.

Les vignobles des Côtes du Forez

**PRINCIPALES PROPRIÉTÉS
DE MENETOU-SALON**
DOMAINE HENRY PELLÉ
DOMAINE DE CHATENOY
JEAN-PAUL GILBERT
FOURNIER PÈRE ET FILS

GAEC DES BRANGERS
G. CHAVET ET FILS
18510 MENETOU-SALON

DOMAINE HENRY PELLÉ
18220 MOROGUES

MENETOU-SALON

Menetou-Salon, situé au nord-est de Bourges, est à coup sûr la plus agréable entrée en matière du Sancerre. Ce vignoble qui appartint aux ducs de Berry et à Jacques Cœur fut promu au rang d'AOC en 1959, pour ses vins blancs, rouges et rosés. L'aire d'appellation s'étend sur le territoire de dix communes dont deux sont à vocation viticole (Menetou et Morogues). Le Menetou-Salon est un vin agréable.

Ci-dessus, les vignobles de Menetou-Salon

CHÂTEAUMEILLANT

Au sud-ouest de Saint-Amand-Montrond, s'étend l'appellation VDQS Châteaumeillant dont la surface de production ne dépasse guère les 80 hectares. Le vignoble est connu pour son vin gris issu du pinot noir et du gamay, un rosé finement bouqueté, plutôt vif et au coloris très clair.

Les rouges de gamay produits en petite quantité sont fruités et gouleyants.

COTEAUX DU GIENNOIS

Pour ce VDQS en pleine renaissance, sa centaine d'hectares de vignobles classés se situent sur la rive droite de la Loire entre Gien et Cosne-sur-Loire. La prospérité du vignoble, longtemps dépendant des abbayes de Saint-Benoît-sur-Loire et de la Charité, correspond à l'ouverture du canal de Briare au XVIIᵉ siècle.

La vigne occupe aujourd'hui les coteaux de la Loire, produisant à partir du gamay et du pinot noir des vins rouges de cépage ou d'assemblage, légers, fruités et peu tanniques. Les blancs sont d'honnêtes Sauvignon demandant deux ou trois ans pour être mieux appréciés.

POUILLY-SUR-LOIRE ET POUILLY-FUMÉ

Le Nivernais, sur la rive droite de la Loire et légèrement en amont de Sancerre, abrite deux prestigieux AOC (depuis 1937) : le Blanc Fumé de Pouilly ou Pouilly-Fumé, produit par un seul cépage, le blanc fumé qui n'est autre que le sauvignon, et le Pouilly-sur-Loire, issu du chasselas (avec ou sans sauvignon). Ce dernier est malheureusement un vignoble sur le déclin.

Le Pouilly-Fumé, au contraire, est en pleine extension. Son aire de production recouvre 700 hectares avec une délimitation fort précise des crus. Les meilleures parcelles sont les communes de Pouilly-sur-Loire, Tracy-sur-Loire, et Saint-Audelain qui possède le célèbre château de Nozet. Ce vin rond, au bouquet puissant, aux arômes fins, poivrés et fumés, à la bouche souple et ample et à la sécheresse de pierre à fusil, est devenu un grand vin à part entière.

PRINCIPALES PROPRIÉTÉS DE CHÂTEAUMEILLANT
CAVE DES VINS DE CHÂTEAUMEILLANT
DOMAINE DE FEUILLAT

Le château de Giens

La Loire à Giens

**PRINCIPALES PROPRIÉTÉS
DE POUILLY-SUR-LOIRE
ET POUILLY-FUMÉ**
CHÂTEAU DE LA ROCHE
DOMAINE PATRICK COULBOIS
DOMAINE DE MALTAVERNE
LA MOYNERIE
CHÂTEAU DE TRACY
DOMAINE CHÂTELAIN
GUY SAGET
DOMAINE THIBAULT

Le Château de Tracy

SANCERRE

Qui ne connaît la réputation du Sancerre, son site exceptionnel, une butte dominant la Loire à laquelle s'accroche le vignoble, l'alliance gastronomique entre le crottin de Chavignol et un vin au bel or vert, à l'arôme de pierre à fusil, à la sécheresse et à la fraîcheur légendaires ?

Vers 1900, la superficie du vignoble dépassait 1900 hectares. En 1960, l'AOC Sancerre (depuis 1936) ne représentait plus que 600 hectares. Depuis, c'est au rythme d'une progression de 4% l'an que le vignoble se reconstitue. Aujourd'hui, il est de 1800 hectares, loin encore des 3000 hectares de son potentiel d'extension. L'aire d'appellation englobe dix villages (Baunay, Bué, Crézancy, Menetou-Râtel, Ménétreol, Montigny, Thanvenay, Veaugne, Vigny, Vinon) avec trois crus renommés. Ce sont des vins très fins d'arôme,

L M D DE BOURGEOIS
HENRI BOURGEOIS
18300 CHAVIGNOL

**PRINCIPALES PROPRIÉTÉS
DU SANCERRE**
DOMAINE DES TROIS-NOYERS
BAILLY-REVERDY ET FILS
LUCIEN CROCHET
DOMAINE CROIX SAINT-URSIN

concentrés, solides, remarquables par leur pointe de moelleux qui fait merveille sur des crottins de chèvre frais ou secs, reconnus AOC eux aussi, mais plus tard, en 1976. Si le sauvignon domine les collines de Sancerre, dont certaines sont si pentues qu'il faut l'aide d'un treuil pour y travailler, le pinot noir (environ un cinquième de la récolte), toujours un peu timide, gagne en notoriété par ses vins au bouquet de fruits rouges, à la saveur souple, fruitée et quelque peu tannique.

Les caves du domaine Vacheron

A gauche, le vignoble de Saint-Satur

En haut, le village de Sancerre
Ci dessus, vues du vignoble sancerrois

LA VALLÉE DE LA LOIRE

Le château de Chambord

La Loire, à Amboise

« Je suis né et au esté nourry jeune au jardin de France : c'est Touraine », aimait à dire François Rabelais, qui naquit à La Devinière près de Chinon, vers 1494. Truculent écrivain de la Renaissance, il célébra toute sa vie le vin de Chinon. C'est en son honneur que fut fondée la deuxième confrérie de France (après celle des Tastevin), la confrérie des Bons Entonneurs rabelaisiens.

La Touraine commence à Blois : elle suit la Loire jusqu'à Montsoreau, étendant son appellation à ses affluents, le Cher, l'Indre et la Vienne.

Mais la Touraine viticole se concentre surtout sur deux départements. L'Indre-et-Loire qui, par un hasard extraordinaire, affiche la forme d'une feuille de vigne, possède tous les grands crus, laissant au Loir-et-Cher les appellations régionales.

Le breton (le cabernet franc) est ici chez lui, avec sa superbe déclinaison de vins rouges à la robe intense.

Quant au chenin blanc (pineau de Loire), il n'a jamais mieux prospéré que sur ces fameux « aubuis », mélanges de sable siliceux, d'argile et de calcaire, donnant de très grands vins blancs secs et liquoreux. Les prestigieux AOC de 1936 (Chinon, Bourgueil, Vouvray, etc.) ne doivent pourtant pas faire oublier des appellations plus récentes, ces Touraine, Amboise, Mesland, Azay-le-Rideau ou même Cheverny, jusqu'au très berrichon vignoble de Valençay. En tout, la Touraine compte 10 000 hectares

d'appellations, comprenant neuf AOC, pour une production moyenne de 600 000 hectolitres, rouges à plus de 50 %.

VOUVRAY

Ce prestigieux vignoble d'environ 1 800 hectares s'étend en amont de Tours, sur le versant nord de la Loire, aux portes mêmes de la ville. De Rochecorbon à Vouvray, il surplombe ces falaises truffées d'habitations troglodytiques et de caves, pour longer le cours de la Cisse jusqu'à Vernou. Là, le vignoble se scinde en deux, vers Noisay et le long de la Brenne, à côté de Chançay et Reugny. Le Vouvray, tranquille ou effervescent, est le fruit d'un seul cépage, le pineau de la Loire (ou chenin).

Ci-dessus, le château d'Ussé et le château de Chenonceaux
A droite, la ville de Montsoreau

Domaine Le Capitaine
Le Capitaine Alain
37210 Rochecorbon

**Principales propriétés
du Vouvray**
Clos du Gaimont
Daniel Jarry
Alain Rohart
Gilles Champion
Domaine des Locquets

Maisons vigneronnes à Vouvray

Vieux pressoirs dans les caves troglodytiques de Montlouis

DOMAINE DUTERTRE
DUTERTRE VITICULTEURS
37530 LIMERAY

Sur un socle de tuffeau au sol argilo-siliceux ou argilo-pierreux riche en silex, il donne la plus exceptionnelle variété de vins blancs de toute la vallée.

Les Vouvray secs sont souples, gouleyants, fruités et quelque peu mordants dans leur jeunesse. Une dizaine d'années de cave suffit à leur plein épanouissement.

Les Vouvray demi-secs se réservent les bonnes années ensoleillées. A garder une quinzaine d'années en cave.

Les Vouvray moelleux, voire liquoreux, sont rares car ils ne proviennent que des grandes années propices à la surmaturité du raisin (vendangés pas tris successifs).

Ils deviendront alors des vins de légende qui se conservent en cave vingt, trente ans et quelquefois plus, des vins onctueux, puissants, marqués par des arômes de verveine et de citron confit, avec en bouche la saveur d'abricot sec, de coing et d'épices. Lors des années médiocres, le Vouvray est traité en pétillant ou en mousseux, élaborés selon la méthode champenoise.

La ville d'Amboise

LE PETIT CHAMBORD
FRANÇOIS CAZIN
41700 CHEVERNY

CHEVERNY
FRANÇOIS CAZIN
41700 CHEVERNY

MONTLOUIS

Face à Vouvray, sur l'autre rive de la Loire, le vignoble de Montlouis, 300 hectares, dont le vin fut longtemps le Vouvray-de-Montlouis, occupe la région entre Loire et Cher jusqu'à Tussault, à quelques kilomètres d'Amboise. Que de similitudes avec son grand voisin du Nord ! Même cépage unique (le chenin), mêmes types de vins tranquilles ou effervescents. S'il fallait les comparer, on noterait que les Montlouis sont moins corsés et qu'ils ont un caractère plus minéral.

TOURAINE-AMBOISE

AOC depuis 1955, cette appellation de 220 hectares que domine le château royal d'Amboise est surtout réputée pour ses blancs particulièrement frais, fruités et légers, comparables à ceux de Montlouis.

La production en est équitablement répartie ; le gamay, le cot et le cabernet semblent apprécier ce terroir constitué d'un sol de « perruches ». Louis XI, qui, dit-on, le goûtait fort, ordonna, en 1463, de le vendre avant tout autre vin sur le marché de Tours.

TOURAINE-CHEVERNY

Au XVIIIᵉ siècle, Cheverny était un vaste vignoble produisant des vins légers, pour l'approvisionnement de Paris.

Aujourd'hui, de ces vins de Sologne, il ne reste que cette appellation VDQS (depuis 1973) dont les 350 hectares se concentrent autour de Cour-Cheverny, haut lieu du tourisme pour son splendide château du XVIIᵉ siècle, et de Mont-près-Chambord qui, sur les bords du Cosson, voit se dresser le plus fastueux et le plus grandiose château de la Renaissance.

L'appellation couvre des vins tranquilles, rouges ou blancs, et des vins effervescents obtenus par assemblage à partir de dix-neuf cépages.

La Loire à Chinon
L'abbaye de Bourgueil
Les vignobles de Bourgueil

**PRINCIPALES PROPRIÉTÉS
DE CHINON**
DOMAINE DANIEL CHAUVEAU
LOGIS DE LA BOUCHARDIÈRE
DOMAINE FRANCIS HAERTY
DOMAINE DES ROUETS
CHÂTEAU DE LA GRILLE
DOMAINE COTON

CLOS DU SAUT AU LOUP
DOMAINE DOZON
37500 CHINON

Les blancs, issus des chenin, sauvignon, chardonnay, romorantin (le cépage local), sont les plus représentatifs.

Ce sont des vins secs, vifs, aux arômes végétaux, bien adaptés au vieillissement. A noter également les rouges obtenus à partir du gamay, cabernet sauvignon, cabernet franc, pinot noir, cot, et les rosés issus du pineau d'Aunis et du pinot gris.

CHINON

« Je scai où est Chinon et la Cave Paincte, aussi j'y ai bu maints verres de bon vin et frais » (François Rabelais).

De Bourgueil, rejoignez Chinon en franchissant la Loire au lieu-dit Port-Boulet. Le vignoble chinonais s'étend sur 1 500 hectares entre la Loire et la Vienne sur le pays de Véron.

« Bon vin breton qui poinct ne croist en Bretagne mais en ce bon pays de Véron » nous dit encore Rabelais. Il longe également la vallée de la Vienne jusqu'à Crouzille, se concentrant principalement sur la rive droite la mieux exposée. Chinon, dont la forteresse dresse ses orgueilleux remparts en surplomb de la Vienne, est le cœur de l'appellation.

Au nord, vous avez les sables et les graviers de la région autour de Beaumont et de Savigny.

En remontant la Vienne, sur les pas de Jeanne d'Arc, vous trouverez Rivière, Sazilly, Tavant, l'Ile, Bouchard et Crouzille, sans pour cela délaisser le Chinon des terres profondes et des coteaux, le long de la départementale 21, puis Cravant-les-Coteaux, Pauzoult, Cigré, tous ces villages chers à Rabelais.

Ils donnent des vins aux parfums délicats de violette associée à la fraise des bois ; des vins de pur rubis, friands et souples, avec le rappel permanent du sol par un goût très prononcé d'humus et de truffe. Comme à Bourgueil, un palais averti saura distinguer entre le vin des terrasses et celui des coteaux. Ces derniers, sur des sols argilo-calcaires ou argilo-siliceux, apportent des vins puissants bien charpentés, aptes à bien vieillir. Le vin de terrasse provenant des terrains de graviers et de sable, à dix mètres au-dessus du niveau de l'eau, sera plus fin, plus fruité, à consommer sans trop attendre.

BOURGUEIL —
SAINT-NICOLAS-DE-BOURGUEIL

De Tours, pour gagner Bourgueil, empruntez la nationale 152, construite sur la levée du fleuve. Une fois passé Langeais, prenez la départementale 35. C'est la route des vins, une route qui vous fera traverser une multitude de territoires minuscules composant l'aire d'appellation, avec pour seul point de repère le nom des communes : Saint-Nicolas, Saint-Patrice, Ingrande-de-Touraine, Restigné, Berrais, La Chapelle, Chouzé-sur-Loire et, à l'ouest de celles-ci, Bourgueil.

Les deux vignobles, qui dépendaient autrefois de l'Anjou, occupent une bande de quinze kilomètres de long, perpendiculaire à la Loire, de Saint-Patrice à Montsoreau. Comme à Chinon, le vignoble se concentre sur la vaste terrasse alluviale en bordure de Loire, donnant « des vins de gravier », tôt faits, plus fins et plus fruités que ceux des coteaux de tuffeau.

Ces derniers se rencontrent plus au nord, à la hauteur de Bourgueil et de Saint-Nicolas-de-Bourgueil.

Ces vins, à l'opposé des précédents, sont plus durs dans leur jeunesse mais peuvent admirablement évoluer après quelques années de cave.

Ici, comme partout dans la région, le cabernet franc (ou breton) règne en maître sur les quelque 1 700 hectares des deux appellations, même si un peu de cabernet sauvignon est encore toléré.

Une ancienne maison de courtier en vins à Bourgueil
Ci-dessous, les vignobles du domaine du Grand Clos à Bourgueil

PRINCIPALES PROPRIÉTÉS DE BOURGUEIL
DOMAINE JACQUES MORIN
DOMAINE DU BOURG
DOMAINE LES PINS
DOMAINE DE LA CHEVALERIE
PIERRE GAUTHIER

DOMAINE DE LA CHEVALERIE
PIERRE CASLOT
RESTIGNÉ

Surprenant vignoble angevin, trop peu connu et pourtant ! Il s'étend essentiellement au sud de la Loire entre le Pays nantais et la Touraine. Un seul département, le Maine-et-Loire, regroupe à lui seul 95% des 15 000 hectares et la plupart de ses dix-sept appellations.

Ce vignoble produit avec bonheur tout ce que le vin peut donner : des blancs – ces grands liquoreux que sont les Layon, les Bonnezeaux, les Quarts de Chaume, les Savennières – jusqu'aux Sauternes les plus prestigieux. Vinifiés en demi-secs, doux, moelleux ou liquoreux, ils sont fins, délicats, généreux… de merveilleux vins de garde. L'Anjou jouit de belles arrière-saisons ensoleillées et humides qui favorisent la surmaturité du raisin, grâce au développement de la pourriture noble. Un procédé de vinification va alors concentrer dans le vin plus ou moins de sucre résiduel (plus le taux de sucre est élevé, plus le vin est liquoreux).

De tels vins méritaient un cépage exceptionnel : le chenin blanc (pineau de la Loire), cépage semi-tardif qui apporte générosité et résistance et donne à l'Anjou et à la Touraine ses plus grands liquoreux.

VENDANGES BELLE ÉPOQUE

Pour beaucoup, l'Anjou rime encore avec rosés, qu'ils soient moelleux, superbement fruités comme les Cabernet et les rosés d'Anjou, ou bien plus secs et plus frais comme les rosés de Loire ou les Cabernet de Saumur, tous issus du cabernet et du grolleau.

Les grands gagnants de ces dix dernières années sont, sans aucun doute, les vins rouges : Saumur, Saumur-Champigny, Anjou rouge, Anjou-Villages, obtenus à partir de deux cépages, le cabernet franc et le cabernet sauvignon. Enfin, cette carte des vins ne pouvait s'achever sans évoquer les vins de fête, les blancs effervescents et les rosés en pleine gloire : Saumur brut ou Crémant de Loire, qu'ils proviennent d'une lente fermentation en bouteille

ou qu'ils vieillissent sur leur lie un an au minimum. Si l'Anjou jouit d'un climat si doux qu'il permet l'épanouissement en pleine terre de camélias et de palmiers, il faut aussi y ajouter les remarquables qualités de son sous-sol.

Il donne les vins de tuffeau sur un socle calcaire recouvert d'argile à silex, de dépôts alluviaux ou sableux, et les vins d'ardoise sur des schistes, des grès et des calcaires du Massif armoricain entaillé par les vallées du Layon et de la Loire.

En haut,, les caves du Château de Tigné

Sol calcaire recouvert d'argile à silex

311

Le château Montreuil-Bellay

ANJOU

Cette AOC depuis 1936 couvre 8 000 hectares répartis essentiellement sur le Maine-et-Loire.

On fait de moins en moins de rosés et de plus en plus de vins rouges issus du cabernet franc et du cabernet sauvignon. Grâce à une macération plus courte, les Anjou sont des vins frais, aromatiques, au point de s'exprimer davantage dans leur jeunesse, avec de subtils parfums de framboise et de cassis.

Les blancs, plus discrets, aux arômes de pommes ou d'agrumes, sont récoltés sur les sols argilo-schisteux du Layon et de l'Aubance. Ils sont secs et de pur chenin, avec possibilité pour le vigneron de les adoucir d'une touche de sauvignon ou de chardonnay (20%).

ANJOU-VILLAGES

Cette nouvelle appellation (1987) consacre les meilleurs Anjou rouges tirés du cabernet franc (70%) et du cabernet sauvignon (30%). Ils proviennent de quarante-huit communes, sur des terrains schisteux de la vallée du Layon autour de Thouarcé, Tigné, Martigné et de l'Aubance, en aval de Brissac. Une réglementation très stricte sur le rendement (50 hectolitres à l'hectare), un vieillissement en cave ou en fût, une commercialisation qui ne peut débuter que le 15 septembre de l'année

suivante, apportent à l'Anjou ses meilleurs vins rouges à la belle robe grenat pourpre tirant sur le rubis. Ils sont plus fermes, plus charpentés, avec des arômes de fruits mûrs et parfois une pointe d'épice. Patientez… quelques années de cave suffisent à les « velouter ». A chaque printemps se déroule le concours des Anjou-Villages dans la grande salle des Gardes de l'impressionnant château de Brissac-Quincé (sur la rive droite de l'Aubance).

ANJOU-GAMAY

N'oublions pas, dans les Anjou rouges, cette appellation issue exclusivement de gamay noir à jus blanc. Les Anjou-Gamay sont élaborés en « primeur », mis en vente après macération carbonique dès le troisième jeudi de novembre avec les vins à cuvaison courte, fruités, frais, gouleyants, à boire dans leur première jeunesse.

ROSÉ D'ANJOU

L'Anjou en produit encore 160 000 hectolitres. Longtemps considérés comme synonymes des vins d'Anjou, ces fameux rosés, issus du grolleau, subirent le contrecoup

Maison troglodytique de Roche-Menier
A droite, le château de Milly

Le village de Brissac-Quincé

La Loire à Savennières

d'une baisse de qualité. Aujourd'hui, grâce à une meilleure vinification, on redécouvre avec bonheur ce vin populaire, désaltérant, fruité, agrémenté d'un léger moelleux.

CABERNET D'ANJOU

Se battrait-il pour être l'un des meilleurs rosés de France ? Sa réputation n'est plus à faire ; elle date du début du siècle avec les grands vins de garde, aux reflets tuilés, admirablement fruités, au

Le Château de la Moinardière

La Roche-aux-Moines

moelleux légendaire. Qualités qui se retrouvent de nos jours dans ces Cabernet d'Anjou vinifiés à l'ancienne, issus des schistes et des faluns des vignobles de Tigné et de Martigné-Briand. Du plus clair au plus pourpre selon la nature du terrain et vinifié en demi-sec, le Cabernet d'Anjou provient exclusivement du cabernet franc et du cabernet sauvignon. Avec obligation d'un degré minimum d'alcool (10°), et d'une teneur en sucre résiduel au moins égale à dix grammes par litre.

SAVENNIÈRES

Avec à peine 100 hectares de vignobles, nous entrons là dans la haute aristocratie des meilleurs vins blancs de France.

A situation exceptionnelle, vin exceptionnel. Savennières, aux portes d'Angers, au nord de la Loire et à l'ouest de la ville, offre à ses coteaux escarpés une exposition plein sud ou sud-ouest, idéale pour une maturation tardive du raisin. Là, le chenin blanc, sur un relief d'éboulis de schiste et de sable, donne le meilleur de lui-même : des vins au bouquet floral de tilleul avec des notes de vanille, de miel et de fruits secs, dont la fermeté, la nervosité et la finesse, permettent un long épanouissement en cave.

L'appellation englobe les communes de Savennières (nom qui proviendrait de la fleur de saponaire), de Bouchemaine et de Possonnière, célèbre pour son moulin à vent. Parmi les coteaux qui dominent la Loire, le plus élevé est celui d'Épiré, qui s'achève par la fameuse Coulée-de-Serrant avec, sur une vingtaine d'hectares jusqu'à la Roche-aux-Moines, deux des plus prestigieux vignobles d'Anjou autorisés à joindre leur nom à l'appellation Savennières en 1952. On a parlé de véritables pièges à soleil pour ces vignes, détenues à l'origine par les moines de Saint-Nicolas d'Angers, du XIIᵉ siècle jusqu'à la Révolution (la petite

PRINCIPALES PROPRIÉTÉS DE SAVENNIÈRES
CHÂTEAU D'EPIRE
CLOS DES MAURIERS
DOMAINE DU CLOSEL
DOMAINE AUX MOINES
CHÂTEAU DE CHAMBOUREAU

315

Ci-dessus, les vignobles de la Coulée-de-Serrant
Ci-dessous, le domaine de la Roche-aux-Moines
Ci-contre, les vignobles des Coteaux du Layon

PRINCIPALES PROPRIÉTÉS DES COTEAUX DU LAYON
DOMAINE DES QUARRES
CHÂTEAU LA TOMAZE
DOMAINE BANCHEREAU
DOMAINE CADY
DOMAINE DES CLOSSERONS
DOMAINE GAUDARD

ferme du monastère existe encore). Le vin de Savennières, que fit connaître la comtesse de Serrant à la cour de Napoléon, possède comme en Bourgogne ses clos entourés de murs : le clos du Papillon, des Perrières, de la Bergerie, le clos de la Goutte d'Or, etc., produisant des vins d'une extrême finesse et d'une rare élégance, assurément parmi les plus admirables vins blancs de France.

COTEAUX DE L'AUBANCE

L'Aubance est un petit affluent de la Loire qui serpente au sud d'Angers, de part et d'autre de Brissac.

L'aire d'appellation couvre une dizaine de communes : Mûrs, Denée, Soulaines, Vauchrétien, etc., donnant des vins blancs fruités, bien charpentés, légèrement moelleux avec une note minérale. Comparés aux Coteaux du Layon, leur manquerait-il la puissance et surtout la finesse ?

COTEAUX DU LAYON

L'une des plus prestigieuses appellations d'Anjou ! Elle couvre 2 000 hectares sur les coteaux du Layon, affluent de la Loire tout au long de ses 70 kilomètres de cours, de la source à l'embouchure, de Cléré-sur-Layon à Chalonnes, port fluvial construit par les Hollandais au XVIII\e siècle. Une vallée qui semble façonnée pour un unique cépage, le chenin.

A chaque méandre du Layon correspond un terroir différent. Les meilleurs se situent sur la rive droite, de Concourson à Rochefort-sur-Loire, offrant une cascade de grands vins de garde à la complexité aromatique exceptionnelle. Sur les vingt-cinq communes du Layon, sept forment ce qui est appelé les Coteaux du Layon-Villages, produisant de grands vins blancs moelleux ou liquoreux aux parfums délicats de miel et de coing, à la somptueuse teinte d'or vert : Beaulieu, Faye-d'Anjou, Rablay, Saint-Lambert, Saint-Aubin, Rochefort-sur-Loire, et le petit bourg de Chaume.

QUARTS DE CHAUME

Quarts de Chaume rappelle cette coutume médiévale qui réservait le quart de la récolte au propriétaire, en l'occurrence l'abbaye du Ronceray d'Angers, sur un terrain jadis en friche (chaume). Ici les chenins surmûris et récoltés par tris successifs donnent des blancs moelleux à la robe d'or, des vins merveilleusement parfumés, longs en bouche, atteignant une longévité remarquable.

Le vignoble, situé sur la commune de Rochefort-sur-Loire, couvre une trentaine d'hectares sur des pentes schisteuses très accentuées, exposées plein sud, allant du bourg de Chaume jusqu'au bord du Layon.

BONNEZEAUX

Bonnezeaux fut classé le 6 novembre 1951. Situé sur la commune de Thouarcé, le vignoble tire son nom d'anciennes sources ferrugineuses. L'appellation (75 hectares environ) occupe le sommet de trois coteaux sur la rive droite du Layon. Ses vins issus de vendanges surmûries sont de vigoureux Layon opulents, solidement charpentés, qui n'exprimeront leur puissance aromatique (fruit, miel et acacia) que bien des années plus tard.

Les Coteaux du Layon

PRINCIPALES PROPRIÉTÉS DE BONNEZEAUX
DOMAINE DE LA GABETTERIE
DOMAINE DES PETITS QUARTS
DOMAINE DES CLOSSERONS
DOMAINE DE LA CROIX DES LOGES

LA VALLÉE DE LA LOIRE

**PRINCIPALES PROPRIÉTÉS
DE SAUMUR**
DOMAINE DE NERLEUX
DOMAINE DES VIGNES BICHE
DOMAINE DES HAUTES VIGNES
CHÂTEAU DU HUREAU
DOMAINE DU VIEUX PRESSOIR
CHÂTEAU DE BEAUREGARD
DOMAINE DE L'EPINAY

La Loire à Saumur

SAUMUR

Dans *Les très riches heures du duc de Berry,* le mois de septembre est illustré par une scène de vendanges au pied du célèbre château de Saumur. Aujourd'hui encore, le Saumurois est réputé pour ses vins aux fins arômes de fruits rouges et au bouquet prononcé de cassis et de framboise.

Sans doute seraient-ils plus proches par leur caractère des vins de Touraine, mais l'histoire en a décidé autrement !

L'appellation est constituée de trente-huit communes pour un bon millier d'hectares de vignes, qui s'étendent de Montsoreau à l'est, jusqu'à Montreuil-Bellay au sud-ouest.

Elle ne concerne que des vins tranquilles, qu'il s'agisse des Saumur blancs issus du chenin associé au chardonnay et au sauvignon ou des Saumur rouges provenant du cabernet franc et du cabernet sauvignon.

Ah ! ce fameux goût de « tuf » (tuffeau), mélange de fraîcheur et de fruité, accentué par un côté très suave qu'on retrouve dans le chenin blanc, autour de Turquant et Brézé ! Les Saumur rouges, marqués eux aussi par le tuf, sont produits surtout dans la partie méridionale de l'appellation, à Puy-Notre-Dame, Montreuil-Bellay et Tourtenay. Le Cabernet de Saumur qui regroupe 60 hectares, issu du cabernet franc et du cabernet sauvignon, est un rosé à la fois vif, frais et plus sec qu'un Cabernet d'Anjou.

Il est aussi moins coloré car très souvent pressé sans avoir été foulé.

SAUMUR MOUSSEUX

Quatre-vingt-treize communes, 1 700 hectares de vignes réparties sur trois départements (Maine-et-Loire, Vienne, Deux-Sèvres), sept maisons de négoce et deux coopératives font de Saumur, après la Champagne, le deuxième centre de production de vins effervescents de France avec quinze millions de cols par an.

Il suffisait tout simplement de traiter le vin à la manière champenoise.

Ici, à Saumur, un Blanc de Blanc est fait à 80% de chenin, avec un apport de chardonnay ou de sauvignon.

Pour les rosés, le choix des cépages est plus large : cabernet franc, cabernet sauvignon, grolleau, cot, gamay, pinot d'Aunis et pinot noir.

La méthode champenoise de seconde fermentation en bouteille est strictement respectée. Le vin repose au minimum neuf mois et souvent plus sur ses lies. Un Saumur pétillant, réalisé à demi-pression, a tendance à être plus vineux.

Le clos Cristal à Champigny, les pieds de cabernet plantés au nord traversent le muret et offrent leurs rameaux au soleil du sud

LA VALLÉE DE LA LOIRE

CHÂTEAU DE TARGÉ
EDOUARD PISANI-FERRY
49730 PARNAY

RÉSERVE DES VIGNERONS
CAVE DES VIGNERONS
49260 SAINT-CYR-EN BOURG

SAUMUR-CHAMPIGNY

Voici enfin un vin rouge qui joue allègrement dans la cour des grands, ses voisins tourangeaux. Un vin où le pourpre le dispute au rubis, à l'inoubliable bouquet de violette, à la saveur de framboise, un vin d'une souplesse toute aérienne, gouleyant, enjôleur dans sa jeunesse, aux parfums plus épicés après quelques années de cave, un vin à la mode qu'il suffit de demander sans avoir à consulter la carte.

En haut, la ville de Saumur
Ci-dessus, le château de Saumur

Imaginez un triangle qui a pour base la Loire et qui irait de Saumur à Montsoreau, et dont la pointe s'enfoncerait jusqu'à Saint-Juste-sur-Dive.

Et, dans ce secteur, la vigne plantée de cabernet franc occupe la moindre parcelle de coteaux bien exposés, sur un sous-sol de calcaires lacustres truffé de caves et de maisons troglodytiques.

Neuf communes saumuroises se partagent cette appellation, réputée depuis les Romains : Saumur, Dampierre, Souzay-Champigny, Parnay, Turquant, Montsoreau, Varrains, Chacé, Saint-Cyr-en-Bourg. « Un vin pour intellectuels », disait Jules Romains, laissant la tête froide après boire.

Une qualité de plus pour un vin qui n'a décidément pas le triomphe modeste.

Le moulin de la Herpinière à Turquant

Maisons troglodytiques près de Saumur

Architecture de Saumur

PRINCIPALES PROPRIÉTÉS DE SAUMUR-CHAMPIGNY
DOMAINE DE LA CUNE
DOMAINE DES VARINELLES
CHÂTEAU DE VILLENEUVE
DOMAINE SAINT-VINCENT
DOMAINE DE NERLEUX
DOMAINE DES BONNEVEAUX

Le Muscadet est bien un vin de terres maritimes. Un vin de l'embouchure de la Loire, entre douceur angevine et brise océane, qui s'extraie de sols légers, peu profonds, sur socle schisteux ou granitique. Regardez sa souche vigoureuse à gros tronc, ses feuilles aussi longues que larges, ses grappes trapues, son bouquet légèrement floral, avec cette pointe musquée qui lui donne son nom.

Serait-ce la proximité de la mer qui le rend très sec, légèrement salé, avec ce côté perlant, un tantinet acidulé ?

Oui, c'est un vin guilleret qui se boit sans façon et qui accompagne à merveille un plateau de fruits de mer.

Merveilleux vignobles de 15 000 hectares ! Ils s'étirent le long d'un pays infiniment plat, suivant le fleuve en amont de Nantes jusqu'à toucher la mer à l'ouest, le Maine-et-Loire à l'est, et la Vendée au sud de la Loire-Atlantique. Sur ce vaste territoire, le muscadet en concède 3 000 au gros plant, cette folle blanche qu'il détrôna après le terrible hiver 1709 où la mer gela tout le long des côtes, détruisant la quasi-totalité du vignoble. Seul le melon (melon pour la forme arrondie de ses feuilles) originaire de Bourgogne résista.

Du Muscadet simple, élégant, d'un or très pâle, aux reflets verts, à la teneur en alcool limitée à 12° pour accentuer encore sa fraîcheur, on fit un vin universellement connu qui trouve ici son terroir de prédilection.

MUSCADET
GUY BOSSARD
44430 LE LANDREAU

PRINCIPALES PROPRIÉTÉS
DE MUSCADET
DOMAINE DU HAUT-PLANTY
CHÂTEAU DE LA PREUILLE
CLOS DE LA SENAIGERIE

MUSCADET SUR LIE

En Pays nantais, les vendanges sont précoces, les premières de France.

Le raisin peut être vinifié comme pour tous les vins blancs. Pourtant, les deux tiers des Muscadet (et de plus en plus de Gros Plant) portent la mention « sur lie jusqu'à la mise en bouteille » (en juin), effectuée sans soutirage préalable et par simple

effet de gravité. A peine remué, le vin conserve une partie de son gaz carbonique qui apportera le « perlant » (légère effervescence), si typique des Muscadet sur Lie, à l'ouverture de la bouteille.

Lors des bonnes années et après une vinification correcte, le Muscadet est un véritable bonheur, finement bouqueté, d'une légèreté presque aérienne, avec une pointe d'acidité et cette remarquable fraîcheur qui fait de ce vin l'un des plus populaires de France.

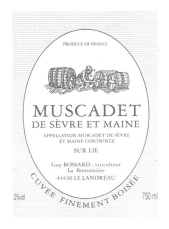

MUSCADET
GUY BOSSARD
4430 LE LANDREAU

*« Long-fût », imposant pressoir utilisé autrefois
en Pays nantais*

La ville de Clisson

**PRINCIPALES PROPRIÉTÉS
DE MUSCADET
DE SÈVRE-ET-MAINE**
CHÂTEAU DE LA CANTRIE
CHÂTEAU DE CHASSELOIR
CHÂTEAU DE GOULAINE
JEAN AUBRON
CHÂTEAU DE LA RAGOTIÈRE
DOMAINE DU MANOIR

Le château de Clisson

Bouchard Frères
44690 Maisdon

MUSCADET DE SÈVRE-ET-MAINE

Les deux tiers des Muscadet proviennent de cette zone de confluence entre Sèvre et Maine.

Les meilleurs vignobles, sur des terrains plutôt granitiques, y sont concentrés.

Portons maintenant attention aux noms des communes les plus réputées, quoique sans appellation communale.

Ainsi, Vertou, dont la prospérité a pour origine les moines, qui, dès le XIᵉ siècle, rendirent la Sèvre navigable et plantèrent les premières vignes ; puis, en suivant la départementale 59, Saint-Fiacre, Clisson, détruit par Kléber durant les guerres de Vendée, l'un des plus grands vignobles nantais au carrefour de la Bretagne, de l'Anjou et du Poitou ; Pollet, la cité d'Abélard, avec son musée du Vignoble ; Vallet, considéré comme la capitale du Muscadet, avec un vignoble de 2 200 hectares, suivi de La Chapelle-Heulin, et terminons sur les coteaux escarpés des bords de Loire dans le canton de Loroux-Bottereau.

MUSCADET DES COTEAUX DE LA LOIRE

L'aire d'appellation s'étend autour d'Ancenis sur les deux rives du fleuve ; les 10% de Muscadet qui y sont produits offrent des vins plus charpentés, plus corsés que ceux de Sèvre-et-Maine, certains avec des arômes de pierre à fusil.

COTEAUX D'ANCENIS

A l'extrême limite du Pays nantais mais pas encore en Anjou, ce vignoble de 400 hectares produit principalement des rouges et des rosés à partir du gamay noir à jus blanc, des vins agréables et fruités (80% de la production). Les blancs, très proches des Anjou, sont issus du chenin. Obligation est faite, ici, de mentionner sur l'étiquette le nom du cépage.

MUSCADET

L'aire d'appellation couvre le pays de Retz, bastion du célèbre Gilles de Rais, maréchal de France et compagnon de Jeanne d'Arc, jusqu'à empiéter sur la Vendée. C'est une vaste zone qui a pour cœur le lac de Grandlieu, un site de marais exceptionnel abritant plus de deux cent vingt espèces d'oiseaux.

Vin rustique s'il en est, le Muscadet est vif, frais et fruité, bon à boire en « primeur » dès ses premières « Pâques ».

GROS PLANT DU PAYS NANTAIS

Son secteur recoupe celui du Muscadet, mais il se contente des sols sablo-graveleux de Loire-Atlantique et tout spécialement des abords du lac de Grandlieu.

Son unique cépage est le gros plant ou folle blanche. Ses 3 000 hectares donnent un vin nettement plus grossier et plus vert que le Muscadet.

La tour du château des Goulaines
L'église Notre-Dame à Clisson
Les vignobles à Vallet

LE SOLEIL NANTAIS
GUILBAUD FRÈRES
43330 MOUZILLON

Index des

appellations

Index

général

**Institut national
des appellations d'origine des
vins et eaux de vie (INAO)**
138, avenue des Champs-Elysées,
75008 Paris Tél : 45 62 54 75
**Délégation générale des vins et
spiritueux**
116, boulevard Haussman,
75008 Paris Tél : 42 94 16 67
**Fédération nationale des
importateurs de vins et spiritueux**
95, rue Marceau,
75008 Paris Tél : 45 22 75 73
La Maison de la Vigne et du Vin
21, rue François-Ier
75008 Paris Tél : 47 20 20 76.
**Confédération nationale des
produits et des vins d'appellations
d'origine contrôlées (CNAOC)**
Tél : 47 23 58 60
**Confédération des associations
viticoles de France (FAVF)**
Tél : 47 20 17 00
**Institut technique de la vigne
et du vin** Tél : 47 23 42 00

**LES COMITES
INTERPROFESSIONNELS**

ALSACE
**Comité interprofessionnel
des vins d'Alsace**
12, avenue de la Foire-aux-Vins
68003 Colmar Cedex
Tél : 89 41 06 21

BORDELAIS
**Conseil interprofessionnel du vin
de Bordeaux**
1, cours du 30 juillet
33000 Bordeaux Tél : 56 00 22 66

BOURGOGNE
**Bureau interprofessionnel
des vins de Bourgogne**
– 12, boulevard Bretonnière, BP 150,
21204 Beaune Cedex
Tél : 80 24 70 20

– 389, avenue de Lattre-de-Tassigny,
71000 Mâcon Tél 85 38 20 15
– Le Petit Pontivy, 89800 Chablis
Tél : 86 42 42 22
**Union professionnelle
des vins du Beaujolais**
210, boulevard Vermorel
69400 Villefranche-sur-Saône
Tél : 74 65 45 55

CHAMPAGNE
**Comité interprofessionnel
du vin de Champagne**
5, rue Henri-Martin, BP 135
51204 Epernay Cedex
Tél : 26 54 47 20

CÔTES DU RHONE
**Comité interprofessionnel
des vins des Côtes du Rhône**
6, rue des Trois-Faucons
84000 Avignon Tél : 90 27 24 00

VALLÉE DE LA LOIRE
**Comité interprofessionnel
des vins de Nantes**
Bellevue, 44690 La Haye-Fouassière
Tél : 40 36 90 10
**Comité interprofessionnel
des vins de Touraine**
19, square Prosper-Mérimée
37000 Tours Tél : 47 05 40 01
**Conseil interprofessionnel
des vins d'Anjou et de Saumur**
73, rue Plantagenêt BP 2287,
49022 Angers Cedex
Tél : 41 87 62 57

SUD-OUEST
**Union interprofessionnel
des vins de Cahors**
28, boulevard Gambetta,
46002 Cahors Tél :65 35 44 10.
**Comité interprofessionnel
des vins de Gaillac**
Abbaye Saint-Michel
81600 Gaillac Tél : 63 57 15 40

**Comité interprofessionnel
des vins de la région de Bergerac**
2, place du Docteur-Cayla
24100 Bergerac Tél : 53 57 12 57
**Comité interprofessionnel
du Floc-de-Gascogne**
rue des Vignerons BP 49
32800 Eauze Tél : 62 09 85 41

JURA-SAVOIE
**Comité interprofessionnel
des vins et spiritueux du Jura**
avenue du 44ème R.I., B.P. 396
39016 Lons-Le-Saulnier
Tél : 84 24 21 07
**Comité interprofessionnel
des vins de Savoie**
3, rue du Château
73000 Chambéry Tél : 79 33 44 16

PROVENCE-CORSE
**Comité interprofessionnel
des vins des Côtes de Provence**
Maison des Vins, RN 7
83460 Les Arcs-sur-Argens
Tél : 94 73 33 38
**Groupement interprofessionnel
des vins de l'Ile de Corse**
15, boulevard Fango, Maison verte
20000 Bastia Tél : 95 31 37 36

LANGUEDOC-ROUSSILLON
**Fédération des interprofessions
du Roussillon et Comité des Vins
doux naturels**
19, avenue Grande-Bretagne
66000 Perpignan Tél : 68 34 42 32
**Comité interprofessionnel des
vins de Fitou, Corbières et
Minervois**
RN 113, 11200 Lézignan-Corbières
Tél : 68 27 03 64

d'adresses

LES CONFRÉRIES VINEUSES

ALSACE
Confrérie Saint-Etienne
Château de Kientzheim.
Hospitaliers d'Andlau.
Compagnons de la Capucine, Toul.

BORDELAIS
La Jurade de Saint-Emilion.
Commanderie du Bontemps
du Médoc et des Graves, Pauillac.
Commanderie du Sauternes-Barsac.
Commanderie de Sainte-Croix-
du-Mont.
Connétablie de Guyenne.
Hospitaliers de Pomerol.
Vignerons de Montagne-Saint-
Émilion.
Gentilshommes du Duché de
Fronsac.
Compagnons de Loupiac.

BOURGOGNE
Chevaliers du Tastevin,
à Clos de Vougeot.
Compagnie bourguignonne des
œnophiles.
Ordre ducal de la Croix de
Bourgogne.
La Cousinerie de Bourgogne,
Savigny-lès-Beaune.
Compagnons du Beaujolais,
Villefranche-sur-Saône.
Confrérie du Gosier sec de
Clochermerle, Vaux-en-Beaujolais.
Grapilleurs des Pierres Dorées.
Confrérie des Vignerons de Saint-
Vincent, Mâcon.
Disciples de la Chanteflûte,
Mercurey.
Piliers chablisiens.
Trois Ceps de Saint-Bris, Yonne.
Collège des Ambassadeurs
du Roi Chambertin.
Confrérie du souverain bailliage,
Pommard.

VALLÉE DE LA LOIRE — CENTRE
Confrérie de l'Ordre
des Chevaliers bretons (Muscadet).
Confrérie des Chevaliers
de la Chantepleure, Vouvray.
Confrérie des Maîtres de chais.
Confrérie des Tire-Douzils de la
Grande-Brosse, Ingrandes-de-
Touraine.
Confrérie des Compagnons
de Grandgousier, Onzain.
Confrérie bachique des Entonneurs
rabelaisiens, Chinon.
Commanderie de la Dive Bouteille
des vins de Bourgueil et de Saint-
Nicolas-de-Bourgueil.
Côterie des Closiers de Montlouis.
Commanderie des grands vins
d'Amboise.
Commanderie du Taste-Saumur.
Chevaliers du Sacavin, Angers.
Confrérie des Fins Gouziers d'Anjou.
Chevaliers de la Canette.
Confrérie des Hume-Pinot du
Loudunais.
Chevaliers de Sancerre.

CÔTES DU RHONE
Echansonnerie des Papes,
Châteauneuf-du-Pape.
Commanderie des Côtes du Rhône,
Sainte-Cécile-les-Vignes.
Confrérie de Syrah-Roussette,
Valence.
Confrérie Saint-Vincent de Visan.
Compagnons de la Côte du Rhône-
gardoise, Bagnols-sur-Cèze.
Commanderie de Tavel.
Confrérie des vignerons,
Beaumes-de-Venise.
Confrérie de Crozes-Hermitage.
Confrérie des Chevaliers de Gouste-
Séguret.
Confrérie des Maîtres vignerons
de Vacqueyras.

SUD-OUEST
Commanderie des Chevaliers de
Tursan.
Consulat de la Vinée de Bergerac.

SAVOIE
Confrérie du Sarto.

PROVENCE
Confrérie de l'Ordre illustre des
Chevaliers de la Méduse,
Les-Arcs-sur-Argens.
Confrérie des Comtés de Nice et
de Provence.
Les Chevaliers de Sully.

LANGEDOC-ROUSSILLON
Maîtres tasteurs du Roussillon,
Perpignan.
Commanderie majeure du Roussillon,
Perpignan.
Confrérie des Coteaux du Languedoc.
Confrérie de la Mesnie du Fitou.
Illustre Cour des Seigneurs de
Corbières, Lézignan.
Capitol dals Tastevins e gargamelos
de limos, Limoux.
Compagnon du Minervois.
As Templers de la Serra, Banyuls.

PRINCIPALES FOIRES AUX VINS

Salon de l'Agriculture, Paris
Salon des Vins, Foire de Paris
Salon des caves particulières, Paris
Foire nationale des vins de France,
Mâcon.
Foire du vin de Colmar.
Concours-exposition de Villefranche-
sur-Saône.
Vinexpo-Vinotech, Bordeaux.
Foire gastronomique et des vins
de Dijon.
Fêtes internationale de la vigne et
du vin, Dijon.
Foire de Reims.
Foire et Troyes.

BIBLIOGRAPHIE

L'Atlas des vins de France. Fernand Woutaz. (Ed. Jean-Pierre de Monza).

La cote des vins 1993-1994. Arthur Choko. 1992 (Ed. de l'Amateur).

La dégustation. Steven Spurrier et Michel Dovaz. Collection Académie du vin (Bordas).

Dictionnaire des vins. Dr. Gérard Debuigne. Collection Références. 1985 (Larousse).

Dijon, la route des vins. Pays de France. Mars-avril 1993 (Ed Mondiales).

Encyclopédie des vins et alcools. Alexis Lichine. Collection Bouquins (Robert Laffont).

Le Guide des vins de Bourgogne. Guy Renvoisé. (Solarama).

Le Guide des vins de Champagne. Guy Renvoisé. 1983 (Solarama).

Guide des vins. Que choisir Pratique (UFC).

Histoire du vin. Jean-François Gautier. Collection Que sais-je ? (PUF).

Le Livre pratique des vins. Michel Dovaz. (De Vecchi poche).

Nouveau Larousse des vins. Dr. Gérard Debuigne. 1979. (Larousse)

Soignez-vous par le vin. Dr. E.A. Maury (Marabout).

Sur les chemins des vignobles de France. (Sélection du Reader's Digest).

Sur les routes des vins de France. Alexis Lichine. 1986 (Robert Laffont).

France. Collection Guides bleus. 1990 (Hachette).

Terroirs et vins de France. Sous la direction de Charles Pomerol. (Editions du BRGM).

La Vigne et le vin. Hors série « Science et Vie ». Septembre 1986.

Le Vignoble savoyard et ses vins. Roger Girel. 1985 (Ed. Glénat).

Le Vin d'Arbois. 1989 par le Commandant G. Grand. 1989.

Le Vin mode d'emploi. Hugh Johnson. 1985. (Ed. Flammarion).

Les vins de Bourgogne. Pierre Poupon et Pierre Forgeot. 1969 (PUF).

REMERCIEMENTS

Nous remercions pour leur précieuse collaboration :
le service documentation de la Maison de la Vigne et du Vin à Paris,
l'Institut technique du vin, les comités interprofessionnels des vins d'appellation,
la comtesse de Bournazelle, Alfred Tesseron et Christian Imbert,
et tous ceux, qui de près ou de loin, ont contribué à la réalisation de ce livre.